Sebastiaan Duister

Philip Caveney

Sebastiaan Duister

Vertaald door Ineke Lenting

Pimento

www.pimentokinderboeken.nl

Oorspronkelijke titel *Sebastian Darke, Prince of Fools*
Copyright © Philip Caveney 2007
Oorspronkelijk uitgegeven bij Random House Children's Books
Nederlandse vertaling © 2007 Ineke Lenting en Pimento, Amsterdam
Omslagillustratie Ien van Laanen
Omslagontwerp Ien van Laanen
Opmaak binnenwerk ZetSpiegel, Best

ISBN 978 90 499 2228 3
NUR 283

Pimento is een imprint van Foreign Media Books BV,
onderdeel van Foreign Media Group

Voor de kippetjes in het hok...
en voor Charlie, zonder wie...

Deel I

1

Over een jongen en zijn buffaloop

De oude houten wagen reed langzaam en krakend onder de beschutting van de bomen vandaan en bleef even staan aan de rand van de uitgestrekte vlakte.

Als iemand het tafereel had gezien, dan was hem vast de tekst opgevallen die in bonte letters op de zijkant van de wagen stond geschilderd: SEBASTIAAN DUISTER, PRINS DER DWAZEN. Als hij een scherpe blik had gehad, zou hem ook zijn opgevallen dat de naam SEBASTIAAN er wat anders uitzag dan de rest. Hij was er in een nogal scheef en ongeoefend handschrift aan toegevoegd en duidelijk over een andere, eerdere naam heen geschilderd.

De zon stond laag aan de horizon en met zijn hand boven zijn ogen tuurde Sebastiaan de flikkerende, zinderende verte in. Het land dat voor hem lag was vlak en dor, doodse rode aarde, verschroeid door de zon en met hier en daar een pluk armzalig gras dat zich koppig door de grond naar boven stuwde. Eigenlijk had hij geen idee hoe ver het was naar de stad Keladon, maar een koopman die hij de vorige dag had ontmoet had hem gewaarschuwd dat hij op een reis van minstens drie dagen en nachten zou moeten rekenen.

'Het is een heel eind,' had de koopman gezegd. 'En het stikt daar op de vlakte van de Bandistanen. Je kunt maar het best één oog openhouden als je slaapt, elfenman.'

Sebastiaan was wel gewend aan dat woord, hoewel hij er niet veel van moest hebben. Hij was een 'halfbloed': de zoon van een mensenvader en een elfenmoeder. Zijn lengte en knappe gezicht kwamen duidelijk van zijn vaders kant van de familie, maar zijn moeders aandeel was ook zichtbaar: in zijn grote, gitzwarte irissen en zijn lange, enigszins puntige oren. Zijn slungelige gestalte viel des te meer op door het zwart-wit gestreepte pak dat hij droeg, met daarboven een hoge driepuntige muts, die aan de uiteinden van klingelende belletjes was voorzien. Het pak was van zijn vader geweest en slobberde om Sebastiaan heen, maar hij had niets willen weten van zijn moeders aanbod om het te vermaken, want, zo had hij gezegd, hij werd vanzelf wat forser en dan zou hij er wel in groeien. Of hij ook vanzelf in zijn rol van hofnar zou groeien, was nog maar de vraag.

Sebastiaan klakte met zijn tong en tikte met de leidsels tegen de ruige schonken van Max de buffaloop, die in zijn eentje de wagen moest trekken. Max snoof, schudde zijn grote, gehoornde kop en zette zich weer in beweging, op zijn gebruikelijke ontspannen sukkeldrafje. Sebastiaan wist niet beter of Max maakte deel uit van de familie Duister; een van zijn vroegste herinneringen betrof zijn vader, die hem op de machtige rug van de buffaloop tilde en hem langzaam het weitje rondleidde. Max was nu op leeftijd en zijn dieprode, ruige vacht was bespikkeld met grijze haren. Hij leek met de dag humeuriger te worden en als iets hem niet beviel, liet hij het meteen merken.

'Het staat me hier helemaal niet aan,' mompelde hij nu, terwijl hij de vlakte op liep. 'We hebben vast heel wat water nodig.'

'We hébben ook water,' zei Sebastiaan. 'Genoeg voor minstens twee dagen. Bovendien zijn er daar beekjes. Dat heeft die koopman gezegd.'

Max snoof minachtend. 'Wat ik niet snap is dat je een Berundiaanse olieverkoper op zijn woord gelooft,' zei hij. 'Zo'n man zou zijn eigen grootmoeder nog voor een paar kroater verkopen.'

'Jij vertrouwt niemand,' antwoordde Sebastiaan afkeurend. 'Volgens jou is ongeveer iedereen die we ontmoeten een schurk.'

'Omdat de meesten dat ook zijn. Het viel me op dat die Berundiaan je wat lampolie heeft aangesmeerd.'

'Nou en? Die hebben we toch nodig?'

'Niet voor drie kroater per fles. Diefstal op klaarlichte dag! Thuis op de markt in Jerabim krijg je een hele emmer voor...'

'We zijn nu niet in Jerabim,' liet Sebastiaan hem weten.

Somber en zwijgend vervolgden ze hun weg, en Sebastiaan betrapte zichzelf erop dat hij wat treurig gestemd aan zijn geboorteplaats dacht, de stad waar hij de eerste zeventien jaar van zijn leven had doorgebracht. Even sloot hij zijn ogen en hij zag de grote, bedrijvige markt op het stadsplein weer voor zich, waar welvarende kooplieden in hun geborduurde mantels hun waren luid aanprezen bij de langsslenterende stedelingen. Opeens werden Sebastiaans zintuigen overspoeld door een hele serie vertrouwde beelden, geuren en smaken. Hij zag de rijk versierde stoffen en tapijten die aan houten rekken rond de vele kramen hingen. Hij rook de doordringende lucht die uit de veekralen opsteeg, waar onderhandeld werd over buffalopen en hippo's. Hij proefde de verrukkelijke warme vruchtendrank die in de kroegen werd geschonken, en hij zoog het warme aroma van elfenkoffie op, dat uit de eethuisjes langs het plein naar buiten dreef...

Toen zag hij opeens heel scherp het gezicht van zijn moeder voor zich, op de dag dat hij uiteindelijk van huis was gegaan: haar roodomrande ogen, haar dappere, hopeloze poging tot een glimlach. Vanaf zijn zitplaats hoog op de wagen had hij haar toegeroepen dat hij terug zou komen zodra hij fortuin had gemaakt, dat al haar zorgen dan voorbij zouden zijn... maar ze hadden het geen van beiden echt geloofd.

'Pas goed op, Sebastiaan,' had ze geantwoord. 'En vergeet niet: als het niet lukt, dan wacht ik hier op je!'

Dat was drie manen geleden geweest. Hij vond het geen prettige gedachte dat ze 's avonds in haar eentje in het armoedige huisje zat, terwijl de koude nachtwind langs het raam ruiste...

'Wat saai is het hier!' Zijn gedachten werden ruw onderbroken door de zeurderige stem van Max. 'Moet je zien. Er is hier ook helemaal niks, niet eens een heuvel of een boom. Je zou me toch minstens aangenaam bezig kunnen houden met een gesprekje of zo.'

'Daarvoor ben ik niet in de stemming,' zei Sebastiaan. 'Trouwens, de meeste buffalopen kennen hun plek. Ze lopen hun baas niet de oren van het hoofd te kletsen.'

'Je bent mijn baas niet,' merkte Max op. 'Die eer kwam je vader toe.'

'Die is nu al ruim een jaar dood. Ik heb het huis geërfd en ik heb jou ook geërfd. Accepteer dat nu maar en hou je kop!'

'Nee maar, nou wordt ie mooi!' riep Max vol afschuw uit. 'Gedegradeerd tot een stuk bezit. Nou, dan weet ik in elk geval waar ik sta.'

Sebastiaan had alweer spijt van zijn woorden. 'Zo is het niet. Je bent geen bezit. Eigenlijk... ben je eerder een...'

13

'Een knecht? Een slaaf?'

'Een partner, wilde ik zeggen.'

Daar leek Max wel mee ingenomen. Hij tilde zijn kop een eindje op en zijn stap kreeg iets veerkrachtigs. 'Een partner,' mijmerde hij. 'Eh, ja, zeg nou zelf: zonder mijn hulp zou je niet zo ver zijn gekomen. Wie heeft je de weg door het Woud van Geltaan gewezen? Nou? En het was mijn idee om gisteravond in dat dennenbos ons bivak op te slaan.'

'Ik ben je zeer dankbaar,' verzekerde Sebastiaan hem. 'Echt.' Het laatste wat hij op dat moment kon gebruiken was een buffaloop die geen poot meer wilde verzetten.

Zwijgend reden ze door, en de enige geluiden waren het gekraak van het oude leren tuig, het geknerp van de wielen en het geklingel van Sebastiaans belletjes. Terwijl hij daar zat, vroeg hij zich voor de zoveelste keer af of hij de juiste keus had gemaakt.

Sebastiaans vader, Alexander, was ook nar geweest, en hij had zeer veel succes gehad. Als hofnar van koning Cletus de Schitterende had hij een leven vol rijkdom en privileges gekend, en jarenlang had hij zijn vrouw en zoontje een comfortabel bestaan kunnen bieden. Maar Cletus was al een oude man toen Alexander bij hem in dienst kwam. De zoon en erfgenaam van Cletus, Daniël de Droevige, had niets van zijn vaders liefde voor gevatheid en vrolijkheid meegekregen. Het was al snel duidelijk dat Alexanders geluk niet eeuwig zou duren.

14

Hij had altijd de wens gekoesterd dat Sebastiaan hem zou opvolgen. Vanaf zijn vroegste jeugd had de jongen zijn uiterste best gedaan om het narrenvak te leren. Maar er ontbrak altijd iets. Dat hij de grappen, woordspelingen en verhalen uit zijn hoofd moest leren was het probleem niet, maar op de een of andere manier lukte het hem niet ze overtuigend te brengen. Zijn timing was verkeerd of hij ging de mist in met iets onbenulligs. Waar Alexander altijd op een stevige lach kon rekenen, oogstte Sebastiaan hooguit wat vaag gegrinnik; terwijl Alexanders publiek altijd aan zijn lippen hing, werden de mensen al snel rusteloos en raakten afgeleid als Sebastiaan iets vertelde. Het was Sebastiaan duidelijk dat hij de 'gave', zoals zijn vader het noemde, niet bezat. Maar Alexander weigerde dat te aanvaarden. 'Oefening baart kunst,' zei hij altijd, en volgens hem was het gewoon een kwestie van tijd.

Toen was koning Cletus uiteindelijk gestorven en van het ene op het andere moment was Alexander zijn beschermheer kwijt. Pogingen om in een goed blaadje te komen bij andere rijke edelen aan het hof mislukten, en nu er geen geld meer binnenkwam, was hij algauw gedwongen om voor een paar kroater per avond zijn diensten aan te bieden aan plaatselijke kroegen en theaters. Het gezin raakte in de problemen toen er steeds minder geld binnenkwam. Alexander deed werkelijk alles om aan werk te komen, maar het haalde niets uit. En toen, op een avond in een kroeg, vertelde een vreemdeling hem over een machtige koning in de stad Keladon, ver weg in het westen.

'Koning Septimus is een goed en nobel man,' had hij gezegd. 'Er wordt beweerd dat zijn paleis het rijkste ter wereld is. Hij eet van gouden borden en drinkt uit zilveren bokalen, bezet met edelstenen.'

'Heeft hij een hofnar?' had Alexander gevraagd.

Waarop de vreemdeling had geantwoord: 'Zal ik jou eens wat vertellen? Ik geloof het niet!'

Alexander klampte zich aan het idee vast als een drenkeling aan een stuk drijfhout. Hij kon aan niets anders meer denken dan aan de lange, zware reis naar Keladon, waar hij zijn diensten aan koning Septimus wilde aanbieden. Om zich op zijn tocht voor te bereiden bedacht hij een compleet nieuwe voorstelling en die oefende hij elke avond, tot diep in de nacht. Eindeloos nam hij alles door en probeerde hij elk woord, elke toespeling en elke uitdrukking op zijn uitgemergelde gezicht te vervolmaken.

Maar hij besefte niet wat voor tol de voorgaande maanden van hem hadden geëist. Hij was ondervoed en uitgeput. Op een ochtend bij het ontwaken hadden Sebastiaan en zijn moeder Alexander bewusteloos op de tegelvloer aangetroffen, bleek en rillend. Ze droegen hem naar zijn bed en Sebastiaan reed op Max naar de stad om een dokter te halen, maar het mocht niet baten. Alexander was in de greep van een gruwelijke koorts en binnen een week was hij dood.

Voor Sebastiaan en zijn moeder brak er een hopeloze tijd aan. Het huis en het land waren van hen, maar er kwam bijna geen geld meer binnen, en er zat niets anders op dan de straat op te gaan en te bedelen. Tenzij...

Toen Sebastiaan het idee voor het eerst opperde, had zijn moeder er niets van willen horen.

Hij was nog maar een jongen, benadrukte ze. Hij kon die lange, afmattende reis naar Keladon nauwelijks in zijn eentje ondernemen. Sebastiaan had daarop geantwoord dat hij Max mee zou nemen en hij had zijn moeder gevraagd of ze iets beters wist, maar ze kon niets bedenken.

En dat gaf de doorslag: Sebastiaan zou in zijn vaders pak, op zijn kermiswagen en gewapend met zijn vaders grappen en verhalen de reis naar Keladon ondernemen om werk te zoeken aan het hof van koning Septimus.

'Wat kan er in het ergste geval gebeuren?' had hij aan zijn moeder gevraagd. 'Als ze me niet goed genoeg vinden, sturen ze me gewoon weg en dan kom ik weer thuis.'

Zijn moeder had geknikt en met moeite had ze weer een glimlachje op haar gezicht getoverd, maar diep in haar hart begon ze zich af te vragen of dit het begin van het einde was, en ze betwijfelde of ze haar geliefde zoon ooit terug zou zien.

2

Een dubbele act

'O, toe nou, in hemelsnaam, dit is vreselijk. Vertel eens een mop!'

'Wat?' Met een schok keerde Sebastiaan terug in het heden. Hij keek om zich heen naar de schijnbaar eindeloze dorre, stoffige vlakte, en het kostte hem grote moeite om een snel groeiend gevoel van paniek te onderdrukken.

'Je hebt me wel verstaan. Laat eens iets horen uit je fantastische repertoire.'

'Eh... nu even niet, als je het niet erg vindt. Ik ben aan het nadenken.'

Daar nam Max geen genoegen mee. 'Ga je dat ook zeggen als koning Septimus je om een optreden vraagt? "Nu even niet, majesteit, ik ben aan het nadenken!" Dat zal hij mooi vinden, denk je ook niet? Dat kost je waarschijnlijk de kop!'

'Snap het nou toch,' zei Sebastiaan. 'Ik kan niet zomaar de

knop omzetten. Ik... Het is een kwestie van de juiste sfeer. Er is publiek voor nodig...'

'Dan ben ík toch je publiek?' drong Max aan. 'En die sfeer denk ik er wel bij. Zeg eens eerlijk: zoveel gelegenheid om te oefenen heb je nou ook weer niet. De volgende keer dat je optreedt is het waarschijnlijk voor de koning en zijn hofhouding.'

Sebastiaan slikte. Dat was bepaald geen bemoedigend vooruitzicht. 'Goed dan,' zei hij. 'Ik zal het proberen... Maar val me alsjeblieft niet in de rede als ik nog niet klaar ben. En probeer op de juiste momenten te lachen.'

Vertwijfeld sloeg Max zijn ogen ten hemel, maar hij onthield zich van verder commentaar.

'Goed dan...' Sebastiaan dacht even na en nadat hij al zijn zelfvertrouwen bijeen had geraapt, begon hij aan zijn openingsnummer. 'Gegroet, dames en heren! Ik wil niet beweren dat ik er verschrikkelijk lang over gedaan heb om de vlakte over te steken, maar toen ik vertrok droeg ik nog een korte broek!' Hij zweeg even, wachtend op een lach, maar toen er niks kwam, ging hij verder.

'Dus... dit is de mooie stad Keladon! Ik heb er veel over gehoord. Ik heb gehoord dat de kooplieden hier zo welvarend zijn dat ze de hangsloten zelfs van hun vuilnisbakken hebben verwijderd! Nou... Nou, waar ik vandaan kom, Jerabim, is het allemaal iets minder chic. Niet dat het er een smerige boel is, maar volgende week wordt het met de grond gelijkgemaakt, zodat ze er een achterbuurt kunnen bouwen!'

Er kwam geen reactie van Max. Helemaal niks.

'Ik... Ik heb een heel armoedige jeugd gehad. Ons gezin was zo arm dat we 's winters niet eens de kachel konden stoken. Mijn vader kauwde dan op een rode peper en we gingen allemaal om zijn mond heen zitten! En wat eten betreft... We... We hadden geen geld voor fatsoenlijk voedsel. Af en toe stuurde mijn moeder me naar het slachthuis om een babarusa-kop te kopen. En dan moest ik vragen of ze de ogen wilden laten zitten, zodat ze op de kleintjes konden letten!'

Sebastiaan keek hoopvol neer op Max, die vastberaden voortploeterde en uit niets liet blijken dat hij iets had gehoord. 'Een beetje bijval kan geen kwaad,' bromde hij.

'Het spijt me, maar tot nu toe komen je grappen me nogal bekend voor...'

'Als mijn vader ze had verteld, zou je anders wel gelachen hebben.'

Even bleef het stil.

'Je vader bezat de gave om de flauwste dingen nog grappig te laten klinken. Jij daarentegen moet wat harder werken om dezelfde resultaten te bereiken... maar ga alsjeblieft door.'

Sebastiaan klemde zijn kaken een paar tellen lang op elkaar en toen besloot hij een van zijn eigen grappen ten beste te geven.

'Ken je die van de twee kooplieden die naar de markt liepen? Zegt de een...'

'Die klopt niet,' viel Max hem in de rede.

Sebastiaan keek verbaasd op. 'Hoezo niet?' snauwde hij tegen de buffaloop.

'Kooplieden lopen nooit ergens naartoe.'

'O... Goed dan, ze reden naar de markt. Zegt de een...'

'Déze grap ken ik geloof ik niet.'

'Nee. Dat komt omdat het er een van mezelf is.'

'Juist ja. Vind je het wel een goed idee om je eigen materiaal te gebruiken? De grappen van je vader zijn in elk geval getest en uitgeprobeerd.'

'Als je me nou eens liet uitpraten?'

'Sorry. Ga door. Ik ben een en al oor.'

'Dus... Dus een van de twee zegt: "Hoe lang zijn we nu al onderweg?" Waarop de ander zegt: "Drie dagen. Maar voor jou maak ik er twee van!"'

Weer volgde er een pijnlijk lange stilte, waarin het gekraak van het tuig onnatuurlijk luid klonk.

Toen zei Max: 'Uiteraard weerhoudt niets je ervan om een ander beroep te zoeken. Volgens mij hebben ze in Keladon een schreeuwend tekort aan bouwvakkers.'

'Zo slecht was het ook weer niet!' vond Sebastiaan.

'Nee. Nee, op zich was het niet slécht. Ik kon er alleen niets grappigs aan ontdekken. Ik bedoel, waren ze nou drie dagen onderweg of twee?'

'Dat... dat is juist de clou,' zei Sebastiaan. 'Je kent die kooplieden toch wel, die proberen het altijd met je op een akkoordje te gooien. Zo van: het is drie kroater, maar voor jou...'

'Je vader zei altijd...'

'... dat je een grap nooit moest uitleggen! Ja, dat weet ik. Maar... Maar jij zat hem dan ook niet de hele tijd aan zijn hoofd te zeuren omdat je weigerde te snappen wat hij bedoelde.'

'Ik kan me niet aan de indruk onttrekken dat je een beetje overgevoelig bent,' zei Max stijfjes. 'Het is toch niet mijn schuld dat je geen fatsoenlijke tekst kunt schrijven? Aan de andere kant is het misschien oneerlijk om je aan de hand van één voorbeeld te beoordelen. Ga door alsjeblieft – zo gaat de tijd tenminste wat sneller.'

'Laat maar zitten,' antwoordde Sebastiaan op bittere toon. Hij zag dat de wolken aan de horizon steeds dieper rood begonnen te kleuren. De nacht viel hier snel. Roedels wilde lupers maakten deze vlakten onveilig, en daarom was het verstandig om een flink kampvuur te stoken. Bovendien naderden ze een van de weinige bosjes struikgewas die hij op dit vlakke land had gezien. De struiken waren verdord en in hun groei geremd, maar ze boden in elk geval wat beschutting. 'We stoppen daar om de nacht door te brengen,' zei hij tegen Max.

'Goed idee. Ik kan zowat niet meer op mijn hoeven staan!' Behendig manoeuvrerend parkeerde Max de kermiswagen naast het struikgewas. Sebastiaan sprong van de bok en spande Max uit, die met veel vertoon zijn schouders liet rollen en zijn poten strekte. 'Ah, wat een opluchting,' verzuchtte hij. 'Het is bepaald geen lolletje om de hele dag die kar te trekken.' Hij wierp een hoopvolle blik op Sebastiaan. 'En, wat staat er voor verrukkelijks op het menu?'

'Droogvoer voor jou,' zei Sebastiaan, die zo positief mogelijk probeerde te klinken. 'En voor mij zwart elfenbrood.'

'O nee, dat is te gek – wat verwen je me weer,' zei Max somber.

Sebastiaan luisterde niet naar hem. Hij liep naar de achterkant van de wagen en pakte Max' voerzak, waarin hij een paar handenvol van het droogvoer gooide dat hij in Jerabim had gekocht. Het rook muf en onappetijtelijk, maar waarschijnlijk was het nog altijd beter dan de keiharde homp brood waar híj zich op mocht verheugen. Hij bracht het voer naar Max, die er minachtend aan rook.

'Mijn complimenten aan de keuken,' zei hij bars.

Sebastiaan gebaarde naar de naburige struiken. 'Je kunt je rantsoen nog altijd daarmee aanvullen,' zei hij. 'Zolang je maar wat laat staan als beschutting.'

Alleen al bij de gedachte keek Max zeer beledigd. 'Goed idee,' zei hij. 'Een dysenterieaanval kunnen we ook nog wel gebruiken.'

'Je krijgt heus geen dysenterie,' merkte Sebastiaan op, maar toen bedacht hij dat Max onhandig genoeg was om de ziekte op te lopen, al was het alleen maar om hém dwars te zitten.

Hij slingerde de voerzak om Max' oren en liep terug naar de wagen om wat droog aanmaakhout te pakken dat hij had verzameld toen ze door het bos reden. Achterin lag een hele berg – genoeg, hoopte hij, voor een paar nachten op de vlakte.

'Zuinig met dat spul,' waarschuwde Max met gedempte stem vanuit zijn voerzak. 'Straks zitten we zonder.'

'Dan hebben we altijd nog die zak met gedroogde buffaloopvlaaien,' zei Sebastiaan opgewekt, hoewel hij van harte hoopte dat het zover niet zou komen. Je kreeg ze moeilijk in brand en als ze eenmaal brandden, gaven ze een gruwelijke stank af.

'Brandende mest,' zei Max zachtjes. 'Jippie. Ik verheug me er nu al op.'

3

Etenstijd

Tegen de avond had Sebastiaan het vuur eindelijk aan, en niet lang daarna zat hij op zijn opgerolde beddengoed een homp zwart brood boven de vlammen te roosteren, in de ijdele hoop dat het zo wat smakelijker werd. Vlak bij hem had Max zich op de grond laten zakken, en hij staarde nu somber in het vuur, zodat de dansende vlammen als duiveltjes in zijn grote bruine ogen weerspiegeld werden. Nu en dan kromde hij zijn rug even en liet een enorme windstoot ontsnappen.

'Neem me niet kwalijk,' zei hij telkens als dat gebeurde. 'Het komt door dat droogvoer.'

'Nee, het komt door jóú,' wees Sebastiaan hem terecht. 'Kun je je niet een beetje inhouden?'

'We zullen nog weleens zien hoe jij het ervan afbrengt nadat je dat brood hebt weggewerkt. Zeg op: weet je zeker dat je het veilig kunt eten?'

'Nee, dat weet ik niet, maar anders heb ik niks te eten, dus als ik het naar binnen kan krijgen zonder erin te stikken, zal ik het niet laten.'

Max zuchtte. 'Moet je ons nou eens zien,' zei hij. 'Wat een armoe! Ik weet nog dat je vader me altijd een emmer Sargaans graan bracht, gedrenkt in wildebijengoud. En als ik erg hard had gewerkt, kreeg ik als extraatje een paar rijpe pommers... soms zelfs een gele zoetevrucht.'

'Dat is nu allemaal verleden tijd,' zei Sebastiaan.

'En jij dan? Hoe vaak heb ik niet door het raam van het huis naar binnen gekeken en gezien dat je ouders en jij je te goed deden aan een mals moerashoen, met bergen gebakken frieters en dikke, zwarte paddenstoeters...'

'Zullen we het ergens anders over hebben?' grauwde Sebastiaan. 'Mijn maag begint ervan te rommelen.' Zijn geduld was op, hij bracht de dampende broodhomp naar zijn mond en nam een voorzichtige hap. Het was alsof hij warm zaagsel at. Hij dwong zijn kaken tot kauwen en het kostte hem telkens grote moeite om een mondvol van het spul door te slikken. Gelukkig kon hij het wegspoelen met elfenkoffie, een van de weinige luxeartikelen die ze hadden meegenomen, en op die manier slaagde hij er toch nog in om de rest naar binnen te werken. Hij merkte dat de schamele maaltijd iets van de doffe pijn in zijn maag had weggenomen, maar zijn honger was nog lang niet gestild. Hij wierp een hopeloze blik om zich heen, maar de maan werd aan het zicht onttrokken door langsdrijvende, samengepakte wolken, en hij kon maar een klein eindje voorbij het flakkerende licht van het vuur kijken. Niet dat er trouwens veel te zien was: alleen de eindeloze vlakte die zich tot in onbekende verten uitstrekte. 'Ik zou er alles voor overhebben om nu een lekker warm stuk vlees te eten,' zei hij.

'Nou, je hoeft mij niet aan te kijken,' klonk het verwijtend. 'Trouwens, wij buffalopen smaken nergens naar.'

'Ik heb andere verhalen gehoord,' zei Sebastiaan, met een sluwe blik in Max' richting. 'Van wat ik heb begrepen, is buffaloopvlees een zeer geliefd onderdeel van de Bandistaanse keuken.'

'Echt?' Max keek nerveus over zijn schouder. 'Eigenlijk zou dat me niet moeten verbazen. Naar de verhalen te oordelen zijn ze zelf weinig meer dan beesten. Ik heb me laten vertellen dat ze in moeilijke tijden zelfs tot kannibalisme vervallen.'

Nu kreeg Sebastiaan het op zijn beurt benauwd. 'We... eh... komen ze waarschijnlijk niet tegen zo ver naar het noorden,' zei hij. 'Maar toch – voor alle zekerheid.' Hij streek over de schede van het grote kromzwaard dat naast hem lag. Dat had hij ook van zijn vader geërfd. Alexander was een eersteklas zwaardvechter geweest en middagenlang had hij geprobeerd om zijn vaardigheden op zijn zoon over te dragen. Sebastiaan herinnerde zich de lange uren waarin hij met hem had geoefend, tot het

27

zweet uit al zijn poriën gutste. Alexander was een strenge leermeester geweest en had het de gewoonste zaak van de wereld gevonden om zijn zoon elke beweging te laten herhalen, tot vervelens toe en tot de blaren in zijn handen stonden.

Max keek bedenkelijk naar het zwaard. 'Wat dacht je daarmee te doen als er een of andere schurk langskomt?'

'Nou, dan, eh... dan zwaai ik ermee en... Ik kan heus wel met een zwaard omgaan, hoor!' zei hij. 'Mijn vader heeft het me heel goed geleerd.'

'Daar twijfel ik niet aan. Maar ook al kun je nog zo goed met een zwaard zwaaien, als je iemands hoofd zonder aarzelen van zijn romp wilt slaan, komt er wel wat meer bij kijken.'

Sebastiaan wierp een afgebroken tak in het vuur, en een vonkenregen steeg op naar de nachthemel. 'Jij hebt ook altijd iets te zeuren,' klaagde hij. 'Als het mijn grappen niet zijn, dan is het wel mijn volslagen onvermogen om me met mijn vader te kunnen meten, maakt niet uit wat ik doe. Deed je maar eens...'

Sebastiaan zweeg abrupt toen er in de verte een geluid aanzwol en weer wegstierf: een langgerekt gehuil dat huiveringwekkend weergalmde in de nacht.

'Wat was dat?' vroeg Max angstig.

'O, gewoon een luper,' zei Sebastiaan, die onverschillig probeerde te klinken. 'Daarvan heb je niks te vrezen, tenzij ze met een hele meute aan het jagen zijn.'

Bij wijze van antwoord klonk er nu meer gehuil, in reactie op het eerste. Sebastiaan telde minstens zes of zeven verschillende tonen.

'Waarschijnlijk mijlenver weg,' voegde hij eraan toe, en hij probeerde de wanhoop uit zijn stem te weren. Hij wilde bemoedigend naar Max glimlachen, maar zag een vertrouwde blik in de ogen van de buffaloop: pure angst.

'Ik heb verhalen gehoord over lupers,' zei Max bezorgd. 'Een roedel van die beesten kan bij een volwassen buffaloop in enkele ogenblikken al het vlees van de botten scheuren.'

'Je moet niet alles geloven wat je hoort,' wees Sebastiaan hem terecht. 'Daar doen ze wel een halve nacht over.'

'Nee, nou voel ik me beter,' zei Max.

'En trouwens, je kunt het horen aan hun gehuil: ze hebben geen honger.'

'Echt niet?'

'Echt niet. Een hongerige luper maakt een heel apart geluid. Een soort...'

Sebastiaan zweeg. Hij had net iets anders gehoord. Geritsel. Opeens leek zijn maag zich te vullen met koud water.

'Er zit iets achter ons!' fluisterde Max. 'In de struiken!'

'Ik weet het!' antwoordde Sebastiaan met geluidloos bewegende lippen. Hij stak zijn hand uit naar het gevest van zijn zwaard en trok het voorzichtig uit de schede. Nu hoorde hij ook iets anders, dat zich mengde met het geritsel: het doffe, metalen gerinkel van een wapenrusting.

'O, help!' jammerde Max. 'Het zijn Bandistanen! Ze gaan jou vermoorden en mij eten ze op!' Hij dacht even na. 'Maar als ik goed naar je heb geluisterd, dan zouden ze jóú ook weleens op kunnen eten!'

'Stil!' siste Sebastiaan. 'Ik probeer na te...'

'Wie is daar?' bulderde een zware stem vanuit het struik-gewas.

Sebastiaan vergat dat hij voorzichtig te werk wilde gaan en hij trok het kromzwaard in één keer uit de schede. Hij krabbel-de overeind en ging ineengedoken klaarstaan, gereed om de strijd aan te binden met iedere aanvaller die vanuit de struiken op hem afkwam.

'G-gewoon een reiziger,' antwoordde Sebastiaan. Hij klemde de leren greep in beide handen en met lichte ontzetting merkte hij dat de kling nogal onbeheerst trilde.

'Twéé reizigers,' verbeterde Max hem.

'Een reiziger en zijn lastdier,' riep Sebastiaan.

'O, nou wordt ie mooi! Een tijdje geleden was ik nog partner, en nu ben ik opeens tot lastdier gedegradeerd.'

'Hou je kop nou eens!' snauwde Sebastiaan. Hij richtte zijn aandacht weer op de struiken, en probeerde zich de goede raad te herinneren die zijn vader hem jaren geleden had gegeven.

Maar er wilde niets bovenkomen. 'We hebben geen kwaad in de zin,' zei hij. 'We zijn alleen maar op doortocht.'

'Alstublieft, eet ons niet op!' jammerde Max.

Het bleef heel lang stil, en tijdens die stilte werd Sebastiaan zich bewust van een ritmisch gebonk in zijn oren. Het duurde even voor hij besefte dat het zijn eigen hart was.

'Bent u bereid om uw kampvuur te delen met een medereiziger?' daverde de zware stem.

'Eh... misschien,' zei Sebastiaan.

'Het is een list,' fluisterde Max. 'Hij probeert je af te leiden en dan steekt hij een mes tussen je ribben!'

'Sst!' Sebastiaan ademde diep in en probeerde al zijn moed te verzamelen. 'Stap naar voren, zodat we u kunnen zien,' gebood hij.

Weer was het stil. Hij bevochtigde zijn droge lippen en wachtte. Het leek een eeuwigheid te duren. Opeens was hij zich er scherp van bewust hoe klein en kwetsbaar hij was, nu hij midden op deze grote, eentonige vlakte zijn kamp had opgeslagen. En hoe wist hij nou dat hij maar met één persoon te maken had? Het kon wel een boevenbende zijn, van wie eentje hem probeerde af te leiden terwijl zijn makkers hem van achteren beslopen. Snel wierp hij een blik over zijn schouder, maar toen het struikgewas uiteenging, draaide hij met een ruk zijn hoofd weer om.

Er stapte iemand de open plek op, maar eerst zag Sebastiaan niets. Toen besefte hij dat hij een stuk lager moest kijken.

Vanuit de struiken liep een man op hem af: een gedrongen kerel met een gebutst borstschild over zijn maliënkolder. Op zijn hoofd droeg hij een ijzeren helm met een pluim en kunstig bewerkte neus- en wangbeschermers, die zijn hele gezicht bedekten. In zijn ene hand hield hij een vervaarlijk uitziend zwaard, en over zijn linkerschouder hing iets wat veel weg had van een dode javralat, de snelle viervoeter die in dat deel van het land voorkwam.

De vreemdeling was ongetwijfeld een stoutmoedig krijger, een machtig man die je niet moest onderschatten. Maar in tegenstelling tot de meeste krijgers, kwam hij niet hoger dan Sebastiaans heup.

4

Kleine grote man

De vreemdeling bleef op een paar passen van het vuur staan, stak zijn zwaard in de schede en nam met zijn andere hand zijn helm af. De hand leek verbazend groot voor iemand die zo klein was, en zonder helm bleek hij een merkwaardig babyge-zichtje te hebben, met flaporen en grote blauwe ogen, terwijl er nergens een haartje te bekennen was.

'Gegroet, reizigers,' zei het mannetje, met een volle, diepe stem die eigenlijk helemaal niet bij zijn gezicht paste. 'Ik ben kapitein Cornelius Drummel, doder van Bandistanen, voorheen in dienst van het leger van koningin Annisette.' Hij zweeg even, alsof hij deze informatie wilde laten bezinken, maar toen er geen reactie kwam, ging hij verder: 'Op uw wagen lees ik dat ik me in aanwezigheid bevind van Sebastiaan Duister, prins der dwazen.'

'Dat klopt,' zei Sebastiaan, en hij boog plechtig.

'En Max,' voegde Max eraan toe. 'Zijn partner!'

Cornelius keek de buffaloop enigszins beduusd aan. 'U hebt een goed vuur hier,' merkte hij op. 'Tot op grote afstand zichtbaar. Niet erg verstandig op een afgelegen plek als deze, maar soms moet je risico's nemen.' Hij reikte naar achteren en wierp de vette javralat op de grond voor Sebastiaans voeten. 'Zou ik mijn avondeten misschien boven uw vuur mogen bereiden? Ik heb al een paar avonden rauw vlees gegeten en ik smacht naar iets warms.'

Sebastiaan fronste zijn voorhoofd. 'Tja...'

'Uiteraard wil ik het voedsel graag met u delen.'

Sebastiaans ogen rolden bijna uit hun kassen. 'In dat geval... gaat u alstublieft uw gang!' antwoordde hij. 'Ik ben maar al te bereid op uw edelmoedige aanbod in te gaan.' Hij borg zijn zwaard weg en stak een hand uit. De vreemdeling nam die in zo'n krachtige greep en schudde hem zo stevig op en neer dat Sebastiaan ineenkromp.

'Kijk uit,' mompelde Max binnensmonds. 'Het is een list...'

Sebastiaan wuifde Max' bezwaar weg. 'Alstublieft, eh... kapitein Drummel. Maak het u gemakkelijk.'

'Noem me maar Cornelius. We zijn nu niet op het exercitieterrein.'

'Nee, natuurlijk niet. Ik... Ik heb ergens een metalen braadspit in de wagen liggen, ik heb het zo gevonden...'

'Je moet hem niet je rug toekeren!' beet Max hem toe, maar hij hield onmiddellijk zijn kop toen hij de woedende blik van de vreemdeling zag.

'Wat een babbelkous, die buffaloop van jou,' merkte Cornelius op, terwijl hij zijn borstschild losgespte. 'De meeste van die beesten krijgen amper een zin over hun lippen, maar deze hier is zeer welbespraakt.'

'Hm... ja, hij is al jaren in de familie. Mijn vader heeft hem leren praten.' Sebastiaan keek Max vernietigend aan. 'Jammer genoeg.' Hij liep op een drafje naar de wagen en zocht tussen de hopen troep die achterin lagen. 'Ik schenk hem niet al te veel aandacht. Het liefst babbelt hij aan één stuk door, maar verder doet hij geen kip kwaad.'

Het mannetje leek niet echt overtuigd en Max had een blik vol walging in zijn ogen.

'O, blijf gerust over me praten alsof ik er niet bij ben,' zei hij. Woedend keek hij Sebastiaan aan. 'Maar later niet klagen dat ik je niet gewaarschuwd heb!' Hij liet zijn enorme kop op zijn voorpoten zakken en wendde zich af, alsof hij met de hele gang van zaken niets te maken wilde hebben.

'Aha!' Sebastiaan had eindelijk gevonden waarnaar hij zocht: een ijzeren draagstel dat gemonteerd kon worden tot een stevig draaispit waaraan het vlees gelijkmatig boven de vlammen gebraden werd. Hij sleepte het de wagen uit, droeg het naar het vuur en ging op zijn hurken zitten om het in elkaar te zetten.

'Zo moet het lukken,' zei hij. Bij de gedachte aan het warme vlees dat hij te eten zou krijgen, raakte hij zo opgetogen dat zijn handen ervan beefden.

'Geweldig,' zei Cornelius. Hij zette zijn borstschild aan de kant en met een zucht van verlichting strekte hij zijn armen en schouders. 'Ah, dat is beter. Ik ben al sinds zonsopkomst onderweg. Goed, aan de slag!' Hij trok een vervaarlijk mes uit zijn riem en Sebastiaan verstijfde van schrik.

'Nou, wat heb ik gezegd?' fluisterde Max. 'Ik zei toch dat hij niet te vertrouwen was!'

Weer schonk Cornelius de buffaloop een merkwaardige blik, en toen richtte hij zijn aandacht op de dode javralat. 'Zal ik deze knaap dan maar eens schoonmaken?' vroeg hij.

Sebastiaan zuchtte opgelucht. Terwijl hij toekeek, begon Cornelius op deskundige wijze met een paar halen van zijn vlijmscherpe mes de javralat te villen en van zijn ingewanden te ontdoen. Hij smeet het afval in de struiken, veegde zijn mes aan zijn broek af en gaf het gevilde beest aan Sebastiaan.

'Behalve deze jongens heb ik op die verdomde vlakten hier niets gevonden wat je met een beetje fatsoen kunt eten,' zei hij. 'Je krijgt ze anders verdraaid moeilijk te pakken. Je moet doodstil bij de ingang van een van hun holen gaan zitten en als ze uiteindelijk hun kop naar buiten steken...' Met de palm van zijn hand maakte hij een abrupt hakgebaar.

36

Max huiverde. 'Wat een wereld,' zei hij. 'Het ene moment huppel je vrolijk over de vlakte en het volgende moment lig je op iemands etensbord.'

'Dit is een woest oord,' bromde Cornelius. 'Het is een kwestie van eten of gegeten worden – en er sluipen hier 's nachts heel wat schepsels rond die óns met het grootste genoegen op hún menu zouden zetten.'

'Ja, we hadden het net over lupers toen jij eraan kwam,' zei Sebastiaan.

'O, die bedoel ik niet, hoewel ze behoorlijk lastig kunnen zijn.' Hij liet zich in kleermakerszit bij het vuur zakken en stak zijn handen naar voren om ze te warmen. 'Ik heb het over de grundersnaat.'

'De... wat?'

'De grundersnaat. Een afschrikwekkend beest, volgens de verhalen. Een gigantisch schepsel met leerachtige vleugels, rijen messcherpe tanden en gemene klauwen die zo ongeveer alles open kunnen scheuren.'

Max keek doodsbang. 'Je... Je hebt er toch niet een gezien, hè?'

'Nee, maar ik heb er 's nachts weleens eentje gehoord. Een hels gebrul, dat je het bloed in de aderen doet stollen. Er wordt beweerd dat de grundersnaat, als hij zijn oog op jou heeft laten vallen, niet rust voor je in zijn buik zit.'

Max zette heel grote, ronde ogen op. 'O, dat is fraai,' zei hij. 'En dan te bedenken dat we het altijd zo lekker veilig hadden in ons oude huisje. Maar nee, de jonge meester hier vond dat we zo nodig naar Keladon moesten, en daarmee basta. Niemand die het over lupers en kannibalen en vleesetende monsters met messcherpe tanden had!'

Sebastiaan was bezig de javralat aan het spit te rijgen. Binnen enkele tellen had hij het dier gespietst en nu draaide hij het rond boven de knetterende vlammen. Bijna onmiddellijk verspreidde zich een eetlustopwekkend aroma. 'Ruikt lekker,' zei hij opgewekt.

'Zeker weten,' beaamde Max. 'En als levenslange vegetariër kan ik nauwelijks geloven dat ik dat zeg! Maar... stel dat de grundersnaat het ruikt en zin krijgt in een lekker maaltje?'

'Dat risico zullen we moeten nemen,' zei Cornelius, met een heimelijke knipoog naar Sebastiaan.

Sebastiaan nam zijn plek bij het vuur weer in, tegenover Cornelius. 'Zin in een kop elfenkoffie?' vroeg hij.

'Bij Schimloks baard, nou en of! Mijn tong kleeft bijna aan mijn verhemelte van de dorst. Er zouden hier beekjes moeten zijn, maar ik ben nu al drie dagen onderweg en ik ben er nog niet één tegengekomen.'

'O?' mompelde Max. 'Wel heb ik ooit – dus geen water, hè?'

Sebastiaan negeerde hem. 'Ik ben bang dat we het zonder

melk moeten doen. Maar ik kan je wel een beetje bijengoud aanbieden om de koffie wat zoeter te maken.'

'Heel vriendelijk van je. Hoe kan ik je bedanken?' Cornelius pakte de beker aan, klemde hem in zijn grote handen en nam een slok. Waarderend smakte hij met zijn lippen.

'Wat een geluk dat we elkaar ontmoet hebben,' zei hij. 'En ik dacht nog wel dat ik geen mens zou tegenkomen op deze vlakte. Nu zit ik hier onder het genot van een beker koffie een goed gesprek met je te voeren. Bovendien twijfel ik er niet aan of er staat me een avond vol vrolijkheid en grappen te wachten.'

Sebastiaan staarde hem wezenloos aan. 'Wat bedoel je?'

'Je bent toch hofnar, of niet? Dan mag ik toch wel op wat vermaak rekenen?'

'Hij heeft duidelijk nog nooit een grap van je gehoord,' mompelde Max.

'Of ben ik misschien op een dubbelact gestuit?' opperde Cornelius.

'O, Max zal nooit een kans voorbij laten gaan om zijn zegje te doen,' beaamde Sebastiaan. 'Maar nee, ik werk alleen.' Hij probeerde het gesprek een andere wending te geven. 'En, kapitein, waar ga je naartoe?'

'Mijn eindbestemming is de stad Keladon.'

'Daar gaan wij ook naartoe! Ik ga mijn diensten als hofnar aanbieden aan koning Septimus.'

Cornelius knikte goedkeurend. 'En ik ben van plan me bij zijn leger aan te sluiten! Wel, wel, we hebben veel gemeen. Misschien kunnen we maar het best samen verder reizen. Mochten de Bandistanen ons aanvallen, dan komt mijn zwaard goed van pas. En bovendien kan ik me nuttig maken door te zorgen dat de provisiekast goed gevuld blijft. Er is geen betere javralatjager dan ik.'

'Dat klinkt goed,' zei Sebastiaan enthousiast.

'Jij hebt makkelijk praten,' snoof Max. 'Jij hoeft dat extra gewicht niet te trekken!'

'Max!' Met een schuldbewuste glimlach keek Sebastiaan naar Cornelius. 'Daar meent hij niks van, hoor, hij is gewoon een beetje chagrijnig. Waar kom je trouwens vandaan? Je had het geloof ik over een zekere koningin Annisette?'

'Inderdaad. De trotse, beeldschone koningin Annisette van het koninkrijk Golmira, de parel van het noorden. Ben je ooit in de gelegenheid geweest er een bezoek te brengen?'

'We hebben er zelfs nog nooit van gehoord,' zei Max bot.

Cornelius besloot die opmerking naast zich neer te leggen. Met een glimlach leunde hij achterover. 'O, het is een prachtige, welvarende stad. Toen ik achttien zomers telde nam ik dienst in het leger, en geleidelijk aan werkte ik me omhoog tot de rang van kapitein. Ik voerde het bevel over een eersteklas regiment en samen zijn we betrokken geweest bij talloze heldhaftige veldslagen tegen het naburige koninkrijk Tannis. Mijn mannen waren bereid hun leven in mijn handen te leggen en ik zou het mijne zonder meer voor hen hebben geofferd. Ik geloof niet dat er in heel Golmira een gelukkiger man te vinden was.'

Er viel een lange stilte en Sebastiaan werd zich bewust van het gegons van insecten in de struiken achter hen.

Toen vroeg Max: 'En, wat is er fout gegaan?'

'Wie zei dat er iets fout is gegaan?' snauwde Cornelius.

'Niemand, eigenlijk. Maar als alles zo geweldig was in Golmira, waarom ben je dan nu op weg naar Keladon?'

Het gezicht van Cornelius betrok en boos tuurde hij in zijn beker met koffie. 'Omdat er iets is gebeurd,' zei hij. 'Iets... stoms.'

Sebastiaan en Max wachtten geduldig op wat hij te vertellen had. Uiteindelijk besloot Max om Cornelius een eindje op weg te helpen.

'Je kunt het ons gerust vertellen, hoor.'

'Een of andere... bemoeizuchtige pennenlikker... een omhooggevallen halfgare kletsmajoor... duwde er een verordening door waarin stond dat iedere soldaat in het leger van de koningin een bepaalde...'

'Nou?' drong Sebastiaan aan.

'... dat hij... nou ja, dat hij een bepaalde lengte moest hebben.'

'O,' zeiden Max en Sebastiaan gelijktijdig.

Cornelius zat in zijn koffiebeker te staren alsof hij in de donkerbruine diepte de oplossing voor zijn problemen hoopte te vinden. Het was Sebastiaan duidelijk dat het mannetje een innerlijke strijd voerde. Kennelijk wilde hij er liever niet over praten, maar tegelijkertijd had hij er zichtbaar behoefte aan om het met iemand te bespreken.

'Het was ronduit belachelijk! Alsof mijn wapenfeiten niet voor zich spraken. Ik had meer vijanden gedood dan mijn hele detachement bij elkaar. Er was nergens een betere krijgsman te vinden, niemand die beter met een zwaard wist om te gaan dan ik. Ik was verbijsterd! Ik richtte me zelfs tot de koningin in eigen persoon en vroeg haar om mij van die krankzinnige regel vrij te stellen.' Cornelius zuchtte. 'Het mocht niet baten. Ze sprak met me onder vier ogen en vertelde me dat ze de papieren al ondertekend had, waardoor de regel nu wet was en ze er niets meer aan kon veranderen. Ze kon de bepaling niet intrekken. Ik mocht vertrekken, punt uit. Maar waar moest ik naartoe?'

Max deed zijn bek al open om 'Naar Keladon!' te zeggen, maar toen hij de blik zag waarmee Sebastiaan hem aankeek, deed hij er snel het zwijgen toe.

'Inderdaad, waar moest je naartoe?' beaamde Sebastiaan op meelevende toon.

'Toen vertelde een van mijn manschappen me over Keladon. Hij zei dat het over het machtigste leger uit de hele geschiedenis beschikte, waaronder een speciale eenheid die de Rode

Mantel werd genoemd – de persoonlijke lijfwacht van koning Septimus! Deze roemruchte eenheid bestaat uit vrijwilligers uit de hele ons bekende wereld. Het is een eenheid met eigen regels en eigen wetten – en volgens deze man gelden er geen lengtebeperkingen. Waarop ik besloot om me erbij aan te sluiten. Vier manen geleden ben ik uit Golmira vertrokken, en nu zit ik hier, bij een kampvuur, en gaan we zo meteen heerlijk eten.'

'Klein wereldje,' zei Sebastiaan. Meteen kromp hij in elkaar. 'Sorry,' zei hij. 'Dat was niet beledigend bedoeld.'

'Geeft niet, vriend.' Cornelius leek zijn best te doen om zich van zijn akelige herinneringen te bevrijden. 'Goed, genoeg over mij. Ik zie dat de javralat nog lang niet gaar is, dus waarom laat je me niet wat van je narrenkunsten zien? Na wat ik de laatste tijd heb meegemaakt, wil ik wel weer eens lekker lachen!'

Sebastiaan en Max wisselden een bezorgde blik.

'Lekker lachen,' zei Max zachtjes. 'Tja, dat zou dan voor het eerst zijn.'

'Hm. Eens kijken...' Sebastiaan dacht even na en bladerde door het denkbeeldige grappenboek dat hij in zijn hoofd had opgeslagen. Ten slotte had hij een keus gemaakt.

'Een man staat bij een rivier een stuk taart te eten. Dan komt er een andere man aangelopen met een klein keffertje aan een riem. Het hondje springt tegen de eerste man op, want hij lust wel een stukje taart. En dan zegt die eerste man: "Zal ik hem een stukje opgooien?" Waarop de tweede man zegt: "Natuurlijk, ga uw gang!" Dus die eerste man pakt het hondje op en gooit het in de rivier.' Glimlachend wachtte Sebastiaan op een reactie, maar Cornelius keek hem niet-begrijpend aan.

'En dat is nog een van de betere!' merkte Max op.

'Kon het hondje wel zwemmen?' vroeg Cornelius.

'Tja, dat... dat weet ik niet,' zei Sebastiaan, lichtelijk ontredderd door de vraag.

'Dat weet je niet? Nou, dat hoor je anders wel te weten – jij vertelt per slot van rekening het verhaal.'

'Maar... het is een grap. Het doet er niet toe of dat hondje kan zwemmen of niet.'

'Neem me niet kwalijk, maar ik denk er anders over. Als het hondje kan zwemmen, is het een grappig verhaal. Als het dat niet kan, is het tragisch. Het hondje verdrinkt en zijn baasje is diepbedroefd. Bepaald niet om te lachen.'

'Zo had ik het nog niet bekeken,' gaf Sebastiaan toe. Hij dacht weer even na. 'Goed dan. Het hondje kan zwemmen.'

Cornelius keek opgelucht en een brede lach verspreidde zich over zijn kindergezichtje. 'Ha ha, ja, heel grappig!'

'Vind je?'

'Ja hoor, wel nu we dat van dat hondje hebben opgelost. Heb je nog andere verhalen?'

Een tijdlang vuurde Sebastiaan de ene grap na de andere op Cornelius af, maar het was een hele toer. Telkens trok Cornelius een of ander kleinigheidje in twijfel en dan werd de loop van het verhaal weer onderbroken. Als ze ten slotte aan het eind van een grap waren beland, lachte hij braaf, maar Sebastiaan had af en toe het gevoel alsof hij tegen de storm in een heuvel moest beklimmen, en hij was dan ook opgelucht toen de javralat eindelijk gaar was. Cornelius sneed het sissende gebraad met zijn mes doormidden en ze vielen er allebei gretig op aan en zetten gulzig hun tanden in het malse vlees. Na een tijdje werd Sebastiaan zich ervan bewust dat Max hem hoopvol aanstaarde.

'Wat is er?' vroeg hij.

'Mag ik ook een stukje?' bedelde Max.

'Jij? Je mag dit helemaal niet eten: je bent vegetariër!'

'Weet ik, maar ik ben uitgehongerd!'

'Ik wil nog wel wat droogvoer voor je halen.'

Max schudde zijn kop. 'Een verrukkelijk vooruitzicht, maar toch denk ik dat ik genoegen neem met een stukje javralat.'

Sebastiaan haalde zijn schouders op. Hij brak een groot stuk warm vlees af en zette het voor Max neer.

'Nu heb ik alles gezien wat de wereld te bieden heeft!' riep Cornelius uit. 'Een buffaloop die vlees eet! Wie had dat kunnen denken?'

'Aan niemand vertellen, hoor!' smeekte Max, terwijl hij met

zijn stompe tanden repen vlees van het bot scheurde. 'Waarschijnlijk krijg ik er in Keladon de strop voor!'

Sebastiaan en Cornelius wierpen het hoofd in de nek en lachten onbedaarlijk om de schuldbewuste uitdrukking op zijn ruige kop.

5

Raadsels

Sebastiaan wist bijna niet meer hoe het voelde om zijn buik rond te eten, en tevreden leunde hij achterover, genietend van het vuur en het goede gesprek. De wolken waren weggedreven en de maan klom langzaam maar zeker steeds hoger aan de hemel, als een grote, belegen, blauw-dooraderde kaas. Sebastiaan was zich bewuster dan ooit van de enorme, uitgestrekte vlakte die hem omgaf. Als hij zijn hoofd omdraaide kon hij kilometers ver kijken, en hij voelde zich heel klein en nietig in dit onbekende landschap waar hij zijn kamp had opgeslagen.

Cornelius had een stenen pijp tevoorschijn gehaald en terwijl hij grote wolken geurige rook zat te paffen vertelde hij hun verhalen over zijn avonturen in het leger: hoe hij als soldaat alle hoeken van de wereld had gezien. Als je zijn verhalen mocht geloven – en tot zijn eigen verbazing merkte Sebastiaan dat hij het mannetje al onvoorwaardelijk begon te vertrouwen – dan had hij een buitengewoon spannend leven geleid.

'Er gaat daar een wereld voor je open,' vertelde hij zijn gehoor, 'meer dan je in je stoutste dromen voor mogelijk zou houden. Als je heel, heel lang in één richting reist kom je uiteindelijk bij een uitgestrekte watervlakte, die "de zee" wordt genoemd, en waarvan je zelfs op een heldere dag de overkant niet kunt zien. Als je met een schip die zee oversteekt, bereik je na een reis van vele manen een ander land aan de overkant, een land waar de mensen er anders uitzien en een taal spreken die je niet verstaat. En als je almaar rechtdoor gaat, weet je wat er dan gebeurt?'

Cornelius en Max schudden allebei het hoofd.

'Nou, dan ben je natuurlijk weer terug op de plek vanwaar je vertrokken bent. Ik heb namelijk begrepen dat de wereld net een grote bal is. We bewegen ons over het oppervlak als een vlieg over een reusachtige vrucht.'

'Hoe kan het dan dat we er niet af vallen als we te ver gaan?' wilde Max weten.

'Om dezelfde reden dat vliegen er niet af vallen,' zei Cornelius. 'Plakvoeten.'

Sebastiaan en Max keken elkaar aan.

'Plakvoeten?' herhaalde Max. 'Dat kan niet. En als je dan op een van die grote boten zit waarover je net vertelde? Of wil je soms beweren dat die met hun onderkant aan het wateropper-vlak plakken?'

Cornelius haalde zijn schouders op. 'Tja, het is een ingewik-kelde materie, dat geef ik toe. Maar tot nu toe heb ik nog geen betere verklaring gehoord.'

'Ik wel,' zei Sebastiaan. 'Op de markt in Jerabim loopt een oude vent rond die denkt dat hij een soort profeet is...'

'Je bedoelt toch niet de oude Bartimus?' onderbrak Max hem.

Sebastiaan keek hem verontwaardigd aan. 'Die bedoel ik in-derdaad, ja. Maar...'

'Die is knettergek!'

'Ik wist niet dat jij Bartimus kende.'

'Iedereen kent hem! Hij loopt de hele tijd in zichzelf te pra-ten.'

'Dat mag dan zo zijn, maar hij zweert dat hij van een van de geleerdste mannen van het land gehoord heeft dat de wereld plat is en een tikkeltje gebogen, zoals het oppervlak van een groot schild. Eigenlijk ís het ook een groot schild, en het wordt vastgehouden door een reuzenkrijger die Mungus heet.'

'Een reuzenkrijger?' herhaalde Max.

'Ja. Die staat in de ruimte met zijn voeten op de achterkant van een gigantisch tapijt. Zo tuimelt hij niet de ruimte in...'

'O, tuurlijk,' zei Max. 'Dat zal het 'm zijn.'

'De wateren van de wereld zijn plassen regen die op het schild zijn gevallen, en als hij beweegt, dan klotsen ze heen en weer en veroorzaken golven en overstromingen en dat soort dingen. Als je volgens Bartimus naar de uiterste rand van het schild zou gaan, kun je heel ver kijken en dan zie je Mungus terugkijken. Bartimus denkt dat Mungus er op een dag genoeg van krijgt om altijd maar dat schild te dragen, en dat hij het dan gewoon heel hard de ruimte in slingert. Als dat gebeurt, gaat iedereen op de hele wereld eraan.'

Het bleef heel lang stil terwijl Max en Cornelius deze informatie lieten bezinken.

'Zo'n belachelijk verhaal heb ik nog nooit gehoord,' zei Cornelius. 'Hoe verklaart die Bartimus dan dat ik de hele wereld rond ben gevaren en op dezelfde plek ben uitgekomen vanwaar ik ben vertrokken?'

Sebastiaan haalde zijn schouders op. 'Bartimus beweert dat de rand van het schild betoverd is, zodat je er niet af valt. Waarschijnlijk zal hij zeggen dat je gewoon langs de rand van het schild bent gevaren.'

'Onzin! Die man is niet goed snik,' zei Cornelius. 'We zijn de hele tijd rechtuit gevaren, met de sterren als baken. Bovendien was de kapitein van ons schip een van de beste officieren van de Golmiraanse marine. Hij zou het vast wel gemerkt hebben als we van onze koers waren afgeweken.'

'Wat je zegt,' zei Max smalend. 'Die oude Bartimus begrijpt er geen snars van. Zelf heb ik trouwens een theorie gehoord die veel interessanter is dan die denkbeelden van jullie. Zoals ik het heb begrepen is de wereld in werkelijkheid een grote stalen ring door de neus van een gigantische buffaloop, die Kolinus heet. Zijn warme adem is de lucht die we binnenkrijgen, en als hij niest gaat het regenen. En...'

'Ik neem mijn woorden terug,' zei Cornelius tegen Sebastiaan. 'Jouw verhaal is het op een na belachelijkste dat ik ooit heb gehoord!'

'Ik heb toch niet gezegd dat ik het zelf geloof?' wierp Max tegen. 'Maar heel veel buffalopen geloven het wel – Kolinus heeft heel veel volgelingen. Ze zeggen dat we als de wereld vergaat naar een prachtig weiland in de lucht gaan om voor altijd bij hem te kunnen zijn.'

'Onzin, ik geloof er geen zier van,' zei Cornelius. 'Ik ga alleen af op wat ik met mijn eigen ogen heb gezien, wat ik met mijn eigen oren heb gehoord en wat ik met mijn eigen handen heb aangeraakt. En let op mijn woorden: onze wereld is rond. Daar durf ik mijn leven onder te verwedden.' Hij gaapte, rekte zich uit en slaakte een diepe zucht. 'Bij Schimloks baard, wat ben ik moe,' verkondigde hij. 'Ik ga geloof ik maar eens slapen, heren. Maar eerst moet ik even een kleine boodschap doen.' Hij stond op en liep met grote passen het struikgewas in, en algauw was hij uit het zicht verdwenen.

Max wachtte even en toen fluisterde hij: 'Ik heb hier helemaal geen winkel gezien.'

'Het is gewoon een uitdrukking,' zei Sebastiaan.

'Huh?'

'Hij moet een plasje doen!'

'O. Nou, waarom zegt hij dat dan niet? Hoor eens, wil je hem echt met alle geweld met ons mee laten reizen?'

'Ja, waarom niet? We kunnen hem goed gebruiken – en hij heeft ons zojuist van het beste maal voorzien dat we hebben gegeten sinds ons vertrek uit Jerabim!'

'Er zijn belangrijker dingen dan een volle maag.'

'O, en dat uit jouw mond, carnivoor die je bent!'

'Ik heb liever niet dat je dat overal rondbazuint.' Max keek bedenkelijk. 'Sommige van mijn broeders en zusters zijn wat fanatieker en die begrijpen het misschien niet. Die vinden vlees eten een zonde.' Hij dacht even na. 'Maar in alle ernst, jonge meester, die Cornelius... Ik weet het niet, hoor. Ik vind hem iets onbetrouwbaars hebben.'

'Jij vertrouwt ook niemand,' zei Sebastiaan, terwijl hij zijn beddengoed uitrolde.

'We weten niks van hem af. Hij komt zomaar uit het donker opduiken met een javralat over zijn schouder, die hij met ons wil delen, en dan moeten wij hem opeens een aardige vent vinden.'

'Het ís ook een aardige vent. Je weet toch dat wij elfenvolk er trots op zijn dat we met één blik iemands karakter kunnen beoordelen?'

'O ja, zoals die kerel uit Berundië zeker, die ons een klein fortuin heeft laten neertellen voor wat lampolie en die tegen ons heeft gelogen over dat water dat we hier zouden vinden. Volgens jou was hij ook een aardige vent. Je kunt niet altijd...'

'Sst. Hij komt er weer aan.'

Cornelius kwam uit het struikgewas tevoorschijn, liep naar de andere kant van het vuur en ging daar liggen. Hij trok zijn zwaard uit de schede en legde het naast zich op de grond.

'Zo, vrienden, ik wens jullie een goede nacht,' zei hij. 'En het spijt me dat je me niet vertrouwt, Max, maar daar kan ik verder ook niet veel aan doen.'

Max kromp ineen. 'Zou ik jou niet vertrouwen? Wie heeft dat gezegd?'

'Stemmen dragen 's nachts heel ver, vriend.'

Er viel een buitengewoon pijnlijke stilte.

'Volgens mij ligt er nog een extra deken in de wagen,' meende Sebastiaan. 'Het is behoorlijk koud 's nachts.'

'Niet nodig,' verzekerde Cornelius hem. 'Na al die jaren in het leger zou ik naakt op een blok ijs kunnen slapen. Trouwens, nu ik erover nadenk: dat heb ik meer dan eens gedaan!' En na die woorden draaide Cornelius zich op zijn zij en na enkele ogenblikken begon hij zachtjes te snurken. Het viel Sebastiaan op dat hij sliep met één hand aan het gevest van zijn zwaard, en toen hij nog iets beter keek, zag hij dat het mannetje in zijn slaap één oog openhield.

'Merkwaardig,' mompelde hij. Hij wierp een blik op Max en zag dat die met een knorrige trek rond zijn bek op de grond lag.

'Wat is er nou weer?' vroeg hij.

'Míj heb je die extra deken nooit aangeboden!' zei Max verontwaardigd en hij keerde Sebastiaan zijn rug toe. Meteen ontsnapte er een enorme windstoot aan zijn achterste.

Sebastiaan schudde zijn hoofd en de belletjes op zijn muts begonnen te rinkelen. Hij zette hem af en legde hem heel voorzichtig aan de kant, alsof het een kostbaar relikwie was. Nadat hij onder zijn dekens was gekropen, staarde hij een tijdje naar de duizenden sterren die aan de nachthemel stonden te schitteren. Ergens in de verte huilde een luper, een ongrijpbaar, verlaten geluid.

Sebastiaan slaakte een tevreden zucht, zo heerlijk was het om eindelijk weer eens een volle buik te hebben. Toen sloot hij zijn ogen en binnen enkele tellen was hij in slaap.

6

Schermutseling

Sebastiaan opende zijn ogen en lag knipperend naar de ochtendhemel te kijken. Hij had net nog gedroomd dat hij zijn act opvoerde voor het hof van koning Septimus. Gekleed in hun mooiste gewaden had zijn publiek uitdrukkingsloos naar hem zitten kijken, terwijl hij steeds verwoedere pogingen deed om een reactie bij hen los te maken. Alles welbeschouwd was het een opluchting om wakker te zijn.

Hij ging rechtop zitten, rekte zich uit, gaapte en nadat hij zich had omgedraaid, keek hij naar de overkant van het nasmeulende vuur, waar Cornelius had liggen slapen. Maar die was weg.

'Geen spoor van hem te bekennen,' klonk Max' stem in zijn oor. 'Hij was al verdwenen toen ik wakker werd, en dat is een eeuwigheid geleden. Waarschijnlijk is hij er met al onze waardevolle spullen vandoor.'

'Welke waardevolle spullen?' mompelde Sebastiaan, terwijl hij over zijn zij krabde. Hij keek om en zag Max bij de rand van het struikgewas staan, hoopvol speurend naar iets eetbaars. 'Misschien heeft hij zich bedacht en wil hij niet meer met ons meereizen.' Verwijtend keek hij Max aan. 'Het zou weleens iets te maken kunnen hebben met die wind van gisteravond,' voegde hij eraan toe.

'Ik kan me niet herinneren dat het winderig was,' zei Max.

'Je sliep dan ook niet op mijn plek.' Sebastiaan kroop uit zijn slaapzak, zette zijn muts op en kwam overeind. Turend zocht hij de hele horizon af, maar nergens zag hij ook maar iets wat op de kleine krijger duidde. 'Dat is nou jammer,' zei hij. 'Ik verheugde me al op een stevig ontbijt.'

'En dat zul je krijgen ook!' zei Cornelius, die zo plotseling uit de struiken opdook dat Max bijna stikte in een bekvol gras. 'Ik had het geluk op een nest vol gallok-eieren te stuiten.' Met grote stappen kwam hij aanlopen, en hij liet Sebastiaan zijn omgekeerde helm zien, die tot de rand gevuld was met ronde blauwe bollen. 'Je hebt zeker wel een pan waarin we deze juweeltjes kunnen bakken?'

'Eh... ja, natuurlijk.' Sebastiaan liep op een drafje naar de achterkant van de wagen, en ondertussen hoopte hij dat hij enthousiast genoeg had geklonken, en niet alsof hij het vanzelfsprekend vond wat Cornelius had gedaan. 'Wat een aangename

verrassing,' zei hij. 'Je hebt vast de hele ochtend lopen zoeken.'
Hij pakte wat aanmaakhout en een gedeukte oude pan.

'Als je maar weet waar je moet kijken,' zei Cornelius, die bij
het vuur ging zitten.

'Wat is dat trouwens voor vogel, een gallok?' vroeg Max achterdochtig.

'Het is helemaal geen vogel,' antwoordde Cornelius. 'Het is
een slang.'

'Slangeneieren?' riep Max vol afschuw uit. 'O, dat gaat me
echt te ver!'

'Ik kan je verzekeren dat ze verrukkelijk zijn,' zei Cornelius,
die het aanmaakhout van Sebastiaan aanpakte en het op het
vuur gooide. 'Maar als je liever droogvoer eet, dan ben ik uiteraard niet beledigd.'

Max keek nadenkend. 'Ach, misschien moet je af en toe eens
onbekend voedsel proberen,' zei hij. 'Dan weet je dat ook weer.'

Uiteindelijk at Max vier van de eieren, en als er nog meer
waren geweest, zou hij die ook hebben opgegeten. 'Ze zijn echt
lekker,' verklaarde hij en hij likte de laatste restjes rond zijn
snuit weg. 'Helemaal als je bedenkt waar ze vandaan komen.'

'Javralatvlees, slangeneieren – we mogen hopen dat zo'n onbekend dieet niet de gebruikelijke uitwerking op je heeft,' zei
Sebastiaan terwijl hij Max voor de wagen spande. 'Vergeet niet
dat ik vlak achter je zit.'

57

'Ik heb geen idee waarover je het hebt,' zei Max stijfjes.

Toen was het tijd om het kamp op te breken en verder te trekken.

Ze hadden de vaart er meteen goed in. Cornelius besloot naast de wagen te gaan lopen, dan hoefde hij het eindeloze gezeur van Max niet aan te horen over het extra gewicht dat hij moest trekken. Hij dacht dat ze nog ruim anderhalve dag van hun eindbestemming verwijderd waren. Iemand had hem verteld dat de torens van het majestueuze paleis van koning Septimus al van ver te zien waren, maar vanaf de plek waar ze zich op dat moment bevonden was de horizon een ononderbroken lichtbruine streep tegen het heldere blauw van de hemel.

Urenlang ploeterden ze zo voort, en ten slotte maakte het vlakke land plaats voor zacht glooiende, met gras begroeide heuvels, die ritmisch leken te deinen op de wind. Rond het middaguur bereikten ze de top van een heuvelkam. Beneden hen in de verte zagen ze iets – een dichte, grijze rookzuil die opsteeg naar de hemel – en toen ze geleidelijk aan dichterbij kwamen, konden ze vaag een rij wagens onderscheiden. Eromheen was een enorme beroering en het stof vloog in dikke wolken op. Cornelius trok een oude telescoop uit zijn riem en zette die voor zijn oog. Een paar tellen lang bestudeerde hij het tafereel en toen hield hij opeens zijn adem in.

'Bij Schimloks tanden!' riep hij uit. Hij schoof de telescoop weer in zijn riem, klapte het vizier van zijn helm dicht en trok zijn zwaard.

'Kom op, Sebastiaan,' zei hij. 'Er is daar iemand in nood!'

'Maar... de wagen...'

'Die komt heus wel achter ons aan, wees maar niet bang. Pak je zwaard en volg me!'

En hij zette het op een lopen, met een ongelooflijke vaart voor iemand die zo klein was. Sebastiaan keek hem even na en trok toen zijn eigen zwaard. Hij sprong van de wagen.

'Je laat me toch hopelijk niet in m'n eentje hier achter?' klaagde Max.

'Er overkomt je echt niks. Ik kan Cornelius toch niet zonder hulp het gevaar tegemoet laten gaan?'

'Waarom niet? Hij is opgeleid voor dat soort dingen. Jij daarentegen...'

Maar Sebastiaan hoorde de rest van Max' zin al niet meer, want hij ging Cornelius achterna en met zijn lange magere benen vloog hij als een sprinter over het terrein. Binnen enkele tellen had hij het mannetje ingehaald en hij had hem makkelijk voorbij kunnen rennen, maar hij vertraagde zijn tempo iets en bleef naast hem lopen. Nu kon hij de rij wagens waar ze op af renden duidelijk onderscheiden, en hij zag ook dat ze werden aangevallen door een bende haveloze mannen op hippo's.

'Bandistanen!' brulde Cornelius. 'En zo te zien vallen ze een behoorlijk grote bevoorradingscolonne aan. Die laten niemand in leven!'

Sebastiaan liet zijn hoofd op zijn kin zakken en concentreerde zich op het rennen. Ze moesten nog een hele afstand afleggen en eigenlijk wilde hij er helemaal niet naartoe, want dat betekende dat hij moest vechten. Hij dacht weer aan wat Max had gezegd: dat je goed met een zwaard kon omgaan wilde nog niet zeggen dat je in staat was iemands hoofd van zijn romp te slaan. Maar het was nu te laat om terug te krabbelen. Toen hij weer opkeek, was hij al akelig dicht bij de plek van de overval. Nu kon hij alles zien.

De soldaten die de bevoorradingscolonne hadden begeleid – goed uitgeruste mannen met rode pluimen op hun helmen en bronskleurige borstschilden – hadden zich in een kring rond een nogal luxueus rijtuig opgesteld, dat ze met inzet van hun leven verdedigden. De twee prachtige hippo's die het rijtuig hadden getrokken lagen dood op de grond, met pijlen doorzeefd. Een groot deel van de lijfwacht had hetzelfde lot ondergaan en het terrein lag bezaaid met doden. Terwijl Sebastiaan toekeek, vielen er nog meer soldaten onder de regen van pijlen die de Bandistanen op hen afvuurden, ondertussen woest schreeuwend en rondjes om hun slachtoffers rijdend.

'Dat is helemaal niet eerlijk!' riep Sebastiaan.

'Welkom in de echte wereld,' riep Cornelius terug. 'Rustig maar, we zullen het ze eens betaald zetten.'

Toen de twee nieuwkomers naderden, werden ze opgemerkt door een van de Bandistanen, een reusachtige man met een baard, die op een grijze hippo zat. Hij reed bij zijn makkers weg en wilde Cornelius aanvallen. Onder daverend hoevengedreun kwam hij met een noodvaart op de kleine krijger af, zijn gigantische strijdbijl geheven om hem in tweeën te splijten. Sebastiaan zou het liefst zijn ogen sluiten, maar op de een of andere manier kon hij dat niet. Net toen hij bedacht dat hij blij was Cornelius gekend te hebben, voerde het mannetje een buitengewone manoeuvre uit: hij buitelde naar voren en schoof onder de razende hoeven van de hippo door. Vervolgens schoot hij omhoog en haalde met de kling van zijn zwaard de kwetsbare buik van het dier open. De hippo struikelde en tuimelde voorover in het zand, en de ruiter tolde door de lucht.

Nu maakten meer ruiters zich los uit het gewoel en reden op hem af, en zonder aarzelen wierp Cornelius zich met een bloedstollende kreet in de strijd. Sebastiaan kon het trouwens niet meer volgen, want één ruiter had hém in de gaten gekregen en kwam aangalopperen om hem aan te vallen. Sebastiaan vatte moed en terwijl hij zijn vaders zwaard nog steviger in zijn beide handen klemde, zei hij tegen zichzelf dat hij, als hij hier toch moest sterven, het maar beter goed kon doen, zonder te laten merken hoe bang hij was, ook al beefde hij inwendig als een riet.

De Bandistaan kwam op hem af, zijn lelijke gezicht in strepen beschilderd met spul dat verdacht veel op bloed leek. Hij lachte en liet een enorm zwaard boven zijn hoofd rondzwiepen. De grond waarop Sebastiaan stond leek te schudden onder de hoeven van de hippo. Wanhopig probeerde hij zich te herinneren wat zijn vader hem had aangeraden voor het geval hij in een dergelijke situatie zou belanden: gun je tegenstander de eerste slag, maar probeer hem voor te zijn. Als je de klap eenmaal ontweken hebt, sla je zelf toe, zonder ook maar een seconde te aarzelen!

De Bandistaan had hem nu bereikt en boog zich voorover in het zadel om naar hem uit te halen. Terwijl hij toesloeg, week Sebastiaan opzij en de punt van het zwaard zoefde in een dodelijke boog op een paar centimeter van zijn rechteroor; Sebastiaan veerde terug en gaf een houw met zijn eigen wapen, dat moeiteloos de maliënkolder van de ruiter doorkliefde, ter hoogte van zijn middel. De hippo galoppeerde door, maar toen Sebastiaan zich omdraaide, zag hij de ruiter schuin wegzakken in het zadel en met een smak op de grond terechtkomen. Daar lag hij, kronkelend van de pijn, terwijl het bloed door zijn hemd sijpelde.

Opeens ging er een golf van vreugde door Sebastiaan heen. Het was hem gelukt! Hij was in een gevecht op leven en dood met een Bandistaan verwikkeld geweest en hij was als overwinnaar uit de strijd gekomen! Hij deed zijn mond al open voor een triomfkreet, maar op dat moment werd hij door iets zwaars in de rug geraakt en alle lucht werd in één klap uit zijn longen geslagen. In opperste verwarring viel hij languit op de grond, rolde nog een eindje door en bleef toen stil op zijn rug liggen. Zijn zwaard had hij niet langer in zijn hand. Hij keek op en zag een gigantische, potige Bandistaan op hem afkomen, die grijnzend al zijn uiteenstaande tanden ontblootte. Hij zwaaide dreigend met de zware knots waarmee hij Sebastiaan zojuist had geslagen, en te oordelen naar zijn snoeverige manier van lopen was hij vast van plan om hem nog een klap te verkopen.

Sebastiaan keek om zich heen, wanhopig op zoek naar zijn zwaard, tot hij het een eindje verderop zag liggen. Was zijn hoofd maar helder, dan kon hij erop duiken – maar de Bandistaan schudde zijn lelijke baardige kop.

'Vergeet het maar, elfenman. Dat gaat niet lukken,' zei hij. Hij kwam nog dichterbij, met zijn knots geheven, klaar om toe te slaan.

Daar lag Sebastiaan, zich vaag bewust van een vreemd gedonder dat de grond onder hem deed schudden. Hij bereidde zich voor op de dodelijke klap en mompelde alvast een schietgebedje waarin hij zijn vader vroeg om hem in het hiernamaals op te wachten. Maar de klap bleef uit.

Wel zag hij opeens een gigantische, woest zwaaiende gehoornde kop, die de Bandistaan recht in zijn borst raakte, zodat hij als een kapotte pop over de grond tuimelde.

'Max!' Dolgelukkig keek Sebastiaan op, maar door de kermiswagen had de buffaloop zo'n vaart gekregen dat hij niet kon stoppen, en hij vloog als een razende voorbij, waarbij de wielen Sebastiaan op een centimeter na raakten. De halfbedwelmde Bandistaan krabbelde net weer moeizaam overeind toen Max en de wagen hem overreden en meteen doordenderden om zich in het heetst van de strijd te mengen, stofwolken achter zich opwerpend. Sebastiaan schudde zijn hoofd en stond op. Hij pakte zijn zwaard, rende achter de wagen aan en verdween in de stofwolk.

Opeens bevond hij zich midden in een vreemde, schemerige warboel van vechtende, worstelende mannen. Een Bandistaan met een grote, gehoornde helm op zijn hoofd strompelde vanuit het dwarrelende stof op hem af, en in een impuls hakte Sebastiaan met zijn zwaard op de helm van de man in. Hij voelde de klap door zijn hele arm, maar de man viel achterover en verdween uit het zicht. Sebastiaan stond verbluft naar zijn zwaard te staren.

'Ha, ha, laat je niet kisten, jongen!' brulde een stem ergens in de buurt van zijn heup, en hij zag Cornelius langsrennen. Hij zat onder het vuil en de bloedspatten, maar zo te zien had hij het geweldig naar zijn zin. 'Volgens mij heb ik al hun boogschutters uitgeschakeld. Kom mee. Er moet wel iets heel kostbaars in dat rijtuig zitten!'

Zonder aarzelen volgde Sebastiaan het krijgertje en hij zag dat ze nog maar een klein eindje van het schitterende rijtuig verwijderd waren. De laatste leden van de lijfwacht waren zojuist gevallen onder de zwaarden van de Bandistanen, en een van hen, een reus van een kerel met ontblote borst, een kaalgeschoren hoofd en een puntbaardje, stak triomfantelijk zijn hand uit om de satijnen gordijnen opzij te trekken die voor de deuropening van het rijtuig hingen. Terwijl hij dat deed, vloog er opeens een grote stenen pot uit het schemerige binnenste en raakte hem pal in zijn gezicht, waarna hij achterwaarts op de grond smakte. Even bleef hij verdoofd liggen, en meteen daarna liet hij een verbaasd gegrom horen toen eerst Cornelius en daarna Sebastiaan zijn borstkas gebruikte als een handige springplank naar het houten trapje van het rijtuig. In het nauw gedreven draaiden ze zich om, hun zwaarden geheven om de met gordijnen afgesloten deuropening te verdedigen, en stonden toen oog in oog met een halve cirkel norse, tot de tanden gewapende krijgers.

Er viel een lange, vreselijke stilte, waarin de Bandistanen zich gereedmaakten voor de aanval.

Het is gebeurd, dacht Sebastiaan. Tegen zovelen kunnen we niet op. Ons laatste uur heeft geslagen.

7

Een of andere stomme meid

Er leek geen einde aan de stilte te komen.

Langzaam en met een vastberaden blik in zijn ogen keek Cornelius de halve kring woestelingen rond. Toen zei hij op bevelende toon: 'Bandistanen, luister! Ik, kapitein Cornelius Drummel, heb vandaag veel van jullie strijdmakkers gedood, en ik verzeker jullie dat ik iedereen zal doden die ook maar een voet op deze tree zet.'

'Boogschutters!' riep een van de Bandistanen. 'Stap naar voren en schiet die twee idioten neer!'

Weer viel er een stilte, waarin iedereen wachtte tot er een boogschutter verscheen, maar algauw werd duidelijk dat niemand zich meldde.

'Ik heb uit voorzorg al jullie boogschutters gedood,' zei Cornelius. 'Je hebt in zo'n situatie alleen maar last van ze. En zoek maar niet naar bogen, dat is zonde van de tijd. Ik snijd namelijk altijd de pezen door. Ik hou niet zo van een ongelijke strijd.'

Bij dit nieuws steeg er een verontrust gemompel op. De Bandistanen keken om zich heen om zich ervan te overtuigen dat hij de waarheid sprak. Er was inderdaad geen boogschutter meer in leven.

'Als ik jullie mag raden, heren,' zei Cornelius, 'dan zou ik maar zo veel mogelijk buit uit de rest van de wagens halen en er snel vandoor gaan, zolang jullie hoofden nog stevig op jullie rompen staan.'

Nu pleegden de Bandistanen fluisterend overleg. Een van hen, een gedrongen kerel met een rode baard, gevlochten haar en grof aangebrachte tatoeages, riep: 'Dat zijn grote woorden voor zo'n klein mannetje!'

Hij oogstte enig gelach met zijn opmerking, maar dat stierf al snel weg toen Cornelius antwoordde.

'Ik mag dan klein zijn, maar bij Schimloks botten, ik ben mans genoeg om in een handomdraai je lelijke kop eraf te slaan.'

'Mijn kop eraf te slaan? Je kunt er niet eens bij!'

Weer begon het gespuis te lachen, terwijl Cornelius alleen maar glimlachte. 'Geloof me alsjeblieft niet op mijn woord!' riep hij. 'Kom maar op, dan zullen jullie het merken.'

Luid schreeuwend moedigden Roodbaards makkers hem aan en nadat hij om zich heen had gekeken, op zoek naar wat geestelijke ondersteuning, haalde hij zijn machtige schouders op, hief zijn enorme zwaard in beide handen en stapte op Cornelius af.

'Doe eens een stapje terug, Sebastiaan,' zei Cornelius op kalme toon, en Sebastiaan gehoorzaamde meteen.

Terwijl hij stond toe te kijken zou hij hebben durven zweren dat Cornelius zich amper verroerde. Het mannetje maakte een nauwelijks waarneembare polsbeweging en als in een waas zoefde het zilverkleurige zwaard rond, waarop de grote kerel verrast gromde en naar zijn buik greep. Hij liet zich op zijn knieën vallen, zodat zijn hoofd binnen het bereik van Cornelius' zwaard kwam. Cornelius draaide zich razendsnel om, voor de tweede keer flitste het metaal en langzaam zakte het lichaam van de man op de grond terwijl zijn hoofd van het trapje stuiterde en met een verbaasde uitdrukking op het gezicht terugrolde naar zijn makkers. De Bandistanen stonden er allemaal verbluft naar te staren.

'Is er nog iemand die een kansje wil wagen?' brulde Cornelius. Maar kennelijk voelde niemand ervoor. Mompelend en vloekend dropen de Bandistanen af en sjokten naar de andere wagens.

'Stelletje lafaards!' snauwde Cornelius, en hij spuugde in hun richting. 'Kom op dan! En als ik nou eens één hand achter mijn rug vastbind?'

Er meldde zich niemand.

'Ik ben nog nooit een Bandistaan tegengekomen met aanleg voor een tweegevecht,' gromde Cornelius. 'Jammer – ik begon net warm te lopen.' Hij wierp een blik op Sebastiaan en knipoogde. 'Je hebt het er goed afgebracht, jongeman. Wacht maar, we maken nog wel een soldaat van je. Ik blijf hier voor het geval een van die barbaren besluit om terug te komen en nog een poging te wagen. Ga jij eens snel naar binnen en kijk waarvoor die lijfwachten hun leven hebben geofferd.'

Sebastiaan knikte.

Hij keerde zich om, trok de gordijnen opzij en stapte het schemerige binnenste van het rijtuig in, en ondertussen herinnerde hij zich maar al te goed hoe hardhandig de vorige die naar binnen had willen gaan was verwelkomd. Op hetzelfde moment knalde er een hard voorwerp met zo'n vreselijke klap tegen zijn hoofd dat hij op de vloer viel. Even bleef hij op handen en knieen zitten terwijl er talloze veelkleurige lichtjes ronddansten onder zijn schedeldak. Hij was blij dat hij zijn narrenmuts ophad, want die had de klap gedeeltelijk opgevangen. Vaag was hij zich ervan bewust dat er iemand op hem afkwam, ongetwijfeld met de bedoeling om hem opnieuw aan te vallen. Zonder aarzelen stortte hij zich halsoverkop op de wazige gestalte en duwde die ruggelings het rijtuig in. Zijn armen sloten zich rond een stel schouders, plotseling klonk er gekletter toen er een zwaar

69

voorwerp op de vloer belandde, en vervolgens viel de gestalte achterwaarts op een soort donzen bed en probeerde zich aan Sebastiaans greep te ontworstelen.

Sebastiaan hief zijn vuist om toe te slaan, maar opeens besefte hij dat zijn tegenstander een stuk lekkerder rook dan de Bandistanen met wie hij buiten te maken had gehad. Zijn geheven hand streek langs een fluwelen gordijn. Hij greep het vast en trok het naar beneden, en opeens stroomde het licht het rijtuig binnen.

Hij bleek boven op een meisje te zitten – op een mooi meisje bovendien. Ze keek woedend naar hem op, haar groene ogen tot spleetjes samengeknepen en haar volle rode mond vertrokken van afkeuring.

'Handen van me af, stomkop!' gilde ze. 'Hoe durf je me aan te raken?'

Sebastiaan fronste zijn voorhoofd, maar hij liet haar los en stond op van de met zijde beklede ligbank.

'Sorry,' zei hij. 'Ik dacht...'

'Wat kan mij het schelen wat je dacht!'

'Red je het een beetje daarbinnen, jongen?' hoorde hij Cornelius roepen.

'Eh... ja hoor, niks aan de hand. Gewoon een of andere stomme meid die me de hersens wilde inslaan met een' – hij keek even om zich heen en zag de boosdoener op de grond liggen –

70

'met een pispot.' Gelukkig bleek de nogal chique porseleinen pot leeg te zijn geweest toen ze ermee gesmeten had.

'Een of andere stomme meid!' riep ze, en ze keek diep verontwaardigd. 'Hoe durf je! Als mijn oom hoort hoe je me beledigd hebt, dan laat hij jou en die andere Bandistanen als een stelletje...'

'Hé, hola, wacht eens even!' Sebastiaan keek haar woedend aan. 'Ik ben helemaal geen Bandistaan! Misschien heb je toevallig niet geluisterd, maar mijn vriend Cornelius en ik hebben je uit handen van dat tuig weten te houden. We... We hebben je gered.' Hij stond versteld van zijn eigen woorden. Tot op dat moment was het niet tot hem doorgedrongen dat ze dat inderdaad hadden gedaan.

'O?' Ze leek niet bepaald onder de indruk. 'En waar zijn mijn lijfwachten?'

Sebastiaans gezicht betrok. 'Allemaal dood, vrees ik.'

'O. Echt?' Het meisje wendde haar blik even af, alsof ze haar eigen oren nauwelijks geloofde. 'Wat? Tot op de laatste man?'

'Ik geloof het wel. We hebben nog geen tijd gehad om goed te kijken. We probeerden er net achter te komen wat die soldaten zo fanatiek bewaakten. Heb je soms een schat hierbinnen?'

Het meisje staarde hem aan. 'Ze bewaakten míj, stommeling. Heb je enig idee wie ik ben?'

'Eh... iemand met een nogal hoge dunk van zichzelf, te oordelen naar de stampij die je maakt.'

Het meisje stond op, met haar handen in de zij. Ze keek hem dreigend aan. 'Ik ben prinses Karijn van Keladon.'

'Keladon! O, maar dat is toevallig, daar waren we net...' Sebastiaans stem stierf weg, alsof het nu pas volledig tot hem doordrong wat ze had gezegd. 'Neem me niet kwalijk, maar zei je, eh... prinsés?'

'Ja, sukkel. Prinses Karijn. En koning Septimus is mijn oom.'

Het duurde even, maar na een tijdje was prinses Karijn voldoende gekalmeerd om samen met Sebastiaan naar buiten te gaan, waar ze Cornelius aantroffen, die nog steeds de deur van het rijtuig bewaakte. Zijn kindergezichtje stond heel onbeholpen en het was duidelijk dat hij alles had gevolgd. Hij richtte zich onmiddellijk tot de prinses.

'Uw nederige dienaar, Hoogheid,' zei hij, en eerbiedig boog hij zijn hoofd.

'Dat is nergens voor nodig,' zei ze geërgerd. 'Ga maar weer staan.'

'Maar ik sta al,' zei Cornelius onderdanig.

'O ja, inderdaad! Jeetje, je bent wel erg klein, hè?'

'Klein van gestalte, maar met het hart van een reus, prinses. Ik kom uit Golmira, het koninkrijk van de...'

'Mij om het even.' Prinses Karijn klapte in haar onberispelijk gemanicuurde handen. 'Hé, wat is hier aan de hand?'

72

'De Bandistanen plunderen de voorraadwagens, Hoogheid. Ik vond dat ik ze hun gang maar moest laten gaan, omdat ze anders dit rijtuig onder handen zouden hebben genomen. En dit is de plek waar uw nobele koninklijke garde tot de laatste man heeft gevochten.'

Hij wees naar de wanordelijke verzameling dode mannen die rond de ingang van het rijtuig verspreid lagen. Prinses Karijn keek op hen neer en sperde haar ogen wijd open van schrik. Als je niet beter wist, zou je denken dat ze net uit een gruwelijke nachtmerrie was ontwaakt.

'Dood?' fluisterde ze, alsof ze het woord niet kende. 'Hoe kan dat nou? Ze... Ze...'

'Ze hebben hun leven gegeven om jou te beschermen,' zei Sebastiaan.

Ze knikte. 'Het waren moedige mannen. Zouden jullie van ieder de onderscheidingstekens willen verzamelen? Als ik weer terug ben in Keladon zal ik naar hun families schrijven en...'

Haar verstikte stem begaf het en heel even vulden haar ogen zich met tranen, maar toen leek ze een welbewuste poging te doen om zichzelf weer onder controle te krijgen. Haar blik ging van de dode mannen naar een stel harige schurken die een grote koffer uit een naburige wagen hadden gesleept en hem nu doorzochten. Een van hen had een jurk met kantjes gevonden en hield die tegen zijn behaarde borst, alsof hij hem wilde aantrekken. Prinses Karijn rechtte haar rug en er verscheen een harde blik in haar ogen. Ze nam weer een ijzige, gebiedende houding aan.

'Als jullie niet net op tijd langs waren gekomen, zou ik nu waarschijnlijk gevangen zijn,' mompelde ze. 'Akelige, smerige beesten! Waarschijnlijk hebben ze zich al weken niet gewassen, en ik wil wedden dat ze nooit hun tanden poetsen.' Ze draaide zich om naar Sebastiaan en Cornelius, en haar tranen waren helemaal verdwenen. Ze leek wel iemand anders, dacht Sebastiaan verbaasd. 'Kennelijk sta ik nu bij jullie in het krijt,' zei ze kalm. Ze schonk Sebastiaan een boze blik. 'Dan moet ik maar vergeten dat je boven op me bent gesprongen.'

'Dat was uit zelfverdediging,' antwoordde Sebastiaan vinnig. 'Je sloeg me met een...'

'Hoogheid, mag ik u vragen hoe u in dit verlaten oord verzeild bent geraakt?' vroeg Cornelius snel, want hij wilde een eventuele ruzie in de kiem smoren.

'O, dat idee kwam van mijn oom. Hij zond me als lid van een deputatie naar koningin Helena van Bodengen, dat grenst aan ons grondgebied. Ze zou een knappe zoon hebben, Rolf, voor wie ze een huwelijkspartner zoekt. Oom Septimus vond het geloof ik wel nuttig als ik kennis met hem maakte. Volgens mij is hij op een of ander verbond uit.' De prinses keek verveeld, alsof ze het al te veel moeite vond om erover te praten. 'Goed, ik had dus een schilderij van die Rolf gezien waarop hij best een stuk leek, en ik wilde wel gaan.'

'Uiteraard!' zei Sebastiaan, maar ze leek de spot in zijn stem niet te horen.

'Toen ik daar aankwam, ontdekte ik dat de hofschilder Rolf veel aantrekkelijker had afgebeeld dan hij in werkelijkheid was. Hij had voor het gemak zijn ontbrekende tanden en schuine voorhoofd maar niet vastgelegd. Dus ik wilde met alle geweld meteen terug, en toen liepen we in de hinderlaag van die vreselijke Bandistanen.' Ze zuchtte. 'Eigenlijk had ik naar de kapitein moesten luisteren.'

'De kapitein?' herhaalde Cornelius.

'Van de koninklijke garde. Een groot aantal van zijn mannen was ziek geworden en kon ons niet vergezellen. Hij zei dat we een paar dagen moesten wachten, tot ze weer aangesterkt waren – maar ik drong erop aan meteen te vertrekken. Ik had oom Septimus beloofd dat ik vóór mijn verjaardag terug zou zijn.'

'Je verjaardag?' Sebastiaan trok zijn wenkbrauwen op.

'Ja. Mijn zeventiende verjaardag. Dat is morgen.'

Sebastiaan kon zijn oren amper geloven. 'Dus als ik het goed begrijp, zijn al die mannen gestorven... omdat jij op tijd terug wilde zijn voor je verjaardag?'

'Oom Septimus stond erop,' zei prinses Karijn. 'En hoe kon ik nou weten dat we Bandistanen tegen zouden komen? Oom Septimus zei dat hij een speciale verrassing voor me had en hij drong erop aan de terugreis niet langer uit te stellen.'

'Mooi is dat,' snauwde Sebastiaan. 'En hopelijk weegt het op tegen de levens van...'

'We zullen u uiteraard naar Keladon vergezellen,' onderbrak Cornelius hem haastig. 'Om te zorgen dat u veilig thuiskomt. Maar wel moeten we enige voorbereidingen treffen. Staat u ons toe dat we eerst een en ander regelen.'

'Maar, Cornelius!' riep Sebastiaan verontwaardigd. 'Ze...'

'We gaan, eh... We gaan kijken wat er nog gedaan moet worden! Als u zich nu eens in uw rijtuig terugtrekt, Hoogheid, en het zware werk aan ons overlaat?'

Prinses Karijn fronste haar voorhoofd en haalde toen haar schouders op. 'Goed,' zei ze. 'Maar maak een beetje voort. Ik verveel me nogal snel.'

Ze draaide zich om en glipte door de met gordijnen afgesloten deuropening naar binnen. Sebastiaan, die zijn mond al had geopend om nog iets te zeggen, wilde haar achterna, maar Cornelius greep hem bij de zoom van zijn hemd en sleurde hem van het trapje.

'Cornelius! Wat ben je...?'

Het mannetje zei niets, maar trok hem mee de vlakte op, waarbij hij voorzichtig om de gevallen soldaten heen stapte. Toen ze een heel eind van het rijtuig verwijderd waren, bleef hij staan en keek op naar Sebastiaan.

'Doe eens een beetje rustig,' zei hij op gedempte toon.

'Maar heb je haar dan niet gehoord? Ze zei...'

'Ik weet heus wel wat ze zei,' beet Cornelius hem toe. 'En ze is inderdaad strontverwend en heel irritant. Maar vergeet niet dat ze een prinses is.'

'Een verwend nest, dat is ze,' gromde Sebastiaan. 'Ik zou haar bijna over mijn knie nemen en...'

'... en dan laat ze je ophangen op het marktplein van Keladon, om de bevolking te vermaken. Ons soort levert nou eenmaal geen kritiek op haar soort, en je zou er goed aan doen dat niet te vergeten. Vanaf nu zeggen we alleen nog maar: "Ja, Hoogheid, tot uw dienst, Hoogheid!", en we doen alles wat ze van ons verlangt. Het laatste wat we willen, is dat ze zich aan ons stoort.'

Sebastiaan trok een stuurs gezicht. 'Dat wordt anders niet gemakkelijk,' merkte hij op.

'Nee, maar het is het wel waard. Zeg nou zelf: als we haar gezond en wel bij haar oom afleveren, is hij ons vast en zeker zeer dankbaar. Dat zou weleens heel gunstig voor ons kunnen uitpakken, als je bedenkt dat we allebei werk zoeken aan zijn hof. En vergeet niet dat hij niet al te lang meer koning is. Over een tijdje, als Karijn meerderjarig is, bestijgt zij de troon.'

'Karijn? Koningin van Keladon? Maar hoe...'

'Omdat haar ouders allebei dood zijn. Haar oom houdt de troon bezet tot zij meerderjarig is. Ik dacht dat je dat allemaal wel wist.'

Sebastiaan schudde zijn hoofd. 'Mijn vader heeft daar nooit iets over gezegd. Het enige wat hij volgens mij wist, was dat er ergens een rijke koning was die een hofnar nodig had.' Hij dacht even na. 'Dus ze is wees?'

'Ja, en binnenkort is ze de machtigste vrouw van het land. Laten we jouw persoonlijke mening over haar maar vergeten en eens zien of we een stel hippo's kunnen vangen om voor dat chique rijtuig van haar te spannen.'

Toen hij het woord 'hippo' hoorde, moest Sebastiaan opeens ergens aan denken.

'Max...' mompelde hij. 'Heb jij hem nog gezien?'

'Niet nadat hij me voorbij is gescheurd, met jouw wagen achter zich aan. Het was alsof de duivel hem op de hielen zat!'

Sebastiaan hief zijn hoofd en keek hoopvol van links naar rechts over de vlakte, maar aanvankelijk was er geen spoor van zijn oude vriend te bekennen. Er sloeg een golf van angst door hem heen. Stel dat hij door Bandistanen was meegenomen? Hij herinnerde zich weer dat ze dol waren op buffaloopvlees. Maar nadat hij een paar tellen lang als een bezetene de omgeving had afgespeurd, zag hij Max langzaam aan komen sjokken, met achter zich de wagen, die ondanks het woeste ritje nauwelijks beschadigd leek.

'Daar zul je hem hebben,' zei hij opgelucht.

'Maar er is wel iets met hem aan de hand,' sprak Cornelius op gedempte toon.

Sebastiaan zag dat Max zich heel traag voortbewoog, zijn poten met zichtbare moeite optilde en zijn kop zo ver liet hangen dat zijn neus over de grond schampte. Toen hij dichterbij kwam, zag Sebastiaan met een schok van ontzetting dat er een pijl uit de linkerflank van de buffaloop stak.

'Max!' riep hij. Ontzet rende hij het laatste stuk naar hem toe en sloeg zijn armen om de ruige nek van de buffaloop. 'Je bent gewond!'

Max schonk Sebastiaan een treurige blik. 'Ze hebben op me geschoten!' mompelde hij. 'Die achterlijke wilden hebben een pijl op me afgeschoten. Ik... Ik ben er geweest. Het is gebeurd met me, jonge meester. Ik voel mijn levensbloed wegvloeien.'

'Nee!' stamelde Sebastiaan. 'Nee, het komt heus wel goed. Je bent sterk...'

Maar Max schudde zijn gehoornde kop. 'Het mag niet zo zijn, jonge vriend.' Hij hapte naar adem, alsof hij opeens door pijn werd bevangen. 'Mijn strijd is gestreden en ik... ik hoor mijn voorvaderen al roepen.' Hij staarde omhoog, naar de blauwe hemel. 'Ze roepen me nu naar de eeuwige weidegronden. Wie zal me de rust misgunnen, na een leven van gezwoeg?' Hij keek in Sebastiaans ogen, die zich vulden met tranen. 'Nee, je moet niet om me huilen, jonge meester. Voor treuren is dit niet het juiste moment! Droog je tranen en richt je blik op de toekomst. Als ik uiteindelijk je vader weer tegenkom, zal ik zeggen dat hij trots op zijn zoon kan zijn. En mijn geest zal over je waken tijdens de rest van je reis.'

'Max, alsjeblieft, zeg dat nou niet.' Sebastiaan liet zijn tranen nu de vrije loop. 'We maken je weer beter. Ik zoek wel kruiden en dan maak ik een kompres. Een paar dagen rust en je bent weer helemaal de oude. Je hebt nog jaren voor de boeg.'

'Was het maar waar.' Max zuchtte zacht en zijn oogleden knipperden. 'Ik voel het duister al over me heen trekken.'

Sebastiaan schudde zijn hoofd. 'Alsjeblieft, ouwe makker. Alsjeblieft, laat me niet in de steek!'

'Ik... Ik moet nu gaan. Zeg mooie dingen over me als ik er niet meer ben. Vertel iedereen dat je ooit een buffaloop hebt gekend die een goed en nobel... Au!!'

Hij brak zijn verhaal abrupt af toen Cornelius op zijn tenen ging staan en de pijl uit zijn zij wrikte. 'Kun je niet even wachten?' vroeg hij boos. 'Ik was net aan mijn laatste woorden bezig.'

'Je gaat helemaal niet dood,' zei Cornelius afgemeten. 'Dat ding heeft hooguit in je vel geprikt. Er is wel wat meer voor nodig om die taaie ouwe huid van je te doorboren.'

'Maar... het is een dodelijke wond,' wierp Max tegen.

'Dodelijke wond, m'n gat,' zei Cornelius bot. 'Een schrammetje, meer niet. Ik heb van mijn levensdagen nog nooit zo'n kouwe drukte meegemaakt.' Hij wierp de pijl weg en ging een stel hippo's zoeken om het koninklijke rijtuig te trekken.

Sebastiaan keek Max vernietigend aan. 'Een dodelijke wond,' zei hij met opeengeklemde kaken. 'Wegvloeiend levensbloed. Wel heb ik ooit!' Hij draaide zich om en maakte aanstalten Cornelius achterna te lopen.

'Nou, het voelde anders wel als een dodelijke wond!' riep Max verontwaardigd. 'Hij was heel diep, als je het weten wilt.'

'Cornelius zei dat het niet veel voorstelde.'

'Hij... Hij heeft makkelijk praten. Bij hem steekt er geen pijl uit zijn lijf. Het... Het kon wel een gifpijl zijn geweest! Daar heb je nog niet over nagedacht, hè? Het kan nog steeds mijn ondergang zijn. Mijn ondergang!'

Sebastiaan had Cornelius inmiddels ingehaald. Het mannetje liep in zichzelf te grinniken.

'Wat een fantasie heeft dat beest,' liet hij zich ontvallen.

Met zijn mouw veegde Sebastiaan de tranen uit zijn ogen. 'Dat is echt de allerlaatste keer geweest dat ik naar hem luister,' zei hij. 'Heel even dacht ik echt dat hij ging...' Hij schudde zijn hoofd. Op de een of andere manier kreeg hij het woord 'sterven' niet over zijn lippen – alsof het toch nog zou gebeuren als hij het

uitsprak. 'Weet je trouwens dat hij daarnet mijn leven heeft gered? Hij liep een Bandistaan onder de voet die op het punt
stond me te doden. Ik... Ik zou niet weten wat ik moest zonder
Max. Hij is er altijd geweest, al vanaf mijn geboorte.'

Cornelius gaf hem een ferme klap op zijn heup. 'Kom op,' zei
hij. 'Laten we die hippo's vangen en zorgen dat we de hele stoet
weer op de weg krijgen. We hebben nog een behoorlijke reis
voor de boeg.'

8

Kroonprinses

Het duurde even voor ze de hippo's te pakken hadden. Het waren strijdrossen, die niet gewend waren om zware wagens te trekken, maar er zat niets anders op. Ondertussen scheen Max geaccepteerd te hebben dat zijn pas opgelopen wond niet levensbedreigend was, en hij liet weten dat hij weer in staat was om de reis voort te zetten.

Sebastiaan en Cornelius waren net bezig met een paar allerlaatste reparaties aan het tuig van Max, dat tijdens de schermutseling beschadigd was geraakt, toen prinses Karijn aan kwam lopen, met een uitgesproken ongeduldige trek op haar gezicht.

'Gaan we nog niet weg?' vroeg ze geïrriteerd. 'Ik verveel me dood!'

Cornelius boog zijn hoofd en gaf Sebastiaan een por tegen zijn been om aan te geven dat hij zijn voorbeeld moest volgen.

'Bijna, Hoogheid,' verzekerde hij haar. 'Nog een paar laatste voorbereidingen en dan gaan we op weg. Toch maak ik me wat zorgen...'

'Zorgen, mannetje? Hoezo?'

'Tja... de hippo's die we uiteindelijk gevangen hebben, zijn erg schichtig en niet gewend aan zwaar werk. Ik ben bang dat ze ervandoor gaan of, nog erger: dat ze het rijtuig zullen omkieperen. Het zou toch zuur zijn, vindt u niet, om u net als we u van de Bandistanen hebben gered opnieuw aan levensgevaar bloot te stellen?'

'Hm.' Prinses Karijn dacht even na en terwijl ze dat deed, bestudeerde ze de kleurige tekening op de zijkant van Sebastiaans wagen. Toen klaarde ze wat op. 'Geeft niet, ik rij wel met de elfenman mee,' zei ze.

Sebastiaan keek haar strak aan. 'Wat?' vroeg hij ontzet. En toen, na weer een por van Cornelius, probeerde hij zijn toon wat te matigen. 'Maar, Hoogheid, mijn nederige wagen is niet echt geschikt voor iemand van edele...'

'Dat weet ik,' stelde ze hem gerust. 'Maar ik ben die stilte meer dan zat en ik wil weleens met iemand praten.' Ze gebaarde naar de tekst op de wagen. 'Trouwens, iemand die zichzelf prins der dwazen noemt, moet toch op zijn minst wat vertier kunnen bieden. Ik ga mijn reismantel even halen.' Ze draaide zich om en liep terug naar haar rijtuig.

Sebastiaan keek haar mismoedig na. 'O, fantastisch, hoor,' zei hij. 'Nu zit ik de rest van de reis met haar opgescheept.'

'Vertel haar alsjeblieft geen grappen van jezelf,' zei Max. 'Als je met alle geweld een grap wilt vertellen, neem er dan een van je vader. Dat is veiliger.'

'En blijf een beetje beleefd,' drukte Cornelius hem op het hart. 'We moeten wel in een goed blaadje bij haar blijven staan.'

'Ja, komt in orde, komt in orde! Lieve help, jullie doen net alsof ik nog geen gesprek kan voeren. Ik ben nar, vergeet dat niet. Dan moet je goed van de tongriem gesneden zijn!'

Max en Cornelius wisselden bezorgde blikken uit.

'We zijn verloren,' mompelde Max vermoeid. 'We zijn absoluut verloren.'

Ze trokken weer verder, maar Sebastiaan was er niet helemaal gerust op. Waarom had prinses Karijn ervoor gekozen met hem mee te rijden, in plaats van in haar eigen comfortabele rijtuig? En waarom stelde ze de ene stomme vraag na de andere?

Ze zat nu naast hem en kletste honderduit over allerlei onzin, alsof ze een babbelziek herderinnetje was – totaal niet koninklijk, zoals hij zich een prinses altijd had voorgesteld, maar druk en irritant. O, mooi was ze wel, en niet zo'n beetje ook. Maar verwend! Als ze geen prinses was geweest, dan had Sebastiaan haar met alle plezier van de wagen geduwd, zo het zand in.

Het landschap veranderde: hier en daar in het welige, glooiende grasland stonden nu bosjes hoge, slanke bomen. De takken bovenin zaten vol trossen donkerrood fruit, waar zwermen grote zwarte vogels rumoerig om vochten, en boven de hoofden van de reizigers klonk een afgrijselijk gekras.

Sebastiaan boog vanaf zijn zitplaats opzij en keek achterom naar Cornelius, die ineengedoken op de bok van het rijtuig zat en zijn best deed om de twee dartele hippo's in toom te houden terwijl hij achter Sebastiaan aan reed. Zelfs op die afstand kon Sebastiaan de uitdrukking op zijn gezicht goed onderscheiden, alsof het mannetje hem er stilzwijgend aan wilde herinneren om goed op zijn woorden te letten. Ondertussen kakelde prinses Karijn maar door.

'... dus ik zei tegen haar: de kleur van een jurk is voor jou misschien niet belangrijk, schat, maar als het om hofzaken gaat, mag ik er toch van uitgaan dat ik weet waarover ik het heb. Nou, die had niet veel meer te melden, dat kan ik je verzekeren!'

Toen hij een stilte bespeurde, ging Sebastiaan weer rechtop zitten. 'Wat zei je?' vroeg hij. 'Hoogheid,' voegde hij er snel aan toe.

'Volgens mij luisterde je niet eens!' zei prinses Karijn verontwaardigd.

'Ik... Ik was alleen... Ik dacht dat die hippo's het op hun heupen kregen. Alsjeblieft, ga door, prinses, het is... heel boeiend.

Het komt niet vaak voor dat een eenvoudig man zoals ik in de gelegenheid is om iets over een koninklijk hof te weten te komen.'

Maar de prinses keek hem mokkend aan, als een verwend kind. 'Eigenlijk ben je helemaal geen mens, hè?' merkte ze bot op. 'Niet in de gebruikelijke zin van het woord. Volgens mij ben je een zogenaamde "halfbloed".'

Sebastiaan voelde zijn gezicht van kleur verschieten, maar hij deed een heldhaftige poging om wellevend te blijven. 'Mijn moeder is een elf,' zei hij. 'Ik heb dus wat trekjes van haar geërfd. En ook een paar van mijn vader, een mens.'

'Ik vraag me af waarom hij zo nodig met een elf wilde trouwen,' zei ze.

'Misschien omdat hij verliefd op haar was?' opperde Sebastiaan, en het klonk iets koeler dan hij bedoeld had.

'Was? Is hij dan niet meer verliefd op haar?'

'Mijn vader is dood, prinses. Hij is enige tijd geleden gestorven.'

Ze keek enigszins onbehaaglijk toen ze dat hoorde. Even staarde ze in de verte, waar een grote zwerm zwarte vogels lawaaiig met de vleugels klapperde op de takken van een boom.

'Wat erg,' zei ze. 'Ik weet hoe het is om een ouder te verliezen. Zelf heb ik beide ouders verloren, en dat terwijl ik nog heel klein was...' Haar gezicht betrok, alsof ze aan slechte tijden dacht, maar toen leek ze de nare gedachten weer van zich af te schudden. 'Wat was je vader van beroep?' vroeg ze.

'Hij was ook nar, net als ik. Of eigenlijk ben ik nar net als hij. Tenminste, dat probeer ik.'

'En ben jij ook verliefd, meneer Duister?'

Hij lachte zenuwachtig. Nu voelde híj zich onbehaaglijk. 'Nee,' zei hij. 'Nog niet, in elk geval.' Hij glimlachte. 'Maar op een dag voel ik me vast net als mijn vader toen hij mijn moeder leerde kennen.'

'Liefde!' Ze trok een verveeld gezicht. 'De dichters aan het hof hebben het er altijd en eeuwig over. Soms vraag ik me af of er wel zoiets bestaat. Volgens mij is het door dichters verzonnen, zodat ze iets te schrijven hebben.' Ze fronste haar voorhoofd. 'En is ze mooi, die moeder van je?'

'Ik geloof het wel,' zei Sebastiaan. 'Maar dat zegt toch iedere jongen van zijn eigen moeder?'

'Ze heeft je wel een paar interessante trekken meegegeven,' merkte de prinses op. 'Je hebt heel mooie ogen. En die puntoren vind ik ook leuk.'

Nu wist Sebastiaan helemaal niet meer wat hij moest zeggen. Hij voelde zijn gezicht nog roder worden en opeens had hij het zogenaamd heel druk met de leidsels. Na enkele ogenblikken keek hij haar tersluiks aan, maar hij wendde zijn blik snel af toen hij zag dat ze hem nog steeds met die levendige groene ogen van haar zat op te nemen. Hij moest toegeven dat ze buitengewoon mooi was. Jammer dat ze tegelijkertijd zo onnozel en oppervlakkig was.

'Tja,' zei ze, na een onbehaaglijke stilte. 'Je hoopt dus werk te vinden bij mijn oom. Als hofnar.'

Sebastiaan knikte. 'Ja. Heeft hij... Heeft hij wel gevoel voor humor, je oom?'

'Niet dat ik weet. Sarcastisch is hij wel, maar ik betwijfel of dat telt. Hij is...' De prinses leek even naar de juiste woorden te zoeken. 'Hij is een raadsel, mijn oom Septimus. Je komt er niet snel achter wat er in hem omgaat. Hij is uiteraard zeer op me gesteld, heel zorgzaam ook. Ik denk dat het wel helpt als ik een goed woordje voor je doe.'

Sebastiaan keek haar hoopvol aan. 'En zou je dat willen doen?' vroeg hij.

Ze haalde haar schouders op. 'Tja, ik weet het niet, hoor. Dat hangt ervan af hoe grappig je bent. Tot nu toe valt er met jou weinig te lachen, geef toe. Als je me nou eens wat staaltjes van je, eh... kunnen liet zien?'

Sebastiaan was er zich pijnlijk van bewust dat Max net een sombere blik over zijn schouder had geworpen, maar hij probeerde er geen aandacht aan te schenken.

'Goed,' zei hij. 'Eens even denken...' In gedachten plunderde hij zijn voorraad grappen op zoek naar iets wat ze leuk zou vinden. Ten slotte dook hij een verhaal op dat heel misschien een glimlachje op haar gezicht kon toveren. 'Ken je die mop van de man die over straat liep en van wie de hoed afwaaide? Hij wilde hem net oprapen toen er een andere man langskwam met een hondje, en dat hondje rende op de hoed af en scheurde hem aan flarden. Dus die eerste man stapt op de baas van het hondje af en zegt: "Kijk eens wat je hondje met mijn hoed heeft gedaan!" Die andere vent haalt zijn schouders op en zegt: "Nou en? Alsof het mij iets kan schelen. Opgerot!" De eerste man gelooft zijn oren niet. Hij zegt: "Hoor eens, ik moet niks hebben van jouw houding." Waarop de andere man zegt: "Wat zeur je nou over zo'n oud ding?"'

Er viel de gebruikelijke lange stilte die meestal volgde op een van zijn verhalen, en Sebastiaan legde zich al neer bij de zoveelste mislukking – maar toen gebeurde er opeens, heel onverwachts, iets buitengewoons. Prinses Karijn wierp haar hoofd in haar nek en begon te lachen. En het was ook geen zacht gniffeltje of halfhartig giecheltje – nee, het was een echte schaterlach, vol pret.

'Dat was een goeie,' zei ze toen ze bijna was uitgelachen. En ze leek het nog te menen ook.

Sebastiaan was zo verbouwereerd dat hij bijna van de bok viel. Hij keek naar Max, die weer achteromloerde, deze keer met een verbijsterde uitdrukking op zijn kop.

'Vond... vond je het echt grappig?' vroeg Sebastiaan voorzichtig.

'Natuurlijk! "Houding", "Oud ding"! Dat is briljant. Vertel er nog eens een paar.'

Sebastiaan, die zijn geluk niet op kon, probeerde nog een paar grappen op haar uit. Elke keer werd hij beloond met een nog enthousiastere reactie, tot ze bij de vijfde mop helemaal slap van de lach was en de tranen over haar mooie gezichtje stroomden.

'Hou op!' riep ze. 'Ik doe het nog in mijn broek!'

Dat klonk zo on-prinsesserig dat Sebastiaan ervan schrok en het merkwaardig genoeg nog prachtig vond ook. Hij merkte dat hij tegen alle verwachtingen in prinses Karijn steeds leuker begon te vinden. Hij glimlachte en in zijn enthousiasme tikte hij Max met de leidsels op zijn achterste.

'Juich nog maar niet te vroeg,' hoorde hij de buffaloop zeggen – maar Sebastiaan was te blij om zich er iets van aan te trekken.

'En... hoe onthoud je ze allemaal?' wilde prinses Karijn weten toen ze weer tot bedaren was gekomen.

'Ik leer ze gewoon uit m'n hoofd.'

'Ik ben heel slecht in moppen vertellen,' zei ze. 'Ik sla de plank altijd mis. Het zou leuk zijn om iemand aan het hof te hebben die de zaak wat opvrolijkt. Het is soms best duf om prinses te zijn.'

'Nog even en je bent koningin,' merkte Sebastiaan op.

'Ja.' Haar goede humeur verdween als sneeuw voor de zon,

en opeens keek ze heel ernstig. 'Ik kan niet zeggen dat ik me erop verheug. Sinds ik een klein meisje was, heb ik geweten dat ik het vroeg of laat zou worden, maar het leek altijd zo ver weg. En nu overvalt het me opeens. Morgen ben ik jarig en dan is het nog maar één jaartje.'

'Er kan veel gebeuren in een jaar,' zei Sebastiaan.

'Vast. Maar toch komt het nu akelig dichtbij. Ik hoop dat ik een goede koningin word.' Ze schonk hem een merkwaardige, zijdelingse blik. 'Wat denk jij?' vroeg ze.

Dat was een lastige vraag.

'Ik... Ik heb eigenlijk geen idee,' antwoordde Sebastiaan. 'Ik weet niet echt wat het inhoudt.' Hij putte enige moed uit het feit dat ze zijn grappen leuk had gevonden en hoewel hij meestal een stuk voorzichtiger was, kwam zijn antwoord nu recht uit zijn hart. 'Volgens mij is het altijd gunstig voor een koningin als ze mooi is. En... dat ben je zeker.'

Ze keek hem onderzoekend aan en schudde toen haar hoofd. 'Dat zeg je alleen om dat baantje te krijgen.'

'Nee, ik meen het. Je bent echt mooi. Echt.' Zijn gezicht gloeide weer en hij durfde haar bijna niet aan te kijken.

'Hemeltje,' zei ze. 'Niemand heeft me ooit verteld dat ik mooi ben.'

'Dat kan ik nauwelijks geloven,' zei Sebastiaan.

'O, ik heb wel gehoord dat ik koninklijk ben, en waardig, en nog meer van dat soort lariekoek. Maar niemand heeft ooit het woord "mooi" in de mond genomen.' Ze schonk hem een peinzende blik. 'Wat vind je van mijn neus?' vroeg ze.

'Je... neus?'

'Ja. Er zit een soort knik in. Kijk maar.'

Hij moest haar nu wel recht in het gezicht kijken en was zich maar al te bewust van haar ogen, die zich in de zijne boorden. 'Hm... Ik... Ik zie er niks verkeerds aan. Aan je neus. Het is een... trotse neus.'

'Dat is gewoon een aardige manier om te zeggen dat hij te groot is!' wierp ze tegen.

'Nee, hij is volmaakt. Op jouw gezicht zou geen andere neus zo goed staan. Het is... Echt, het is een heel mooie neus.'

Het bleef lang stil terwijl ze elkaar aankeken, maar die stilte werd ruw verstoord door Max, die een wind liet.

'Sorry,' zei hij. De betovering was echter verbroken. Sebastiaan en prinses Karijn wendden zich van elkaar af en staarden naar de weg die zich voor hen uitstrekte.

'Nou, ik weet zeker dat er veel meer bij komt kijken om koningin te zijn dan een trotse neus,' zei ze ten slotte. 'Ik heb begrepen dat je er bepaalde eigenschappen voor moet hebben.'

'Eerlijkheid,' zei Sebastiaan, en hij had er meteen weer spijt van.

'Wat bedoel je?' vroeg ze op nogal bitse toon.

'Eh... nou ja, ik denk dat een koningin dat waarschijnlijk no-dig heeft om, eh... met wijsheid te kunnen regeren. En, eh... ik dacht...' Zijn stem stierf weg toen hij besefte dat hij over de schreef ging. 'Het... Het gaat me eigenlijk helemaal niet aan.'

'Nee, vertel nou wat je zeggen wilde. Ik sta erop.'

Sebastiaan had het gevoel dat hij steeds kleiner werd daar op die bok, maar het was nu te laat om een uitvlucht te bedenken. 'Nou, ik dacht aan hoe je deed toen je ontdekte dat je hele lijf-wacht was gedood. Even leek het alsof je echt van streek was – er stonden heuse tranen in je ogen... Maar toen deed je iets waardoor je verhardde, alsof het je niet echt raakte.'

Prinses Karijn keek hem woedend aan. 'En wat dan nog?' wierp ze tegen.

'Nou, Hoogheid... ik zeg het alleen maar. Je hoeft je niet te schamen als je moet huilen om mensen die zijn gestorven. We zouden je er niks minder om gevonden hebben.'

'Juist ja.' Alle warmte was uit prinses Karijns stem verdwe-nen. 'Dus jij beweert dat ik oneerlijk ben. Dat ik de wereld een vals gezicht toon.'

'Eigenlijk ben ik niet in een positie om wat dan ook te bewe-ren,' zei Sebastiaan somber.

'Als je dat maar weet! Je beseft toch wel dat ik je ter plekke kan laten executeren wanneer we op onze bestemming zijn aan-gekomen?'

'Maar... ik... Prinses, we hebben je leven gered!'

'Denk maar niet dat dat iets uitmaakt. Wat arrogant...' Het leek wel of haar stemming opeens een enorme duik maakte en overging in wrok. 'Wie denk je wel dat je bent dat je kritiek kunt hebben op iemand als ik? Een omhooggevallen nar in een slecht zittend pak, die zielige verhaaltjes vertelt voor zijn brood.'

'Zo te horen vond je ze anders heel grappig!' mompelde Sebastiaan.

'Dat was uit medeleven. Ik had gewoon met je te doen!'

'Alsjeblieft, Hoogheid, het was niet mijn bedoeling...'

'Wat maakt het mij uit wat je bedoeling was! Goed, ik laat me niet langer beledigen.' Ze wendde zich af en sprong van de bok.

'Prinses, toe nou! Waar ga je heen?'

'Naar mijn eigen rijtuig,' snauwde ze, en daarop stevende ze weg, met haar handen in de zij.

'Maar dat is niet veilig! De hippo's...'

Ze luisterde niet meer naar hem. Toen hij uit de wagen leunde, zag hij dat ze op Cornelius afliep, die haar verbluft aankeek. Hij wilde de hippo's al halt laten houden, maar ze maakte een sprongetje, klauterde het hotsende trapje van het rijtuig op en verdween naar binnen.

Met een kreun plofte Sebastiaan weer op de bok en hij sloeg zijn handen voor zijn gezicht.

Het bleef heel lang stil, terwijl de wagen over de heuvelhelling reed. Toen zei Max: 'Nou, dat had wel iets beter gekund.'

Sebastiaan keek neer op het deinende achterste van de buffaloop. 'Alsjeblieft,' zei hij. 'Dit is niet het juiste moment...'

'Ik wilde alleen maar zeggen dat het juist zo goed ging! Ze at zowat uit je hand. Ze moest zelfs om je grappen lachen, ongelooflijk maar waar! En toen, net toen alles er prima uitzag en je haar alleen maar wat stroop om de mond hoefde te smeren, wat deed je toen? Je had kritiek op haar! Je zei dat ze niet geschikt was om koningin te zijn.'

'Dat weet ik! Ik heb geen idee wat me bezielde. Maar diep in haar hart weet ze waarschijnlijk wel dat ik gelijk heb.'

Max keek weer over zijn schouder en schonk Sebastiaan een lange, medelijdende blik. 'Daar zullen we dan maar troost uit putten als we op het stadsplein worden geëxecuteerd,' zei hij grimmig.

'O, zover komt het niet,' verzekerde Sebastiaan hem. 'Per slot van rekening hebben we haar gered, of niet soms?'

Maar Max antwoordde niet en in ijzig stilzwijgen ploeterden ze voort.

9

Tranen voor het slapengaan

Weer ging de zon onder, en boven de boomtoppen in het westen vormden zich enorme bloedrode stapelwolken. Er was nog iets anders: een torenspits stak loodrecht de lucht in. Iets wat op die afstand zichtbaar was, moest wel het hoogste gebouw van de wereld zijn.

Ze waren de stad al ontzettend dicht genaderd, maar toch, vond Cornelius, niet dicht genoeg. Hij riep dat ze nog één nacht hun kamp moesten opslaan, dan zouden ze de volgende ochtend hun reis voltooien.

Terwijl ze die dag waren voortgetrokken, hadden de groepjes bomen zich geleidelijk aan uitgebreid, en nu voerde het pad over terrein dat je al bijna een bos kon noemen. Ze bereikten een grote open plek en daar zagen ze iets waarnaar ze heel erg verlangd hadden. Er slingerde een beekje doorheen, het eerste water sinds ze aan hun reis over de vlakte waren begonnen. Sebastiaan zette de wagen stil en Cornelius kwam naast hem staan, met een verwijtende uitdrukking op zijn kindergezichtje.

'Wat heb je tegen haar gezegd?' fluisterde hij boos, maar Sebastiaan negeerde hem. Hij sprong van de wagen en spande Max uit, die regelrecht op de beek afkoerste en gulzig begon te drinken.

'En wie durft nu nog te beweren dat Berundianen niet te vertrouwen zijn?' vroeg Sebastiaan hem, met een speelse tik op zijn kont.

Max hief zijn kop even op en het water droop uit zijn bek. 'Ja, maar we hebben het pas gevonden nu we al bijna in Keladon zijn,' antwoordde hij. 'En probeer niet steeds de aandacht af te leiden van de blunder die je begaan hebt.'

'Bedankt voor het medeleven,' mopperde Sebastiaan.

Cornelius dook vanachter het rijtuig op. Hij klikte een aantal scharnierende metalen voorwerpen vast, die in een stel leren vakjes in zijn riem hadden gezeten. Terwijl Sebastiaan toekeek zette hij een prachtige minikruisboog in elkaar.

'Die heb ik laten maken door een meesterwapensmid in Golmira,' zei hij. 'Je kunt er geen javralats mee doden, maar voor gevleugeld voedsel is hij perfect.' Hij wees naar de rusteloze zwarte gedaanten die van de ene tak naar de andere fladderden.

'Het avondeten,' kondigde hij aan. 'Zorg jij dat er een vuur brandt, dan haal ik een stel van die schoonheden naar beneden.

Zo te zien leveren die een lekker maaltje op. We kunnen ook wel wat van dat fruit proberen. Het is weer eens wat anders dan vlees.' Weer keek hij Sebastiaan aan. 'De prinses leek behoorlijk overstuur,' fluisterde hij. 'Onderweg heb ik verscheidene keren naar haar geroepen, maar ze keurde me niet eens een antwoord waardig.'

'Hoor eens, vergeet het nou maar,' snauwde Sebastiaan. 'Ik wil er echt niet over praten.'

'Moet jij weten.' Cornelius liep het bos in en keek naar de takken boven zijn hoofd, die scherp stonden afgetekend tegen het rode schemerlicht. Ondertussen controleerde Sebastiaan de wond op Max' flank, die er pijnlijk uitzag, maar niet ontstoken was.

'Vanavond hoef je geen droogvoer te eten,' zei hij op geforceerd vrolijke toon. 'Het gras hier ziet er smakelijk uit.'

Max zuchtte. 'Het ten dode opgeschreven dier at nog een stevige maaltijd,' mompelde hij, waarop hij wegliep van de beek en ging grazen op het welige gras.

'O, kom op,' zei Sebastiaan. 'Misschien valt het allemaal reuze mee.' Peinzend keek hij naar het rijtuig van prinses Karijn. Een streep flauw geel licht viel onder de gordijnen voor de deuropening door.

Boven in de bomen klonk opeens geruis: een zwarte gedaante stortte uit de bovenste takken naar beneden en viel met een plof op de grond.

'Zo te zien is je avondmaal binnen,' merkte Max op.

Sebastiaan snelde naar de wagen om wat aanmaakhout te halen. Hij had weer honger en het zou nog wel enige tijd duren voor die grote vogels gaar waren.

Even later zaten Sebastiaan en Cornelius bij het kampvuur en keken naar de rompen van de twee vette vogels, die ronddraaiden aan het spit terwijl het vet in de vlammen droop. Als voorafje hadden ze een paar stukjes van het vuurrode fruit geproefd, maar het smaakte nogal wrang en ze hadden de gedachte aan een gezond alternatief voor vlees snel laten varen. Er was nog steeds geen teken van prinses Karijn, en Cornelius begon zich zorgen over haar te maken. Telkens wierp hij een nerveuze blik op haar rijtuig en keek dan weer beschuldigend naar Sebastiaan.

'Ze moet wel uitgehongerd zijn daarbinnen,' zei hij. 'Een van ons zou haar toch moeten overhalen om naar buiten te komen en wat te eten.'

'Je gaat je gang maar,' zei Sebastiaan snel. 'Ik heb die scherpe tong van haar al mogen voelen, dus dank je feestelijk.'

'Ja, maar hoor eens, door jouw schuld zit ze daar.'

'O? Hoe kom je daarbij?'

'Omdat je betwijfelde of ze wel een goede koningin zou zijn.'

Sebastiaan keek hem woedend aan. 'Ik... Hoe wist je...?' Hij draaide zich om en keek naar Max, die opeens al zijn aandacht bij het gras had waarop hij stond te kauwen. 'O, je wordt bedankt hoor... met je grote bek!'

Max tilde zijn kop op en schonk Sebastiaan een onschuldige blik. 'O, lieve help, heb ik iets verkeerds gezegd?'

'Verrader!' Sebastiaan staarde somber in het vuur. 'Het was niet mijn bedoeling om het zover te laten komen,' zei hij. 'Ik vond dat ze nogal overdreven reageerde.'

Cornelius leek even na te denken. 'Om wat voor redenen je het ook gezegd hebt, het is nu aan jou om het weer goed te maken. We hebben alleen vanavond. Als ze nog steeds in zo'n bui is wanneer we in Keladon aankomen, zitten we gegarandeerd tot over onze oren in de problemen. Ik stel voor dat jij naar haar rijtuig gaat en je verontschuldigingen aanbiedt.'

Sebastiaan trok een verongelijkt gezicht. 'Moet dat echt?' vroeg hij. 'Wat een vreselijk gezichtsverlies.'

'Zou kunnen. Maar altijd nog beter dan een vreselijk hoofdverlies, vind je niet?'

Sebastiaan zuchtte. 'Goed dan,' zei hij. Met tegenzin krabbelde hij overeind. 'Waarschijnlijk zegt ze dat ik op moet hoepelen.'

'Nou, als ze dat doet, kunnen we in elk geval niet zeggen dat je het niet geprobeerd hebt,' redeneerde Cornelius. 'Zolang je maar rustig blijft...'

'En zeg verder niks meer waar je spijt van kunt krijgen,' voegde Max eraan toe, met zijn bek vol gras.

'Ja, hoor!' Sebastiaan verliet het behaaglijke vuur en stiefelde het terrein over. Het was heel stil en de maan stond vol en helder aan de hemel. De zwermen zwarte vogels zaten te slapen op de takken van de bomen, die lange, hoekige schaduwen over de open plek wierpen. Ergens, niet eens zo ver weg, huilde een dier: een lang, laag en klaaglijk geluid.

Sebastiaan naderde het trapje van het rijtuig, waar Cornelius kort tevoren moedig stelling had genomen tegen een bende gewapende Bandistanen. Hij bleef even staan luisteren, maar vanbinnen kwam geen enkel geluid. Hij klom het trapje op en tikte toen beleefd met zijn knokkels op de deurlijst.

'Hoogheid?' zei hij voorzichtig. 'We vroegen ons af of je ons tijdens de maaltijd zou willen vereren met je gezelschap.'

Het bleef heel lang stil. Toen klonk uit het binnenste van het rijtuig een zacht stemmetje.

'Ga weg, alsjeblieft,' zei ze.

Hij stond op het punt om haar bevel op te volgen, maar iets in hem kwam in opstand. 'Nee,' zei hij. 'Dat doe ik niet. Prinses, je mag me straffen omdat ik je niet gehoorzaam, maar ik weiger weg te gaan zolang we hier niet als twee volwassen mensen over gepraat hebben.'

Stilte.

'Hoor eens. Ik... bied je mijn verontschuldigingen aan. Ik ben te ver gegaan. Dat weet ik. Maar... toch blijf ik bij mijn woorden.

Trouwens, wat is erger: dat je niet weet wat je gebreken zijn, of dat je ze te horen krijgt, zodat je er iets aan kunt veranderen?'

Weer was het stil. Hoewel, niet helemaal. Sebastiaan bracht zijn hoofd wat dichter naar het gordijn, want hij meende binnen een gedempt geluid te hebben gehoord. Even bleef hij heel aandachtig staan luisteren. Ja, hij had gelijk. Het was gesnik.

'Prinses?' Toen hij haar hoorde huilen vatte hij moed, beklom de laatste tree en stapte langs het gordijn naar binnen, waarbij hij automatisch één hand naar zijn hoofd bracht om het te beschermen voor het geval ze in een wraakzuchtige bui was. Maar nee, deze keer stond ze hem niet met een pispot op te wachten. In de zachte gloed van een olielamp zag hij dat ze in kleermakerszit en met gebogen hoofd op haar zijden bed zat, en dat haar schouders ritmisch op en neer bewogen. Ze keek naar hem op en hij zag dat haar beeldschone gezicht nat was van de tranen.

'Je hebt gelijk,' zei ze haperend. 'Ik ben een vreselijk mens. Ik ben egoïstisch, oppervlakkig en verwaand. En ik word nooit een goede koningin, nooit!'

Verbluft staarde Sebastiaan haar aan, en hij besefte dat het allemaal door hem kwam. Wat voelde hij zich ellendig.

'Hoogheid,' fluisterde hij. 'Nee. Zulke dingen mag je niet zeggen.' Hij haastte zich naar het bed toe en zonder erbij na te denken ging hij naast haar zitten en sloeg een arm om haar ranke schoudertjes. Ze duwde hem niet weg. Integendeel, ze keerde zich naar hem toe en verborg haar gezicht tegen zijn borst, tot hij haar hete tranen door de stof van zijn hemd voelde dringen. Opeens kwam het er allemaal in één grote golf uit. Ze klonk niet meer als een prinses, maar als een klein meisje, bang en verdwaald.

'Je moet begrijpen dat ik mijn hele leven verwend ben geweest. Alles wat ik wilde, kreeg ik op een presenteerblaadje aangereikt, ik hoefde maar met mijn vingers te knippen! Dus geen wonder dat ik ben opgegroeid met de gedachte dat ik heel bijzonder was. En toen, terwijl ik nog heel klein was, verloor ik mijn ouders en moest ik hard worden en nooit mijn gevoelens tonen. De mensen aan het hof hielden me in de gaten, wachtten op het moment dat ik zou instorten, maar dat gunde ik ze niet. Ik verborg mijn echte zelf achter het beeld dat ik de wereld liet zien...'

'Stil maar,' fluisterde Sebastiaan, en hij hief zijn hand om haar haar te strelen. 'Het komt allemaal goed, echt.' Maar het was alsof ze hem niet hoorde.

'Ik... Ik weet dat ik soms dingen zeg... stomme, egoïstische dingen... maar het is net of er een stemmetje binnen in me zit, dat rondzoemt in mijn hoofd en tegen me zegt dat ik alles kan doen wat ik wil, dat ik alles kan zeggen wat ik wil, omdat ik op een dag koningin word! En ik wíl ook koningin worden, maar tegelijkertijd wil ik het niet, want dat is zo'n verschrikkelijke verantwoordelijkheid, en stel dat ik een of andere stomme vergissing bega en dat ik dan te trots ben om te zeggen dat ik fout zat?' Nu gingen haar woorden over in een hevige huilbui. Sebastiaan verstond niet meer wat ze zei, en daarom hield hij haar maar in zijn armen tot haar tranen wat afnamen en ze haar ademhaling weer voldoende onder controle had om te kunnen praten.

'Je had gelijk,' fluisterde ze. 'Ik moet nog veel leren.'

'Prinses,' zei hij, 'je weet niet half hoe het me spijt dat ik mijn mond niet gehouden heb. Ik wilde je helemaal niet verdrietig maken. Dat was wel het laatste wat ik wilde.'

Ze schoof een eindje bij hem vandaan en keek hem aan, en haar prachtige ogen vingen de gloed van de olielamp. Opeens voelde hij een absurd verlangen in zich opkomen om haar te kussen, maar hij wist het te onderdrukken. Dat soort verwikkelingen kon hij nu echt niet gebruiken.

'Je maakt je zeker zorgen of je straks wel werk zult hebben, hè?' vroeg ze. 'Wees maar gerust. Ik neem je je woorden heus niet kwalijk.'

'Dat is het niet,' verzekerde hij haar. 'Dat doet er niet toe. Nou ja, het doet er natuurlijk wel toe... maar minder dan andere dingen.' Hij keek haar even aan. 'Prinses Karijn, kan ik vrijuit spreken?'

Ze glimlachte, en met de mouw van haar prachtige jurk veegde ze de tranen uit haar ogen. 'Volgens mij heb je dat al gedaan,' zei ze.

'Eigenlijk wil ik nog iets zeggen,' zei hij moedig. Hij haalde diep adem. 'Ik moet bekennen dat ik je niet aardig vond toen we elkaar voor het eerst zagen.'

'O.' Ze keek beteuterd. 'Ik hoop wel dat je verhaal straks beter wordt,' zei ze.

'Dat wordt het ook. Je moet weten dat mijn moeder me altijd heeft verteld dat schoonheid... echte schoonheid... vanbinnen zit. Die zie je niet aan de buitenkant. Het gaat om wat je bij iemand vóélt. Het elfenvolk bezit die gave. Misschien heb ik iets van dat talent van mijn moeder geërfd, maar bij mij is de kracht ervan minder sterk dan bij haar. Het duurt dus even voor ik een helder beeld heb. Een tijdje geleden vertelde ik je dat de prinses die aan de buitenkant zit beeldschoon is; en dat is ze inderdaad, dat ziet een dwaas nog. Maar nu besef ik dat er nog iemand schuilgaat in degene die ik toen ontmoette. En ik kan je verzekeren dat de prinses die binnen in je zit alles heeft wat een koningin nodig heeft. Ze heeft medeleven voor tien. Ze is gevoelig, intelligent en zorgzaam, en ze zit boordevol liefde. Het enige wat ze moet leren is hoe ze haar innerlijke prinses kan bevrijden, en dan is het voor iedereen duidelijk wat ík nu al weet: dat ze een heel bijzonder iemand is.'

Het bleef lang stil. Prinses Karijn zat hem aan te kijken, en haar gezicht stond onzeker. Toen glimlachte ze.

'Het verhaal is inderdaad beter geworden,' zei ze. 'En nu zie ik dat je niet alleen nar bent, meneer Duister, maar ook een soort dichter.' Ze stak haar hand uit en pakte de zijne. 'We worden vast vrienden, jij en ik. Ik heb dingen tegen je gezegd die ik nog nooit aan iemand heb verteld.'

'Daar ben ik blij om,' zei hij. 'Ik vind het een eer dat je ze aan mij hebt verteld.'

Ze schonk hem een betoverende lach. 'Goed,' zei ze, 'dan wil ik je nog één vraag stellen.'

'Ga je gang,' was zijn antwoord.

'Wat eten we vanavond? Ik heb honger als een hippo!'

Daar moest hij om lachen. 'Nou, Hoogheid, we hebben gebraden gevogelte voor je, dat op dit moment knetterend aan het spit boven het vuur hangt. Erg deftig is het niet, vrees ik, maar...'

'Breng me ernaartoe,' zei ze. 'Mijn buik denkt zo langzamerhand dat mijn keel is doorgesneden!' Ze stond op van de slaapbank en ze liepen langs het gordijn de deur door.

Toen ze buiten waren, kwam het verrukkelijke aroma van vlees dat boven het vuur geroosterd werd hun tegemoet. Ze daalden het trapje af en liepen naast elkaar naar het kampvuur, waar Cornelius en Max op hen wachtten. Sebastiaan barstte bijna in lachen uit toen hij het opgeluchte gezicht van Cornelius zag.

'Is alles in orde?' vroeg hij gespannen.

'Jazeker. De prinses heeft erin toegestemd met ons mee te eten,' deelde Sebastiaan mee, en heel even verscheen er een opgetogen grijns op het gezicht van de kleine krijger. Maar opeens veranderde zijn uitdrukking. Zijn ogen werden hard en zijn mond vertrok tot een dunne, strakke streep. Met een blik vol kille haat staarde hij Sebastiaan en prinses Karijn aan.

Sebastiaan schrok er zo van dat hij als aan de grond genageld bleef staan. 'Cornelius?' fluisterde hij. 'Wat is er aan de hand?'

Het mannetje antwoordde niet. In plaats daarvan kwam hij overeind en trok in één soepele beweging het mes met het grote lemmet uit zijn riem. Hij pakte de punt van het lemmet tussen duim en wijsvinger en wierp het met al zijn kracht recht naar Sebastiaans hoofd.

10

Bezoek

Sebastiaan stond als aan de grond genageld, overrompeld door de plotselinge verandering die Cornelius had ondergaan. Waarom wilde hij hem doden?

Hij ving een glimp op van het levensgevaarlijke mes, dat rondtollend op hem af flitste. Het volgende moment beschreef het blinkende staal een boog langs zijn linkeroor en boorde zich met een klap in iets wat hem van achteren naderde. Er klonk een griezelig, hoog gekef; toen smakte er iets op de grond voor Sebastiaans voeten en werd hij bijna omvergeworpen. Als verlamd keek hij naar beneden en zag een reusachtig harig monster dood aan zijn voeten liggen. Het heft van het mes stak uit zijn borst. Zijn bek stond open en een grote paarse tong hing tussen rijen gele, vlijmscherpe tanden uit.

Sebastiaan wierp een blik op prinses Karijn. Met van doodsangst wijd opengesperde mond en ogen staarde ze naar het beest. 'Lupers!' zei Sebastiaan, volkomen ten overvloede.

Achter zich hoorde hij gejank en nadat hij zich razendsnel had omgedraaid zag hij hun soepele gedaanten geruisloos tussen de bomen door snellen. Hij telde er wel zes of zeven, pezige grauwe schepsels die rechtop op hun krachtige achterpoten liepen, hun koppen onwaarschijnlijk groot boven hun lange, lenige lijven. Ze hielden hun voorpoten gestrekt voor zich uit en toonden de enorme, kromme klauwen die zoveel schade konden aanrichten bij hun prooi. Hun bekken stonden open en van hun machtige kaken droop speeksel. De geur van wildbraad had hen naar de open plek gelokt, maar nu waren ze op groter wild uit.

'Terug naar het vuur!' brulde Cornelius, en met een schok ontwaakte Sebastiaan uit zijn verdoving. Hij dwong zijn benen vooruit, maar zijn spieren trilden en hij was slap van angst. 'Het mes!' hoorde hij Cornelius roepen. 'Pak het mes!'

Intuïtief dook Sebastiaan ineen, greep het heft van het mes dat uit de borst van de luper stak en gaf er een harde ruk aan. Terwijl het lemmet zich uit het vlees losmaakte, kwam het beest tot Sebastiaans ontsteltenis opeens in beweging, haalde uit met zijn klauwen en liet een razend gegrauw horen. Sebastiaan krabbelde zo snel mogelijk weg van wat waarschijnlijk de doodsstuipen van het beest waren, maar niettemin voelde hij vlijmscherpe klauwen door de stof van zijn mouw scheuren. Hij sprong overeind en trok prinses Karijn met zich mee over de open plek naar het vuur, zich ervan bewust dat de voorste lupers hun al op de hielen zaten. Toen hij bij het vuur aankwam, wierp Cornelius hem zijn zwaard toe. Hij ving het met één hand op, gooide het mes voor Cornelius' voeten, draaide zich om en trok het wapen uit de schede.

Wat hij toen zag was ronduit angstaanjagend. De dichtstbijzijnde luper sprong recht op hem af, met uitgestrekte klauwen om hem aan stukken te scheuren. Net op tijd hief Sebastiaan zijn zwaard om zijn aanvaller af te weren. Hij voelde een krachtige schok door zijn armspieren gaan toen het vraatzuchtige beest in aanraking kwam met de punt van de kling; een nog zwaardere klap volgde, het beest reeg zich aan het zwaard en stortte op Sebastiaan neer.

Terwijl het monster met zijn volle gewicht op hem viel, werd Sebastiaan achterovergeworpen, en de smak waarmee zijn schouders de grond raakten sloeg alle lucht uit zijn longen. Nu lag hij op zijn rug en keek omhoog naar de happende kaken van de luper, die maar een paar centimeter van zijn gezicht verwijderd waren. Daar lag hij, zich er vaag van bewust dat het warme bloed van het beest over zijn handen spoot, waarmee hij nog steeds het gevest van het zwaard vastklemde. De kaken van de luper kwamen dichterbij en nog iets dichterbij, en het speeksel droop op Sebastiaans gezicht. Toen puilden zijn ogen gruwelijk uit en een huivering golfde door zijn lijf. De grote kaken klapten dicht op het moment dat de dood zich met zwarte vleugels op hem liet neervallen. Van het ene op het andere moment verslapten de spieren van het beest, en Sebastiaan kon het van zich af duwen.

Hij knielde neer om het zwaard uit de borst van de luper te trekken, kwam weer overeind en keek wanhopig om zich heen, naar een tafereel van totale chaos, beschenen door de flakkerende vlammen van het vuur. Met het zwaard in de ene hand en het mes in de andere verdedigde Cornelius zich tegen twee beesten. De monsters probeerden het mannetje weg te drijven van het vuur, waar ze kennelijk bang voor waren, maar hij zorgde ervoor dat hij telkens weer naar achteren stapte, naar het vuur toe, en ondertussen hakte hij met de twee wapens in dodelijke halen op zijn aanvallers in.

Niet ver van Sebastiaan vandaan hield prinses Karijn zich een andere luper van het lijf, zwaaiend met een brandende tak die ze uit het vuur had gegrist. Het beest deed zijn uiterste best om het wapen uit haar hand te slaan.

Iets verderop ving Sebastiaan een glimp op van Max, die woest bokkend en schoppend een aanval van twee lupers afsloeg die hem ten val probeerden te brengen.

Tijd om na te denken was er niet. Sebastiaan schoot prinses Karijn te hulp, die per slot van rekening het kwetsbaarst van allen was. Hij stelde zich tussen haar en de luper op en bracht het kromzwaard in een strakke boog neer, waarbij een van de voorpoten van het beest er finaal afgeslagen werd. Het monster wierp zijn kop in zijn nek en jankte het uit van de pijn. Aan het gejank kwam snel een eind toen Sebastiaans zwaard door zijn keel kliefde. Het beest tolde opzij en stortte kronkelend en sidderend op de grond.

Sebastiaan duwde prinses Karijn achter zich. 'Blijf bij me,' zei hij. Centimeter voor centimeter schoof hij in de richting van Cornelius, en zij bewoog met hem mee. Op datzelfde ogenblik maakte het mannetje weer een monster af, een bruut van een beest. Dodelijk gewond wankelde de luper opzij en sloeg tegen Sebastiaan aan, die op zijn beurt achterover tegen prinses Karijn aan viel. In een kluwen van ledematen tuimelden ze alle drie op de grond. Sebastiaan kwam bekneld te zitten onder het gewicht van de dode luper en kon de arm waarmee hij zijn zwaard vasthield niet meer bewegen. Worstelend probeerde hij het dode beest van zich af te duwen, maar hij verstarde toen hij in de buurt van zijn hoofd een diep, grommend gegrauw hoorde.

Tot zijn grote schrik zag hij dat een andere luper ineengedoken op de grond zat, klaar om zich op hem te storten. Sebastiaan had een prima uitzicht op de druipende rij karteltanden van het beest en kon tot diep in zijn donkere muil kijken. Een fraaie aanblik was het niet. Met hernieuwde energie probeerde hij zich los te wurmen, maar hij kreeg zijn arm niet vrij en de luper spande zijn spieren, klaar voor de sprong...

En toen ging prinses Karijn voor Sebastiaan staan en duwde de brandende tak tussen de opengesperde kaken van de luper. Met een schok kwam hij tot stilstand en verhief zich op zijn achterpoten. Hij brak de tak in tweeën en zijn open bek braakte vonken uit. Nu richtte hij zijn aandacht op prinses Karijn, met ogen die schitterden van tomeloze woede. Ze week geen millimeter, maar hield de gebroken tak voor zich uit, alsof het nog steeds een bruikbaar wapen was. Nooit van zijn leven had Sebastiaan zoiets moedigs gezien, maar hij was ervan overtuigd dat ze het met de dood zou moeten bekopen.

'Rennen!' schreeuwde hij, maar ze luisterde niet. Kalm wachtte ze de aanval af die een einde aan haar jonge leven zou maken.

Opeens klonk er een soort geloei, zo luid dat alles even de adem inhield. Er tuimelde iets door de lucht, boven de kop van de luper, iets kleins dat rondtolde in een wirwar van beweging. En het maakte een ongelooflijk kabaal. Het was zo'n vreemd geluid dat de luper grommend zijn kop hief om naar dat merkwaardige buiteling te kijken. Een ding dat twee vlijmscherpe stalen punten in zijn vuisten klemde.

Het ene moment zat de kop van de luper nog stevig aan zijn romp vast. Het volgende moment vloog diezelfde kop door de lucht in de richting van prinses Karijn, die een gezicht vol walging trok en hem met de gebroken tak op afstand hield. De kop rolde naar het kampvuur, waar hij bleef liggen, met lege ogen die somber in de vlammen staarden. Het rondtollende ding vloog naar de grond en kwam op zijn korte beentjes terecht. Toen pas besefte Sebastiaan dat het Cornelius was.

'Wat ben je in hemelsnaam...?' bracht hij hijgend uit.

Het mannetje maakte een buiging. 'De Golmiraanse doodssalto,' zei hij. 'Die mag alleen onder buitengewone omstandigheden uitgevoerd worden.' Hij gebaarde naar de afgeslagen kop. 'Ik denk dat dit er min of meer voor in aanmerking komt.' Hij liep naar Sebastiaan toe, en samen met prinses Karijn hees hij de dode luper van hem af. Sebastiaan wurmde zich los en ging staan. Bezorgd keken ze alle drie in de richting van Max, maar tot hun opluchting zagen ze dat een van zijn aanvallers geplet en geknakt in het gras lag, terwijl de andere tussen de bomen door wegstrompelde, jankend van pijn.

'En waag het niet terug te komen!' riep Max met klem. 'Leer eerst maar eens wat manieren!'

In de stilte die hierop volgde, leek het geknetter van het vuur heel onwerkelijk. De vier overwinnaars stonden een tijdje gespannen om zich heen te kijken om zich ervan te verzekeren dat er geen lupers meer waren die hen konden aanvallen. Toen keken ze elkaar aan, grijnzend en knikkend, dolblij dat ze het hadden overleefd.

'We zijn aardig op elkaar ingespeeld,' zei Cornelius ten slotte. Hij stak zijn zwaard weg en liep terug naar het vuur, waar de vogelrompen dreigden te verbranden. Waarderend snoof hij de geur op.

'Nou, ik weet niet hoe jullie erover denken,' zei hij, 'maar ik heb behoorlijk trek gekregen van dat knokpartijtje.' Hij ging in kleermakerszit bij het vuur zitten en haalde voorzichtig de eerste vogel van het spit.

Even keek Sebastiaan hem verbluft aan en toen gebaarde hij naar de dode lupers die overal om hen heen op de grond lagen. 'Cornelius!' zei hij afkeurend. 'Je bent toch niet serieus van plan om te midden van zo'n bloedbad verder te gaan met je avondeten?'

Cornelius keek om zich heen en haalde zijn schouders op. 'Waarom niet?' zei hij. 'Ik heb wel onder ergere omstandigheden gegeten. Ooit, toen ik tijdens de Slag van Gerinosis aan gevangenschap probeerde te ontkomen, nuttigde ik een viergangenmaaltijd terwijl ik een hele berg gesneuvelde soldaten boven op me had liggen.' Hij stak een voet uit en schopte de kop van een luper bij het vuur weg. 'Zolang ze maar ver genoeg uit de buurt blijven om niet stiekem een hap te nemen, vind ik het best.'

'Dat is ronduit barbaars,' zei Max. 'Ik bedoel maar... We waren er bijna geweest zonet.'

Cornelius grijnsde. 'Reden te meer om van de dingen te genieten die het leven plezierig maken,' zei hij. Hij scheurde een vette poot van de romp en nam een grote hap van het sappige vlees. 'Mmm. In één woord verrukkelijk,' zei hij.

Sebastiaan en prinses Karijn keken elkaar vragend aan.

'Tja, het ruikt inderdaad heerlijk,' moest prinses Karijn toegeven.

'Jammer om het verloren te laten gaan,' vond Sebastiaan.

Toen trokken ook zij hun schouders op en zetten zich samen met de kleine krijger aan de maaltijd, terwijl Max vol walging toekeek.

Ze waren het er alle drie over eens dat het het smakelijkste, allerverrukkelijkste voedsel was dat ze ooit hadden gegeten.

11

Het eind is in zicht

De volgende ochtend was prinses Karijn jarig. Cornelius had voor een heerlijk ontbijt met geroosterd gevogelte gezorgd, en hij beloofde haar dat ze nog op tijd voor het verjaarsfeest in Keladon zouden aankomen. Ze hadden het eten bijna op toen een aantal soldaten te paard het kamp binnenreed. Sebastiaan zag dat ze dezelfde bronskleurige borstschilden en rode mantels droegen als de lijfwacht van prinses Karijn. De troep werd aangevoerd door een lange officier met een streng gezicht, die een paarse mantel droeg, een duidelijk teken van zijn hogere rang.

Zodra hij de nieuwkomers zag, reikte Sebastiaan als vanzelf naar zijn zwaard, maar Cornelius hield zijn hand tegen.

'Rustig maar,' zei hij. 'Volgens mij horen deze mannen bij koning Septimus.'

De kapitein aan het hoofd van de troep hield zijn hippo in en keek met strenge blik neer op de mensen rond het vuur.

'Wat komt u hier doen?' wilde hij weten. 'Dit land is van koning Septimus. Iedereen die erdoorheen wil trekken, moet eerst tol betalen, en wel... Lieve hemel!' Hij had prinses Karijn niet meteen opgemerkt, maar toen hij haar herkende, reageerde hij zichtbaar geschokt. Hij sprong van zijn rijdier en liet zich op één knie zakken.

'Hoogheid!' stamelde hij. 'Wat doet u hier bij deze schurken? Als ze u op wat voor manier dan ook kwaad hebben gedaan of bang hebben gemaakt, dan zweer ik dat het hun zal berouwen!'

Prinses Karijn stond op en deed haar best er koninklijk uit te zien – wat niet gemakkelijk was met een smerig gezicht en een jurk die weliswaar heel mooi was, maar onder het stof en bloedspatten zat.

'Wees maar gerust, kapitein Zeelt,' zei ze. 'Deze mannen zijn helden: ze hebben me gered toen ik door Bandistanen werd aangevallen.'

'Bandistanen?' Kapitein Zeelt liet zijn blik naar de andere kant van de open plek gaan, naar de dode lupers die daar op een hoop lagen nadat Sebastiaan en Cornelius ze de vorige avond hadden opgestapeld. 'Nou, dat zijn dan de harigste Bandistanen die ik ooit heb gezien.'

Cornelius lachte. 'O, dat van die Bandistanen was een andere keer, toen we nog op de vlakte zaten.' Hij wees naar de lupers. 'Die jongens kwamen gisteravond langs voor een hapje eten.

Maar er was niet genoeg voor iedereen, dus moesten we ze even flink onder handen nemen.'

Kapitein Zeelt staarde de kleine krijger aan, en wat hij zag beviel hem kennelijk niet. Toch maakte hij een beleefde buiging. 'Het koninkrijk van Keladon staat zonder meer bij u in het krijt,' zei hij. Hij stond op en wees naar een van zijn mannen. 'Jij daar! Rij als de bliksem naar de stad en vertel het heuglijke nieuws aan koning Septimus! Onderweg praat je met niemand. Zeg tegen de koning dat zijn nicht onderweg aangevallen is, maar dat ze gered is.'

'Tot uw dienst, kapitein!' De soldaat gaf zijn rijdier een tik met de zweep en galoppeerde tussen de bomen door weg.

'Wij zullen als uw escorte dienen en u veilig naar de stad begeleiden,' verkondigde kapitein Zeelt.

'Buitengewoon goed nieuws,' zei Cornelius. 'Wat ik wilde vragen, kapitein: kunt u een van uw mannen missen om het rijtuig van de prinses te mennen? Ik heb mijn buik vol van die dartele Bandistaanse hippo's, en bovendien wil ik graag verder rijden naast mijn goede vriend, de heer Duister.'

Weer boog kapitein Zeelt eerbiedig. 'Zoals u wilt.' Hij keerde zich naar prinses Karijn toe. 'Hoogheid, als u mij toestaat zal ik u naar uw rijtuig begeleiden, dan kunt u zich gereedmaken om koning Septimus te begroeten.'

'Ja, natuurlijk.' Prinses Karijn keek nogal spijtig naar Sebastiaan, alsof ze voelde dat er een einde was gekomen aan wat er tussen hen was voorgevallen. 'Het is een mooi avontuur geweest,' zei ze, en hij wist dat ze hem zo duidelijk maakte dat het nu tijd was voor haar om weer prinses te worden. Sebastiaan vóélde bijna dat er een onzichtbare barrière tussen hen neerdaalde. Hij dacht aan die keer dat ze had moeten huilen en hij haar in zijn armen had genomen, en het stemde hem verdrietig dat ze waarschijnlijk nooit meer zo'n innig moment zouden beleven.

'Misschien is het nog niet voorbij,' zei hij hoopvol, en ze beloonde hem met een vluchtige glimlach.

'Misschien niet.' Ze draaide zich om, bood kapitein Zeelt haar arm en liet zich door hem naar haar rijtuig brengen.

'Nou,' zei Sebastiaan, die zijn best deed om positief te klinken, 'zo te zien zijn onze problemen voorbij.'

'Dat mag ik hopen,' mompelde Cornelius, terwijl hij peinzend naar kapitein Zeelt keek, die aan de andere kant van het kampvuur bevelen stond te schreeuwen tegen zijn soldaten. 'Dat mag ik zeker hopen.'

Een paar uur later liet Sebastiaans wagen de beschutting van de laatste bomen achter zich, en eindelijk kregen Cornelius en hij een duidelijk beeld van de stad Keladon.

De stad lag tegen een heuvelhelling aan, beschermd door een

ring van hoge witte muren. Alsof ze veiligheid bij elkaar zochten, stonden de witgeschilderde huizen, tempels en villa's op een kluitje bijeen, op onregelmatig afstand van elkaar en telkens iets hoger tegen de steile helling aan waarboven het paleis van de koning verrees. Dat laatste was een schitterend bouwwerk, opgetrokken uit stukken glinsterend wit marmer, en het stak grimmig en bars boven de omringende huizen uit. Het allerindrukwekkendst was de toren, die vanuit het midden van het gebouwencomplex steil de hoogte in ging, tot hij de wolken leek aan te raken. Van het topje wapperde de koninklijke vlag, een enorm zijden vaandel waarop het koninklijk insigne stond afgebeeld: twee jagende hagedissen.

De grootte van dat alles was ontzagwekkend. Sebastiaan slikte en zei tegen zichzelf dat hij binnen zeer afzienbare tijd met zijn grappen in Keladon aan de kost zou proberen te komen. Maar iets in hem wilde het liefst de wagen keren en weer naar huis rijden, hoewel hij wist dat dat niet kon. Voor hemzelf en voor zijn moeder was dit de laatste hoop.

Hij keek vluchtig naar Cornelius en zag dat de kleine man hem nadenkend gadesloeg.

'Het lijkt wel of je zit te piekeren,' merkte hij op.

Sebastiaan knikte. 'Het is een grote stad,' zei hij. 'Jerabim is een saai marktplaatsje, niks vergeleken met dit. Het zullen de zenuwen wel zijn.'

'Ik snap maar al te goed dat je zenuwachtig bent,' zei Max op sombere toon, terwijl hij langzaam voortsjokte. 'Ik heb je je nummer horen opvoeren.'

'O, je wordt bedankt, dat is echt goed voor mijn zelfvertrouwen,' zei Sebastiaan.

Cornelius gniffelde. 'Let maar niet op hem,' zei hij. 'Wat een zwartkijker is dat.'

'Toch heeft hij wel een beetje gelijk. Niemand schijnt mijn grappen leuk te vinden. Behalve prinses Karijn, natuurlijk.'

'Nou, dat is niet slecht om mee te beginnen,' vond Cornelius. 'Als je maar één fan hebt, moet je wel iemand met goede connecties uitkiezen. Gebruik haar maar als springplank, dan zie je vanzelf of het wat wordt.'

'Maar als dat niet gebeurt?'

'Als je in jezelf gelooft, dan gebeurt het.'

Sebastiaan fronste zijn voorhoofd. 'Maar... hoe doe je zoiets, Cornelius? Neem jezelf nou. Jij laat je nooit door wat dan ook uit het veld slaan. Je bent dapper en moedig, en dat terwijl je zo... zo...'

'Zo klein bent?' opperde Cornelius.

'Tja, dat wilde ik nou ook weer niet beweren, maar nu je het zegt...'

Cornelius moest lachen. 'In jezelf geloven, dat is heel belangrijk,' zei hij, 'vooral bij jouw soort werk. Als je een grap zelf niet leuk vindt, hoe kun je dan verwachten dat anderen hem wel leuk vinden?'

Sebastiaan haalde zijn schouders op. 'Ik weet het niet,' klonk het treurig.

'Maar bekijk het eens van een andere kant. Je bent uit je geboortestad vertrokken en hebt door bossen en over heuvels de weg weten te vinden. Je hebt tegen een stel Bandistanen gevochten, en hoewel ze veruit in de meerderheid waren, heb je ze weggejaagd. Gisteravond nog kreeg je een aanval van een roedel bloeddorstige lupers te verduren en je bent als overwinnaar uit de strijd gekomen...'

'Ja, maar, Cornelius, dat kwam doordat jíj erbij was!'

De kleine krijger schudde zijn hoofd. 'Ja, ik was er wel bij, maar ik heb je geen moment aan de kant zien staan, Sebastiaan. Je bevond je in het heetst van de strijd. Je gaf alles wat je had.' Cornelius zweeg even en keek Sebastiaan plagerig aan. 'Ik mag dan aardig goed kunnen vechten, maar als je het hart van een prinses wilt raken, moet je over andere talenten beschikken.'

'Wat?' Sebastiaan staarde hem aan. 'O nee, dat is... We zijn gewoon...'

'Geloof mij nou maar, ik heb gezien hoe ze die keer naar je keek. Ik heb niet veel ervaring op dat gebied, maar je hoeft mij niet te vertellen hoe een smoorverliefd meisje eruitziet.'

'Dat is belachelijk,' mompelde Sebastiaan. 'Ik... en prinses

Karijn? Dat dacht ik toch niet!' Hij lachte, maar Cornelius zat hem aan te kijken met een veelbetekende blik in zijn kinderogen.

'We zullen wel zien,' zei hij, en daar liet hij het bij.

De rest van de weg zwegen ze. Ieder was in zijn eigen gedachten verzonken en zo legden ze de laatste paar kilometers naar de stad Keladon af.

Deel II

12

Het koningschap

Septimus bestudeerde zijn gelaatsuitdrukking in de met goud omlijste spiegel. Hij oefende op een diepbedroefde blik, maar het léék er niet op. Wat je zag op zijn magere, sombere gezicht, waarlangs twee lange slierten sluik zwart haar naar beneden hingen, deed eerder aan ernstige constipatie denken.

'Verdorie!' snauwde hij, en hij probeerde het nog eens: hij kneep zijn ogen dicht en trok zijn dunne lippen bij de hoeken naar beneden. Elk moment verwachtte hij een boodschapper aan de poort, die hem zou vertellen over het vreselijke lot dat zijn nichtje had getroffen. Hij wist dat het hele hof zou toekijken wanneer hij dat bericht ontving, en niemand mocht ook maar in de verste verte vermoeden dat het nieuws niet echt als een ver-rassing kwam.

Tenminste, áls ze haar hadden vermoord. Septimus was bang dat ze haar gegijzeld hadden en een gigantische losprijs zouden vragen voor ze haar vrijlieten; dat zou de zaak stukken ingewikkelder maken. Maar Magda, die het hele plan had uitgebroed, had hem verzekerd dat Bandistanen veel te stom waren om iets dergelijks te bekokstoven. Ze zouden haar ongetwijfeld vermoorden, misschien zelfs wel koken en opeten, maar om een losprijsbrief op te stellen moest je kunnen schrijven – en zo iemand was waarschijnlijk in heel Bandistan niet te vinden.

Buiten op het plein kondigden trompetten de komst van een boodschapper aan. Precies op tijd! Septimus probeerde nog één treurige blik uit in de spiegel, en toen zei hij tegen zichzelf dat hij, als al het andere mislukte, altijd nog zijn handen voor zijn gezicht kon slaan en doen alsof hij moest huilen.

Op de gang klonk een hoge stem. Het was zijn lijfknecht, Maltus.

'Majesteit! Een dringende boodschap van kapitein Zeelt!'

Septimus glimlachte triomfantelijk.

Mooi! Die ochtend had hij, in aanwezigheid van meer dan voldoende getuigen, met Zeelt gesproken en zijn bezorgdheid geuit over prinses Karijn, die nog steeds niet terug was. Kennelijk had Zeelt iets ontdekt: hopelijk de plek waar een bloedbad was aangericht. Septimus keerde zich van de spiegel af en schreed statig naar de deur van zijn privévertrekken.

'Open,' zei hij, en de twee hielenlikkers die buiten de wacht hielden deden de deur met een zwaai voor hem open. Daar stond Maltus, bleek en bezorgd, en gekleed in een karmozijn-rode wambuis en een lichtgroene tricot.

'Majesteit,' zei Maltus, onnozel grijnzend en op dat maar al te bekende, irritante janktoontje. 'Een boodschapper van...'

'Ja, ja, ik heb het gehoord! Schiet nou maar op, Maltus. O, ik hoop zo dat dat lieve kind niets is overkomen, en uitgerekend op deze dag! Haar zeventiende verjaardag... En ik heb nog wel een heel bijzonder geschenk voor haar gekocht en zo. Je hebt er toch wel goed voor gezorgd, Maltus?'

'Jazeker, Majesteit, ik heb het zojuist nog wat verse noten ge-geven.' Maltus keerde zich om en haastte zich de gigantische marmeren trap over, die met een boog naar beneden voerde. Septimus volgde hem, zonder de rijen geüniformeerde mannen die aan weerszijden stonden opgesteld een blik waardig te keu-ren. Hij daalde af naar het enorme, met marmer bestrate plein, waar de knielende boodschapper geduldig op hem wachtte, omringd door de diverse dames en heren van het koninklijk hof, die allemaal aandachtig naar de koning keken terwijl hij de trap afliep.

Dat was nou precies het probleem met deze plek. Vrijwel alles speelde zich in het openbaar af, en Septimus wist dat er velen waren die sinds de dood van zijn broer en zijn vrouw zo hun vermoedens hadden over zijn betrokkenheid bij dat on-

131

gelukje. Niet dat ze ook maar enig bewijs hadden. Alle mede-samenzweerders die hadden geholpen om het bewind van de vorige koning tot een voortijdig einde te brengen, had hij voor-goed de mond gesnoerd.

Septimus fronste zijn voorhoofd. Je moest er hard voor wer-ken om boosaardig te zijn, maar je werd er dubbel en dwars voor beloond. Hij genoot enorm van het koningschap en zolang hij ook maar een pufje lucht in zijn lijf had, was hij niet van plan om iets aan zijn huidige situatie te veranderen. Inmiddels was hij onder aan de trap aangekomen en keek hij neer op de sol-daat die het slechte nieuws had gebracht: een grote, goed uit-ziende lummel, van wie Septimus de naam niet wist, maar die geen al te slimme indruk maakte.

'Zeg op, kerel,' zei Septimus. 'Wat breng je voor nieuws?'

'Majesteit, ik kom met een belangrijke boodschap van kapi-tein Zeelt.'

'Ja, dat weet ik. Schiet nou maar op.'

'Hij droeg me op rechtstreeks naar u toe te gaan en met nie-mand anders te spreken.'

'Ja, mooi, heel goed, dat heb je dan ook gedaan.'

'Nee, Sire, ik ben in gebreke gebleven.' De soldaat keek nog-al beteuterd. 'Toen ik door de poort naar binnen reed, vroeg een koopman me hoe laat het was, en zonder na te denken gaf ik hem antwoord.'

132

Septimus keek de man woedend aan. 'Ja, wat doet dat er nou toe, idioot! Hoe luidt de bóódschap die je brengt?'

'O ja.' De soldaat schraapte zijn keel. 'Majesteit, niet ver van het kamp trof ik... dat wil zeggen, troffen wij... dat wil zeggen, trof de troep die onder commando staat van kapitein Zeelt, en waarvan ik deel uitmaak...'

'O, in godsnaam! Kun je alsjeblieft ter zake komen?'

'Uiteraard, Majesteit. Daar was ik net mee bezig.' Weer schraapte hij zijn keel. 'Niet ver van het paleis troffen we een plek aan waar een bloedbad...'

Ja! Septimus moest zich bedwingen, want het liefst had hij vol vreugde zijn vuist in de lucht gestoken, maar hij slaagde erin de grimmige uitdrukking op zijn gezicht te bewaren.

'Een bloedbad, zeg je? O nee, zeg alsjeblieft dat mijn dierbare nicht daar niet bij aanwezig was.'

'Ze was wél aanwezig, Majesteit. Ik heb haar met eigen ogen gezien.'

'O wee!' riep Septimus uit. Hij bracht een hand naar zijn voorhoofd en sloeg zijn ogen ten hemel. 'O, dat het leven van zo'n jonge, breekbare schoonheid zo voortijdig is uitgedoofd!'

'Eh... Majesteit, ze was...'

'Nee, vertel het me niet! Bespaar me de gruwelijke details van haar veel te vroege dood.'

'Het betrof eerder de dood van de lupers, Majesteit.'

'De lupers?' Septimus wierp een woedende blik op de man. 'Hoezo, lupers?'

'De lupers die het rijtuig hebben aangevallen.'

'Hebben lupers het rijtuig aangevallen? Maar... hoe zat het dan met de Bandistanen?'

'Bandistanen, Majesteit?'

'Ja. Je zei toch dat ze was aangevallen door...?' Met een schok van ontzetting hield Septimus zich in. Nee, niemand had iets over Bandistanen gezegd. Dat was een slechte beurt. Hij voelde de gloeiende blikken van de hovelingen. 'O, lúpers! Ik zou toch zweren dat je "Bandistanen" zei. Dat... eh, het klinkt ongeveer hetzelfde, vind je ook niet?'

De soldaat staarde hem wezenloos aan. Hij was duidelijk een andere mening toegedaan. Hoe dan ook, Septimus wist van geen wijken.

'Goed, als ik alles even op een rijtje zet, wil jij me dus vertellen dat prinses Karijn... mijn dierbare arme nicht... gedood is door lupers?'

'Nee, Majesteit.'

Septimus kromp ineen. Weer keek hij de man woedend aan. 'Wat wil je me dan wel vertellen, driedubbel overgehaalde domoor?'

De soldaat deinsde terug. 'Majesteit, ik wil u vertellen dat prinses Karijn is áángevallen door een roedel lupers...'

'Ja, ja, ze is dus in stukken gescheurd! Wat vreselijk, wat vreselijk!'

'Sire, ze heeft er niets aan overgehouden. Ze heeft het overleefd en maakt het goed.'

'O, wat een ramp, wat... een...' Septimus wrong zijn gezicht in allerlei bochten terwijl hij een passende uitdrukking probeerde te vinden. Eerst koos hij voor de bedroefde blik die hij boven had geoefend. Toen hij besefte dat hij daarmee volkomen fout zat, probeerde hij opgeluchte vreugde uit te drukken door zijn tanden te ontbloten en zijn ogen zowat uit hun kassen te laten puilen; maar te oordelen naar de terugdeinzende soldaat kwam volslagen waanzin dichter in de buurt.

'Heeft ze het overleefd?' riep hij uit. 'Ze heeft het overleefd! Ik... Ik kan het nauwelijks geloven!' Hij keek naar de hovelingen om zich heen en merkte dat zijn ogen zich vulden met tranen van ergernis. 'Moet je mij nou zien!' riep hij. 'Ik ben zo blij dat ik tranen van vreugde vergiet!'

Hij richtte zijn aandacht weer op de boodschapper. 'Vertel eens, hoe is het mogelijk... Hoe is het mogelijk dat mijn dierbare nicht het heeft overleefd?'

'Ze werd gered, Majesteit. Door twee reizigers. Door dezelfde mannen die haar gered hebben van de Bandistanen over wie u het had.'

Septimus had de man het liefst een trap voor zijn kop ver-

135

kocht, maar daarvoor was dit niet het geschikte moment of de juiste plaats. 'Ik heb het helemaal niet over Bandistanen gehad. Dat was jij!'

'Eh... nee, Majesteit. Ik had het over lupers; u...'

'En, waar is mijn nicht nu?' bulderde Septimus, om het irritante gejank van de man te overstemmen.

'Ze nadert het paleis, Majesteit, onder gewapende begeleiding. En natuurlijk heeft ze haar redders bij zich.'

'O, dan moet ik... Dan moet ik me gereedmaken om...' Hij balde zijn vuisten en deed zijn uiterste best om zichzelf in bedwang te houden. '... om hen te ontvangen,' siste hij. Hij liep langs de boodschapper, waarbij hij van de gelegenheid gebruikmaakte om zogenaamd per ongeluk op de vingers van de man te stappen, die lekker knerpten onder zijn voet. Nu richtte hij het woord tot de hovelingen: 'Maak u gereed voor een feest!' verkondigde hij. 'Nog even en mijn nicht, onze toekomstige koningin, wordt veilig en wel bij ons teruggebracht, op deze zeer bijzondere dag... haar verjaardag. We zullen hen met alle pracht en praal op het binnenplein verwelkomen. Nu trek ik me terug in mijn vertrekken om... hm... me voor deze gelegenheid te kleden!'

Hij schreed weg en in het voorbijgaan liet hij zijn voet op de andere hand van de boodschapper neerkomen. Terwijl hij de marmeren trap besteeg, werd hij zich bewust van Maltus, die

hem aarzelend volgde. Hij draaide zich om en snauwde woedend: 'Wat wil je?'

'Eh... ik wilde u helpen, Koninklijke Hoogheid,' zei Maltus.
'Bij de voorbereidingen voor...'

'Ik ben inmiddels een grote jongen, Maltus. Ik kan wel voor
mezelf zorgen.' Septimus wilde doorlopen, maar toen viel hem
iets in en hij bleef staan. 'Die soldaat, die zojuist dat bericht heeft
gebracht...'

'Ja, Sire?'

'Ik vind dat hij beloond moet worden omdat hij met zulk goed
nieuws kwam, vind je ook niet? Regel maar dat hij wordt bevorderd tot de rang van kapitein. En wel onmiddellijk.'

'Tot uw dienst, Sire.'

'En zend hem naar onze expeditietroepen in de moerassen
van Dysenterium.'

'Eh... maar, Majesteit, dat kun je nauwelijks...'

'Hm?'

Snel slikte Maltus de rest van zijn woorden in. Hij wist maar
al te goed dat koning Septimus niet gediend was van kritiek.

'Dat komt trouwens heel goed uit,' zei Maltus opgewekt.
'Ik heb begrepen dat de laatste kapitein net bezweken is aan
een of andere zwerende darminfectie.' Hij draaide zich om en
liep de trap weer af om het goede nieuws aan de boodschapper over te brengen, die geknield beneden zat en jammerend

van de pijn zijn vermorzelde en gebroken vingers bekeek.

Ondertussen moest Septimus dringend ergens naartoe. Toen hij de bovenste verdieping bereikte, sloeg hij niet rechts af naar zijn vertrekken, maar ging links, in de richting van een zelden gebruikte vleugel van het paleis. Met grote stappen liep hij een schemerig verlichte gang door, op zoek naar Magda.

Hij trof haar aan in haar kamer, waar ze over een tafel gebogen een of ander smerig brouwsel in een schaal goot die gemaakt was van een omgekeerde mensenschedel. Ze ging helemaal op in haar werk, en Septimus, die niet in de stemming was voor beleefdheden, gaf haar bij wijze van groet een schop tegen haar magere achterste, zodat ze over de tafel tuimelde en haar nieuwste experiment de hele vloer over vloog.

Met een woedende uitdrukking op haar gerimpelde oude gezicht draaide ze zich als een in het nauw gedreven dier om. Haar enige goede oog glom van venijn terwijl ze de paar bruine stompjes ontblootte die nog in haar mond waren overgebleven. Ze hief een knokige hand vol bruine vlekken en wilde een toverteken maken naar haar aanvaller. Maar toen ze zag wie haar zojuist een schop had verkocht, was alle boosaardigheid op slag verdwenen en daarvoor in de plaats verscheen een niet al te overtuigende glimlach. 'Majesteit,' zei ze met schorre stem, 'wat een... onverwacht genoegen.'

'Het genoegen is geheel aan jouw kant,' verzekerde hij haar. Hij boog zich over de tafel en keek haar strak aan, zijn blik vervuld van woede. 'Stomme, stinkende ouwe toverkol! Ik heb net een boodschapper gesproken. Prinses Karijn leeft nog!'

'Ah!' Vergeefs probeerde Magda haar ontzetting te onderdrukken. 'Weet hij dat zeker?'

'Absoluut. Ze schijnt de aanval door de Bandistanen overleefd te hebben, en later een tweede aanval door een roedel lupers, allemaal door de tussenkomst van twee reizigers.'

'Reizigers?' Magda snoof achterdochtig. 'Wat voor reizigers?'

'Hoe moet ik dat weten? Twee superkrijgers, zo te horen. Twee bemoeizieke uilskuikens.' Hij zweeg even en liep onrustig het vertrek op en neer. 'Ik ga ervan uit dat jij niets met die lupers te maken hebt gehad?'

'Nee. Geen slecht idee, trouwens. Had ik er zelf maar aan gedacht.'

'Nou, dat zou dan niets hebben opgeleverd, dankzij die twee wijsneuzen van weldoeners, die ik nu ongetwijfeld met open armen zal moeten ontvangen. O, ik kan wel kotsen! De tijd die we in de voorbereidingen hebben gestoken! "Gelooft u me nou maar," zei je. "Het kan niet misgaan, Majesteit!" Nou, het is wél misgegaan, en ik heb me nog steeds niet kunnen ontdoen van mijn enige rivaal voor de troon! Ik had mijn gevoel moeten volgen en haar hier in het paleis moeten doden.'

'Maar, heer, dat zou een vreselijke vergissing zijn geweest. Vergeet niet dat ze de prinses van het volk is. Ze houden van haar. Bij het geringste teken van een of andere schanddaad zouden ze tegen u in opstand komen!'

Septimus zuchtte. Natuurlijk had ze gelijk. Het irritante aan Magda was dat ze meestal gelijk had. Dat was de voornaamste reden waarom hij haar jaren geleden niet levend in de hete olie had gekookt. Zij was degene die erop had gewezen dat als prinses Karijn iets overkwam, dat ver van het paleis moest gebeuren, waar Septimus door zijn aanwezigheid geen verdenking op zich zou laden.

Zij was ook degene geweest die hem had overgehaald Karijn naar koningin Helena van Bodengen te zenden, onder het mom van een eventueel huwelijk met haar zoon Rolf. Bovendien was het Magda geweest die een van haar dienaren naar Bandistan had gestuurd om het gerucht te verspreiden dat een vrijwel onbeschermd rijtuig binnenkort de vlakte zou oversteken, beladen met rijke buit. En opnieuw was het Magda geweest die ervoor had gezorgd dat er een duivels drankje in het dagelijkse wijnrantsoen van de erewacht terechtkwam, een drankje dat meer dan de helft van hen zou uitschakelen, zodat de stoet naar huis zou vertrekken met een escorte dat bij lange na niet op volle sterkte was. En hoe kon de prinses het best worden overgehaald om snel de riskante terugtocht te ondernemen? Door een feest voor haar zeventiende verjaardag te organiseren, natuurlijk. Een verwend nest als zij zou dat onder geen beding willen missen.

De voorbereidingen hadden maanden in beslag genomen en de uitvoering van het plan had weken gekost, en nu was het allemaal voor niets geweest, dankzij de bemoeizucht van twee onbekende krijgers. Koning Septimus kon wel spuwen; en dat deed hij dan ook – in de hoek van Magda's kamer.

'O!' zei hij. 'Kan ik dan helemaal niks doen? Kan niemand me van dat vervloekte kind bevrijden?'

Magda wreef in haar knokige oude handen, alsof ze ze schoon probeerde te maken. 'Misschien, Sire, als u me nog één kans geeft...'

'Volgens mij heb je kansen genoeg gehad, lelijk oud kreng! Weet je nog wat ik zei toen je deze taak op je nam? Als het mislukte, zou je het met je ellendige leven moeten bekopen.'

Magda's goede oog verschoot van paniek, maar zonder aarzelen gaf ze antwoord.

'Ik... weet het nog, Majesteit, zeker. Maar toch denk ik dat het tij zich eindelijk in ons voordeel keert.'

Hij keek haar geërgerd aan. 'Oftewel...?'

'Twee vreemdelingen, Sire, die elk moment in Keladon kunnen arriveren. Vreemdelingen kunnen soms heel goed van pas komen.'

'Ik heb geen flauw idee waarover je het hebt,' gromde hij.

Ze glimlachte krampachtig. 'Je kunt vreemdelingen de schuld geven van bepaalde zaken. Aangezien niemand hen kent en niemand voor hen kan instaan, zijn de mensen vaak maar al te bereid het ergste over hen te geloven – als u begrijpt waar ik op doel...'

'Magda, als je op deze manier tijd probeert te winnen...'

'O nee, Majesteit! Maar staat u mij alstublieft toe eens te kijken wat voor vlees we in de kuip hebben met deze twee geweldige krijgers. Volgens mij heb ik heel binnenkort een oplossing voor ons probleempje.' In haar groeiende enthousiasme begon ze het vertrek op en neer te lopen. 'U zou ze bijvoorbeeld als zegevierende helden kunnen binnenhalen. Verwen ze, laat het ze aan niets ontbreken, maak het ze naar de zin en laat al hun wensen in vervulling gaan!'

'En waarom zou ik dat doen?'

'Omdat het dan des te schokkender is als ze zich opeens tegen hun weldoener keren!' Ze kakelde het uit, zoals alleen een heks dat kan.

'Nou, goed dan,' zei Septimus vermoeid. 'Dan proberen we het op jouw manier. Maar deze keer is het me ernst. Je krijgt geen nieuwe kans. Als je je beloften niet nakomt, zweer ik dat je het scherp van de beulsbijl zult voelen. En niet op je duim.'

Magda knipperde met haar ene ooglid en probeerde de opluchting uit haar stem te weren. 'Natuurlijk, Sire. Uw nederige dienares, zoals altijd.' Ze maakte een diepe buiging en bleef in die houding staan tot Septimus er genoeg van kreeg en de kamer uit schreed. Toen pas kwam ze overeind en legde ze haar hand op haar pijnlijke achterste, waar de laars van de koning ongetwijfeld een flinke blauwe plek had achtergelaten.

Ze was zich maar al te bewust van de kwetsbaarheid van haar positie. Als haar leven haar lief was, zou ze deze zaak tot een goed einde moeten brengen. Koning Septimus had haar al herhaaldelijk de wacht aangezegd; maar deze keer meende hij het, dat wist ze zeker. Ze schrok op toen ze op het plein machtig trompetgeschal hoorde, en strompelde naar het raam om de aankomst mee te maken van de twee heldhaftige vreemdelingen en de geredde prinses.

Nog voor de stoet de poort door was, stelde haar sluwe brein al een actieplan op...

13

In Keladon

Geruisloos zwaaiden de machtige ijzeren deuren van de stadspoort open, en Max aarzelde even, tot hij met een klets van de
leidsels op zijn schonken voorwaarts werd gedreven.

Langzaam reed de wagen naar binnen, langs de vreeswek-
kende, zwaarbewapende krijgers die de poort bewaakten.
Sommige stonden op de grond, andere op gelijkmatige afstand
van elkaar op een houten verhoging, die boven de omringende muren uitstak, klaar om elke aanval op de stad af te slaan.
Aan één kant van de poort stond het machtige houten mecha-
nisme waarmee de deuren werden geopend en gesloten. Het
werd aangedreven door twee gigantische buffalopen, die er
met hun gareel aan vastgeketend zaten. Max snoof toen hij ze
zag en begroette de beesten met een vriendelijke zwaai van
zijn kop.

'Mooie dag vandaag!' merkte hij op, maar ze hoorden hem

niet of ze waren niet in de stemming voor een gesprek, en daarom liep hij maar door.

Voor hen lag een brede straat, met aan weerszijden lange rijen marktkramen, waar stoffen, kruiden, potten en pannen, gereedschap en wapens verkocht werden – je kon het zo gek niet bedenken of het was er. Drommen mensen liepen voor de kramen heen en weer, en menigeen wierp een wantrouwende blik op Sebastiaans wagen. Sommigen begroetten hem met grappig bedoelde kreten en verheugden zich al op een verzetje. Welvarende kooplieden in met edelstenen bezette mantels wandelden rond en probeerden er zo gewichtig mogelijk uit te zien. Vrouwen in lange jurken, van wie velen zedig gesluierd waren, liepen op eerbiedige afstand achter hun mannen. En overal renden kinderen rond – grote troepen haveloze, smerige schoffies – die bij het publiek bedelden om muntjes.

Het rijtuig van prinses Karijn kwam in zicht en alles leek op slag tot stilstand te komen. De mensen staakten hun bezigheden en bogen in stille eerbied het hoofd. Velen maakten zelfs een kniebuiging toen ze langsreed. Het was duidelijk dat ze in hoog aanzien stond. Zodra het rijtuig gepasseerd was, sloten de mensen zich achter aan en volgden, nieuwsgierig naar wat er aan de hand was.

Sebastiaan had nog nooit zoveel mensen op één plek bij elkaar gezien. Jerabim was een vrij grote marktplaats, maar hiermee vergeleken viel het in het niet. Toen hij om zich heen keek, en voorbij de marktkramen, zag hij een doolhof van tientallen steegjes tussen de rijen dicht opeengepakte huizen, en af toe ving hij een glimp op van schimmige gestalten: donkere, voortschuifelende schepsels, die zich voor het verblindende zonlicht leken te verbergen. Sebastiaan kreeg de indruk dat de stad twee kanten had: het voorname, schitterende Keladon dat aan de wereld werd getoond, en een donkerder, dreigender deel, dat teruggetrokken in de schaduwen wachtte tot het onverhoeds kon toeslaan.

Flarden vreemde, bijna valse muziek klonken uit een eethuis dat ze passeerden, en hij zag een heleboel welgestelde mannen onder een afdak van wijnranken zitten, waar ze gigantische pijpen rookten die in verbinding stonden met glanzende metalen kommen. Er speelde een orkestje en op een podium danste een vrouw – haar soepele, pezige lichaam glom onder een glinsterende laag olie. Al dansend oefende ze een vreemde, hypnotische aantrekkingskracht uit, en het viel Sebastiaan op dat er geen man in het eethuis was die zijn blik niet als betoverd op haar gericht hield.

De stoet trok verder, voorbij het eethuis, en nu gingen ze een flauwe bocht om. Pal voor hen, aan het einde van de straat, zagen ze iets ronduit ontzagwekkends. De weg steeg gestaag, tot aan het marmeren paleis van koning Septimus. Zelfs op die afstand zag het er indrukwekkend uit: de marmeren zuilen glinsterden in het zonlicht, de enorme gewelfde poorten en gouden minaretten leken afkomstig uit een koortsdroom.

'Het is nog mooier dan ik gedacht had,' mompelde Cornelius. 'Bedenk eens hoe rijk die koning moet zijn, met zo'n paleis!'

Sebastiaan knikte, maar hij antwoordde niet. Op dat moment voelde hij zich heel klein en nietig. Wat had hem bezield dat hij hiernaartoe wilde? Hoe kon hij in vredesnaam hopen op de goedgunstigheid van zo'n machtige koning? Eigenlijk kon hij nu maar het best zijn wagen keren en naar huis gaan.

Cornelius had zijn paniek zeker aangevoeld. 'Kop op!' zei hij. 'Maak je geen zorgen! En denk eraan: geloof in jezelf!'

Sebastiaan glimlachte moeizaam en knikte, maar hij had geen enkel vertrouwen in zijn eigen talenten, echt geen greintje.

Toen ze het paleis nog dichter naderden, begon er ergens ongezien een klok te luiden, en nu zag Sebastiaan de prachtige groene gazons die het gebouw omringden en de enorme stenen fonteinen, vanwaar het water naar beneden klaterde uit een magische, bodemloze bron. Nog nooit had hij iets gezien wat er bij benadering op leek. In Jerabim, waar water als een kostbaar goed werd geschouwd, zou iets dergelijks ondenkbaar zijn geweest.

Het leek een eeuwigheid te duren, maar uiteindelijk hielden ze halt onder aan een korte stenen trap, die naar een uitgestrekt,

glanzend binnenplein voerde. Ondertussen kwam een troep gewapende soldaten in donkerrode mantels door de paleisdeuren
naar buiten marcheren en stelde zich in een rij voor de ingang
op. Ze trokken hun zwaarden en hielden ze schuin voor hun
borstschilden, klaar om ze bij het geringste teken van onraad te
gebruiken.

'De Rode Mantel,' fluisterde Cornelius. 'De lijfwacht van de
koning.'

Vervolgens kwam er een grote groep voorname lieden op een
rij door de paleispoort naar buiten: mannen en vrouwen, de
edelen van het koninklijk hof, gekleed in kostbaar brokaat en
zacht, felgekleurd fluweel. Veel van de mannen hadden een tul-
band op het hoofd, en de vrouwen droegen sluiers van fijne,
doorzichtige stof. Iedereen had sieraden om de hals en aan de
vingers. Soepel verdeelde de groep zich in tweeën. De ene helft
ging naar links en de andere naar rechts, en eenmaal op hun
plek bekeken ze de nieuwkomers met afkeurende blikken. Sebastiaan, die nog op zijn wagen zat, was zich ervan bewust
dat zijn narrenpak gescheurd en smerig was, en bovendien be-
smeurd met bloed. Had hij er nu maar aan gedacht om iets fat-
soenlijkers aan te trekken voor ze de stad binnengingen.

Een schelle fanfare weergalmde door de windstille lucht, en
zes baardige krijgers kwamen door de deuren naar buiten, bla-
zend op gouden trompetten. Zij verdeelden zich ook in twee

groepjes en stelden zich links en rechts achter de edele dames en heren op.

'Wat een vertoning!' zei Sebastiaan.

'Stilte!' snauwde een stem, en toen hij opkeek zag hij dat kapitein Zeelt, die iets verderop nog steeds op zijn hippo zat, verstoord naar hem keek. 'Stap hier maar af,' voegde hij eraan toe, en Sebastiaan en Cornelius gehoorzaamden onmiddellijk. Toen Sebastiaan zich naar het paleis toe keerde, zag hij dat er nog iemand door de open poort naar buiten kwam.

Het was een lange, magere man, gekleed in een schitterende paarse toga, waaroverheen hij ondanks de warmte een dikke bontmantel droeg. Zodra ze hem zagen, maakten alle dames en heren een knieval, waarna hij tussen hen door schreed met de arrogantie van iemand die een dergelijke kruiperigheid doodgewoon vindt. Hij stapte naar de rand van de trap, en de leden van zijn lijfwacht weken uiteen om plaats voor hem te maken en zich aan weerszijden van hem op te stellen. Daar stond hij, met zijn handen in de zij en een vragende uitdrukking op zijn magere, bleke gezicht, en zo keek hij neer op Sebastiaan en Cornelius.

Onmiddellijk voelde Sebastiaan een steek van afkeer. Misschien kwam het doordat zijn elfenintuïtie overuren maakte, maar hij vond dat koning Septimus een van de alleronbetrouwbaarste koppen had die hij ooit had gezien.

Cornelius liet zich meteen op één knie zakken en met zijn in maliënkolder gestoken elleboog gaf hij een stomp tegen Sebastiaans been, om aan te geven dat hij hetzelfde moest doen. Dat leek de koning beter te bevallen. Zijn blik ging van links naar rechts, alsof hij naar iemand zocht.

'Waar is mijn nichtje?' vroeg hij.

'Hier, oom Septimus!' Prinses Karijn verscheen in de deuropening van haar rijtuig, en Sebastiaan zag dat ze van de gelegenheid gebruik had gemaakt om andere kleren aan te trekken. Ze droeg een prachtige roodfluwelen jurk en een mooi, met edelstenen bezet diadeem, dat schitterde in het licht van de zon. Ze stapte uit het rijtuig en liep op de trap af die naar het binnenplein voerde. In het voorbijgaan wierp ze een vluchtige blik op Sebastiaan, en hij had durven zweren dat ze stiekem naar hem knipoogde, maar het ging zo snel dat hij het zich misschien alleen verbeeld had. Ze liep naar haar oom en maakte een elegante reverence.

'Majesteit,' zei ze.

'Mijn lieve nicht! Wat heerlijk om je veilig en wel terug te zien op deze bijzondere dag.' De koning stapte naar voren, sloeg zijn armen om prinses Karijn heen, drukte haar even tegen zich aan en liet haar toen weer los. Hij wendde zich tot de menigte die zich rond de trap verzamelde en verhief zijn stem om hen toe te spreken.

'Volk van Keladon,' riep hij. 'Laten we de voorzienigheid

150

prijzen! Onze geliefde prinses is veilig bij ons teruggekeerd, uitgerekend op de dag dat ze zeventien lentes telt. Nog één jaar en
dan wordt ze uw koningin!'

Deze uitspraak werd door de snel aangroeiende menigte met
luid en instemmend gebrul begroet. De koning keerde zich
weer naar prinses Karijn toe en zei met gedempte stem: 'Sinds
ik heb vernomen met wat voor tegenslag je te kampen hebt gehad, ben ik een en al zelfverwijt. Hoe heb ik zo dom kunnen zijn
om je in zo'n gevaarlijke situatie te laten belanden? Zul je het
ooit kunnen opbrengen me te vergeven?'

'Oom Septimus, het was toch niet uw schuld?' zei prinses
Karijn.

'Nee, natuurlijk niet!' snauwde koning Septimus. Toen lachte
hij – een nogal nerveus lachje, vond Sebastiaan. 'Eh... maar dat
neemt niet weg dat ik er een akelig gevoel aan heb overgehouden.' Hij zweeg abrupt en keek even achterom naar de paar
soldaten die de prinses terug naar de stad hadden begeleid.
'Waar is je koninklijke garde?' vroeg hij.

'Allemaal dood, Sire,' zei Cornelius. 'Ze zijn een moedige
dood gestorven en hebben tot op de laatste man gevochten om
de prinses te verdedigen.'

Woedend keek de koning neer op Cornelius, alsof hij verbluft
was dat hij zonder toestemming het woord had durven nemen.
'Dood?' riep hij uit.

'Ja, Sire, ze waren ver in de minderheid.'

'Maar ik heb een twintig man sterk detachement met haar meegestuurd!'

'De meesten van hen konden ons niet op de terugweg vergezellen,' legde prinses Karijn uit. 'We hadden maar zes soldaten bij ons, want...'

'... de rest was allemaal ziek,' zei Septimus. 'Dat weet ik.'

De prinses keek verbaasd. 'Hoe weet u dat dan?' vroeg ze.

'Hm?' Met een wazige blik in zijn ogen staarde hij haar aan. 'Nou, als koning hoor ik dat soort zaken te weten.' Hij leek even na te denken. 'Die boodschapper van kapitein Zeelt, die heeft het me verteld.'

'Echt? Ik had niet het idee dat hij dat wist.'

'Maar natuurlijk wist hij het! Hij heeft me alles verteld: over de Bandistanen, en de lupers... Alles bij elkaar is het een wonder dat je het hebt overleefd.'

Prinses Karijn knikte. 'Dat was me niet gelukt,' verzekerde ze hem, 'zonder mijn twee beschermers.'

'Dat is waar ook! Ik verheug me er zeer op hen te ontmoeten!' zei koning Septimus. 'Waar zijn ze?'

Prinses Karijn keek hem aan. 'Waar ze zijn? Pal voor u!' zei ze.

Koning Septimus keek neer op Sebastiaan en Cornelius, en toen wendde hij zijn blik weer af, alsof hij nog iemand verwachtte. Maar er was niemand. 'Deze twee?' zei hij ongelovig. 'Zijn dat jouw beschermers?'

'Eigenlijk zijn we met z'n drieën,' zei Max. 'Ik heb ook meegeholpen!'

De ogen van de koning rolden zowat uit hun kassen van verbazing. Hij wees naar Max. 'Hij zei iets!' riep hij uit. 'Dat grote harige beest zei zojuist iets!'

Prinses Karijn glimlachte. 'Ja, het spijt me – natuurlijk had ik "mijn dríé beschermers" moeten zeggen in plaats van twee. Dus, oom Septimus, mag ik u voorstellen aan... Sebastiaan Duister, uit de stad Jerabim...'

Sebastiaan stond op en maakte een buiging.

'Kapitein Cornelius Drummel uit Golmira, die prachtige stad in het noorden...'

Cornelius volgde Sebastiaans voorbeeld.

'En, eh... Max, de sprekende buffaloop, eveneens uit Jerabim.'

Koning Septimus leek zijn oren amper te kunnen geloven. 'En deze... ménsen zijn dezelfde machtige krijgers die een heel leger Bandistanen in de pan hebben gehakt... en een roedel lupers?'

'Inderdaad,' beaamde prinses Karijn. 'Als zij er niet waren geweest, zou ik nu hoogstwaarschijnlijk dood zijn.'

'Dood,' mompelde koning Septimus. De toon waarop hij het zei had iets merkwaardig verontrustends, vond Sebastiaan. Het klonk bijna weemoedig. Meteen leek hij zichzelf weer meester te worden. 'Nou, dan ziet het ernaar uit dat ik in het krijt sta bij deze, eh... heren.' Hij stapte op hen af. 'Vertelt u me eens, heren, hoe ik u het best kan belonen.'

Het bleef even stil. Toen nam Sebastiaan het woord.

'Majesteit, ik ben naar Keladon gekomen met de bedoeling uw hofnar te worden.'

'Hofnar?' Koning Septimus keek bedenkelijk. 'Het is alweer enige tijd geleden dat er hier zo iemand rondliep,' mompelde hij. 'Ik weet niet of ik...'

'Hij is heel goed,' zei prinses Karijn. 'Tijdens onze reis hiernaartoe heeft de heer Duister me vermaakt met zijn schitterende moppen en verhalen, en ik kan ervoor instaan dat hij heel grappig is.'

Koning Septimus dacht even na. Toen glimlachte hij. 'Als hij bij jou in de smaak valt, prinses, dan geldt dat ook voor mij. Natuurlijk neem ik hem in dienst! Zullen we zeggen... drie gouden kronen per maand?'

Het scheelde niet veel of Sebastiaan had een vreugdekreet uitgestoten. Dat was meer geld dan hij had durven dromen. Maar prinses Karijn was nog niet uitgesproken.

'Oom Septimus, ik denk dat een man met zijn ervaring wel vijf kronen waard is,' zei ze. 'Zo veel verdiende hij in elk geval wel aan het koninklijk hof van Jerabim.'

Sebastiaan staarde haar aan. Hij was nog nooit in de buurt van het hof van Jerabim geweest, en dat wist ze maar al te goed. Maar ze had het met zoveel overtuigingskracht gezegd dat niemand een seconde zou vermoeden dat ze het verzonnen had.

'Nou, dan leggen we er nog een bovenop!' verklaarde Septimus. 'We maken er zes kronen van. En natuurlijk krijg je gratis kost en inwoning hier in het paleis. Wat vind je ervan, meneer Duister? Zijn we het eens?'

'Zeker, Majesteit.' Sebastiaan deed een vergeefse poging de grijns van zijn gezicht te halen. Hij keek naar Cornelius, die glimlachend naar hem opzag, alsof hij wilde zeggen: 'Zie je wel? Ik zei toch dat je het kon!'

'Dan mag je ons vanavond, na het feestmaal ter ere van prinses Karijns verjaardag, een voorproefje geven van je talent,' voegde koning Septimus eraan toe, en Sebastiaans grijns smolt als sneeuw voor de zon. De koning wendde zich tot Cornelius. 'En, kleine man, wat kan ik voor jou betekenen?' vroeg hij.

Weer maakte Cornelius een buiging. 'Majesteit, ik ben naar Keladon gekomen met maar één doel voor ogen: om lid te worden van de Rode Mantel.'

Verbluft keek koning Septimus Cornelius aan. Toen moest hij lachen. 'De Rode Mantel!' riep hij uit. 'Jij? Sorry, kapitein, maar... je bent wel erg klein, ik denk niet dat dat zo'n geschikte functie voor je is.'

'Integendeel, Majesteit, zelf denk ik dat ik er geknipt voor ben. Ik vraag alleen een kans om me aan u te bewijzen.'

Koning Septimus glimlachte, maar in zijn ogen was niet veel vrolijkheid te bespeuren. Sebastiaan, die nu toch alle reden had om de man aardig te vinden, had nog steeds het gevoel dat er iets in de houding van de koning niet helemaal klopte.

'Tja, kapitein Drummel, ik zal u vertellen dat het iedere man in dit land vrijstaat om te solliciteren naar een aanstelling bij de Rode Mantel. Om toegelaten te worden hoeft hij maar één ding te doen, namelijk mijn prijsvechter te verslaan in een gevecht zonder wapens.'

Cornelius wreef in zijn handen. 'Zo'n uitdaging ga ik maar al te graag aan,' zei hij.

Nu keek koning Septimus wel erg zelfingenomen. 'Misschien moet je even wachten tot je mijn prijsvechter hebt gezíén,' zei hij. Hij hief een hand en knipte in zijn vingers. 'Stuur Klart naar buiten,' riep hij. Het bleef een hele tijd stil, en toen hoorden ze vaag mensen een naam roepen, ergens ver weg in het paleis.

'Klart is afkomstig van het eiland Mavelia,' zei de koning, terwijl hij de volmaakt gemanicuurde nagels van zijn ene hand bestudeerde. 'Ik neem aan dat jullie dat geen van beiden ooit bezocht hebben?'

Sebastiaan en Cornelius schudden het hoofd.

De koning glimlachte allervriendelijkst. 'Laten we zeggen dat het... ruw volk is,' zei hij. 'En ik heb er alle begrip voor als je nog eens over het gevecht wilt nadenken.'

Het leek een eeuwigheid te duren, maar uiteindelijk kwam er door de open poort van het paleis een gedaante aansjokken. Sebastiaan hield zijn adem in. De man was zo groot dat hij zich moest bukken om zich niet te stoten aan het stenen gewelf boven zijn harige hoofd. Het was een ware reus, een grote, forse, gespierde woesteling, met een ruige baard en smerig rood haar dat tot op zijn schouders hing. Hij droeg iets wat nog het meest weg had van een harige buffaloophuid, en toen hij over het plein kwam aanstampen, leek de grond te dreunen onder zijn zwaar gelaarsde voeten. Hij hief zijn machtige armen en zwaaide naar de menigte, die hem uitbundig toejuichte. Het was duidelijk niet de eerste keer dat ze hem hadden zien vechten.

'Cornelius, dit is belachelijk!' zei Sebastiaan. 'Tegen die daar kun je niet op, hij is zo groot als een huis.'

De kleine krijger trok zijn schouders op en liet zijn knokkels kraken. 'We hebben een heel oud gezegde in Golmira,' zei hij. 'Een gezegde waar ik al jaren naar leef: "Hoe groter de man, hoe harder de val."'

Koning Septimus grinnikte toen hij die woorden hoorde. 'Moedig gesproken, kleine man!' zei hij. 'Nou, als je het met alle geweld wilt, kom dan maar naar boven en beproef je geluk.

Maar ik aanvaard geen enkele verantwoordelijkheid voor de gevolgen. Klart kan weleens wat hardhandig zijn.'

'Anders ik wel,' zei Cornelius zachtjes. Hij gespte zijn zwaard en mes los en liet ze op de grond vallen. Toen beklom hij de trap die naar het plein voerde. De koning gebaarde naar de overige aanwezigen en iedereen week terug om ruimte te maken voor de twee vechtersbazen.

14

De toets doorstaan

'Goed,' zei de koning, 'maak er een mooi en eerlijk gevecht van, jongens. Niet bijten, geen uitgestoken ogen – en, Klart, denk eraan: deze keer wordt de tegenstander niet opgegeten.' Hij deed een stap terug om hun meer ruimte te geven.

Een paar tellen lang keken de twee mannen elkaar zwijgend aan, en toen begonnen ze rondjes om elkaar heen te draaien, allebei in vechthouding ineengedoken. Sebastiaan wist niet wat hij ervan moest denken. Met eigen ogen had hij Cornelius machtige vijanden zien verslaan, maar Klart was zo groot en zo sterk dat het een onmogelijke strijd leek.

Klart viel het eerst aan: met een zwaai liet hij zijn rechtervuist neerdalen, maar Cornelius ontweek de klap en danste weer terug. Opnieuw nam hij een vechthouding aan en begon weer rondjes te draaien. Het publiek juichte waarderend. Klart probeerde zijn tegenstander nog verscheidene malen te raken, maar zonder succes: Cornelius was hem simpelweg te snel af. Bij de derde poging sprong Cornelius als een haas naar voren, gaf een stomp tegen een van de reuzenknieën en huppelde weer weg. Klart brulde van woede en haalde uit met zijn voet, ongetwijfeld in de hoop Cornelius het hele binnenplein over te schoppen. Maar behendig deed het mannetje een stap opzij en pakte de hiel van Klarts uitgestrekte voet met beide handen vast. Met een harde ruk omhoog haalde hij de reus moeiteloos onderuit.

Klart viel naar achteren en sloeg met zo'n klap tegen het marmer dat hij een paar tegels brak. Hij gromde stomverbaasd en wilde net weer overeind krabbelen toen Cornelius vliegensvlug een salto maakte, de lucht in sprong en keihard op Klarts maag neerkwam, waarbij alle lucht in één keer uit zijn longen sloeg. Kreunend kromp de grote man ineen, en toen zijn hoofd naar voren schoot, stak Cornelius twee vingers uit en ramde ze zo diep mogelijk in Klarts neusgaten. Daarna begon hij de vingers rond te draaien.

Klart brulde het uit van de pijn, zo hard dat Sebastiaan zijn oren bedekte uit angst dat zijn trommelvliezen zouden barsten. De reus probeerde zich van Cornelius los te maken, maar de kleine krijger had zijn vingers stevig in zijn neus gehaakt en de grote man kon zich gewoonweg niet uit zijn greep bevrijden.

'Goed,' zei Cornelius op kalme toon, 'je hoeft alleen maar "genade" te zeggen, en dan laat ik je los.'

Klart zei wel iets, maar het klonk als: 'Arrrrrgggg!' Hij deed een hernieuwde poging om zich te bevrijden, mepte met zijn enorme handen naar zijn tegenstander, maar Cornelius hield verbeten vast en gaf nog eens een extra draai. Het publiek raakte nu buiten zinnen en schreeuwde en juichte Cornelius toe.

'Goh!' brulde Klart. 'Lamelos, asjeblief!'

'Alleen als je om genade vraagt.' Cornelius hield voet bij stuk.

Het bleef een hele tijd stil, terwijl de gigant zijn uiterste best deed om niets te zeggen. Cornelius gaf een extra harde draai aan zijn vingers tot ze verticaal in de reuzenneus staken. En ten slotte, toen hij het niet meer hield van de pijn, moest Klart zich gewonnen geven.

'Gnade!' brulde hij. 'Gnade!'

Cornelius liet los, veegde zijn vingers af aan Klarts beestenvel en sprong van zijn borst. Op zijn dooie gemak liep hij terug naar een beduusde koning Septimus en maakte een plechtige buiging terwijl het publiek in woest applaus losbarstte.

'Majesteit,' zei hij, 'het is een grote eer om u te mogen dienen.'

Het leek wel of de koning zojuist uit een droom was ontwaakt en ontdekte dat hij al slaapwandelend in zijn blootje op een druk marktplein terecht was gekomen. Hij keek neer op de juichende, applaudisserende menigte en toen op het glimlachende gezicht van Cornelius, en haalde zijn schouders op.

'Juist ja,' zei hij. 'Kennelijk ben je nu lid van de Rode Mantel.'

Walgend keek hij naar Klart, die overeind was gekrabbeld en nu over zijn gezwollen neus wreef. 'En jij, grote klungel die je bent, laat ik je niet meer zien!'

Klart keek beteuterd. Hij draaide zich om en sjokte mismoedig terug naar het donkere hol waaruit hij tevoorschijn was gekomen. Sebastiaan had behoorlijk met hem te doen. Hij was niet de eerste krijger die aan den lijve ondervond wat een eersteklas vechter Cornelius was. Klart sloop weg, achtervolgd door schimpscheuten en boegeroep van dezelfde menigte die hem bij zijn komst had toegejuicht. Door dit voorval raakte Sebastiaan er weer eens van doordrongen hoe wispelturig publiek kon zijn.

'Goed,' zei koning Septimus, 'laten we nu naar binnen gaan en...'

'Hm!' zei Max. 'Neem me niet kwalijk, Majesteit...'

De koning zweeg en keek verbaasd om.

'Ik hoop dat u mij niet vergeten bent,' zei Max. 'Per slot van rekening heb ik toch echt een grote rol gespeeld tijdens de redding.'

'Een buffaloop?' zei koning Septimus vol ongeloof. 'Een lastdier?'

'Dat vindt hij niet zo'n prettig woord,' zei Sebastiaan bezorgd. 'Hij ziet zichzelf meer als mijn...'

'... partner,' vulde Max hem aan.

'Hij heeft het inderdaad tegen de Bandistanen opgenomen,' verklaarde Cornelius.

'En tegen twee gigantische lupers,' voegde prinses Karijn eraan toe.

De koning keek ze allemaal om beurten aan, alsof hij zijn
oren niet kon geloven. Zijn gezicht kreeg een donkerpaarse tint,
en even leek het alsof hij het op een schreeuwen zou zetten.
Maar toen kreeg hij zichzelf weer onder controle. Hij zuchtte,
spreidde zijn handen en gaf zich gewonnen.

'Goed dan,' zei hij. 'Als ik hem nu eens in de koninklijke stallen onderbreng, bij mijn mooiste hippo's? Ze krijgen het beste
voer en hebben een luizenleven. Ik kan me geen passender beloning voorstellen voor een... een buffaloop.'

'Dat klinkt me alleraangenaamst in de oren,' zei Max na enig
nadenken. 'En als Uwe Majesteit zo goed zou willen zijn een
paar verse pommers bij mijn avondeten te doen, dan is het helemaal perfect!'

Sebastiaan keek Max woedend aan. 'Maak er nou geen misbruik van!' waarschuwde hij.

Even leek koning Septimus van de wijs gebracht. Maar toen
keek hij naar zijn nicht en liet zijn blik over de menigte toeschouwers gaan, die aan zijn lippen hing, en hij slaagde erin een
moeizame glimlach op zijn gezicht te toveren. 'Uiteraard,' zei
hij. 'Voor degenen die het leven van prinses Karijn hebben gered, is geen moeite te veel.' Hij wenkte naar iemand in het publiek, en een man stapte naar voren: een stevige bonk van een

kerel in een leren wambuis. 'Stalknecht, neem dit... dit pracht-dier mee naar de koninklijke stallen. Zorg dat het hem aan niets ontbreekt. En zie er ook op toe dat de wagen van meneer Duis-ter een veilig onderkomen krijgt tot hij hem weer nodig heeft.'

Een paar tellen lang keek de stalknecht verbijsterd naar Max. Het was duidelijk de eerste keer dat een buffaloop van het com-fort van de koninklijke stallen mocht genieten. Maar hij peins-de er niet over het oordeel van de koning in twijfel te trekken. Hij boog zijn hoofd en zei: 'Zoals u wenst, Sire.' Daarna pakte hij Max bij zijn halster en voerde de buffaloop en de wagen mee over het plein, waar de menigte opzijschuifelde om hem door te laten.

'Tot later,' riep Max over zijn schouder. 'Nadat ik gerust heb.'

Sebastiaan en Cornelius wisselden geamuseerde blikken.

'Ik heb medelijden met die arme stalknecht,' zei Sebastiaan binnensmonds. 'Reken maar dat zijn geduld tot het uiterste op de proef wordt gesteld.'

Nu richtte koning Septimus zich tot kapitein Zeelt. 'Kapitein, ik heb een opdracht voor u.'

'Tot uw orders, Sire.' Kapitein Zeelt steeg af en overhandigde de teugels van zijn hippo aan een van zijn mannen. Snel liep hij naar de trap en maakte een knieval. 'Wat is er van uw dienst, Majesteit?'

'Wilt u erop toezien dat kapitein Drummel wordt ondergebracht in de barak van de Rode Mantel? Hij moet met hetzelfde respect behandeld worden als alle overige leden van mijn persoonlijke lijfwacht. Is dat duidelijk?'

'Ja, Sire.' Zeelt kwam weer overeind, keek naar de kleine krijger en gebaarde dat hij hem moest volgen. Hoewel kapitein Zeelt de bevelen zonder aarzelen opvolgde, was van zijn gezicht af te lezen dat hij zich nog liever in een beerput zou storten.

Cornelius keek grijnzend naar Sebastiaan. 'Ik zie je vast later nog wel, tijdens het feest,' zei hij, en toen volgde hij kapitein Zeelt over het plein naar de ingang van het paleis.

De koning keerde zich naar Sebastiaan. 'Meneer Duister, nu hoeven we alleen nog maar iets voor u te bedenken. Eens even zien – wie zou daar de geschiktste persoon voor zijn? Ah, ja. Maltus!'

De kleine magere lijfknecht van de koning sprong naar voren alsof hij met een heet mes in zijn billen werd geprikt. 'Ja, Majesteit?'

'Neem meneer Duister mee naar het meest luxueuze gastenverblijf dat we hebben en zorg dat het hem aan niets ontbreekt. Het is jouw taak om hem op zijn wenken te bedienen.'

'Tot uw orders, Majesteit.' Maltus wendde zich tot Sebastiaan en boog eerbiedig zijn hoofd. 'Als u mij wilt volgen, meneer Duister?'

Sebastiaan was opgetogen. Kon zijn moeder hem nu maar

165

zien, hier op deze fantastische plek, waar hij als een edelman werd behandeld. Hij keek vluchtig naar prinses Karijn en zag dat ze weer naar hem glimlachte.

'Wat vind je tot dusver van Keladon?' vroeg ze olijk.

'Koninklijke Hoogheid, het overtreft mijn stoutste verwachtingen!' zei Sebastiaan. 'Ik had nooit gedacht dat ik zo'n voorname behandeling zou krijgen.'

'Dat verdien je toch ook?' verzekerde ze hem. 'Kom nu maar even tot rust op je kamer. Ik verheug me op je voorstelling van vanavond.'

'Eh... ja, vanavond.' Sebastiaan had al een tijdje niet meer aan zijn naderende debuut gedacht, en toen hij haar woorden hoorde, leek er een hele wolk vlinders in zijn buik op te stijgen. Hij maakte een laatste buiging voor koning Septimus, en terwijl hij dat deed, viel het hem op dat de koning met een uitdrukkingsloos gezicht naar zijn nichtje staarde – en opnieuw leek het alsof Sebastiaans elfenzintuig begon te tintelen. Hij was er nu vrijwel van overtuigd dat koning Septimus weliswaar dééd alsof hij van prinses Karijn hield, maar haar in werkelijkheid verfoeide.

'En, prinses,' hoorde hij hem zeggen, 'je bent vast nieuwsgierig naar het speciale verjaarscadeau dat ik voor je heb...'

De rest kon Sebastiaan niet meer horen. Maltus ging hem voor naar de prachtige openstaande deuren van het paleis en Sebas-

tiaan moest hem volgen. Hopelijk zou hij later in de gelegenheid zijn om met prinses Karijn te praten.

De enorme menigte achter hem juichte geestdriftig, en terwijl
hij achter Maltus aan liep, was hij zo uitgelaten dat hij bijna
ging huppelen, als een vrolijk kind. Alleen met inzet van al zijn
wilskracht kon hij zich beheersen.

15

Droompaleis

Zoiets had Sebastiaan nog nooit gezien. Van de koele marmeren vloeren tot de hoge, met goud verfraaide plafonds was hij omringd door zo'n overdaad dat hij er met open mond in rond zou kunnen lopen. De muren waren getooid met enorme schilderijen en rijk geborduurde kleden. Gigantische stenen zuilen verrezen tot aan het plafond, en in elke zuil waren talloze gezichten, figuren en fabelachtige schepsels uitgehakt. Elk oppervlak was bedekt met gouden en zilveren ornamenten en bezaaid met edelstenen. En naast elke deuropening stonden gewapende soldaten in volledig uniform en met het zwaard of de speer in de aanslag.

Zo langzamerhand begon Sebastiaan te beseffen dat de verhalen die hij had gehoord over de rijkdom van koning Septimus niet overdreven waren. Hij was ongetwijfeld de rijkste man ter wereld. En het zou niemand verbazen dat hij niet stond te trappelen om al die overvloed aan iemand anders over te dragen.

Maltus voerde Sebastiaan mee over een grote, rondlopende trap van zuiver wit marmer. Langs de trap hingen op regelmatige afstand van elkaar schilderijen van barse mannen en vrouwen die, gehuld in hun mooiste gewaden, dreigend neerkeken op de toevallige voorbijganger.

'De koningen en koninginnen van Keladon,' vertelde Maltus, terwijl hij met één hand naar de portretten gebaarde, alsof hij dat al zo vaak had gedaan dat hij er niet eens meer bij hoefde na te denken. 'Van het verre verleden tot op de dag van vandaag. De koninklijke lijn gaat terug tot het begin der tijden.'

Sebastiaan vond het maar een streng en eng stel, het soort lieden dat je 's avonds in het donker liever niet tegen het lijf liep. Maar Maltus, die het maar al te leuk scheen te vinden om voor gids te spelen, dreunde bij elk portret geroutineerd en moeiteloos een paar zinnetjes op.

'Die daar is IJsbrand de IJzingwekkende,' zei hij, wijzend naar een wreedaardige man met een piekerige grijze baard. 'Hij was de koning die het gebod uitvaardigde dat de bevolking de helft van al het inkomen moest afdragen voor het onderhoud van het paleis, een wet die tot op de dag van vandaag wordt gehandhaafd.' Hij gebaarde naar de rijkdom om hen heen. 'Zoals je ziet, kunnen we ons er aardig mee redden.'

Nu wees hij naar het portret van een kleine, gebochelde vrouw, die gruwelijk scheel zag en keek alsof iemand een beker met zure melk onder haar neus hield.

'Koningin Wendolijn de Wanhopige. Haar echtgenoot stierf drie dagen na het huwelijk, en tijdens de vijftien jaar dat ze geregeerd heeft, heeft ze aan één stuk door gehuild. Ze moest zich voortdurend omkleden omdat haar kleren steeds krompen. Vandaar haar bijnaam.'

Nadat ze nog een paar treden hadden beklommen, gebaarde Maltus naar een schilderij van een klein, dikkig mannetje met een rood gezicht.

'Koning Gijsbert de Gasbuik: een goed en edel vorst, wiens korte bewind enigszins verstoord werd door een ongelukkige gewoonte. Je kunt wel raden wat die gewoonte was.'

'Eh... hij had last van gassen? Van winderigheid?'

'Hm. Er wordt beweerd dat hij op een goeie nacht de kaarsen kon uitblazen zonder zijn bed uit te komen, als je begrijpt wat ik bedoel.'

'Juist ja.'

'Op een nacht vatte het gas helaas vlam en vloog zijn slaapkamer de lucht in. Zo kwam er een stormachtig einde aan zijn bewind.'

Sebastiaan probeerde een ernstig gezicht te trekken, maar het kostte hem grote moeite om niet in lachen uit te barsten. 'Ze...

Zo te horen hebben ze allemaal een bijnaam. Hoe kan het dat koning Septimus er geen heeft?'

Maltus wierp een vluchtige blik om zich heen en liet zijn stem dalen. 'Die heeft hij wel,' zei hij op gedempte toon. 'Alleen durft niemand die in zijn aanwezigheid te noemen.' Weer keek hij om zich heen en nu kwam zijn stem amper boven gefluister uit. 'Het is Septimus Glimkop.'

Sebastiaan fronste zijn voorhoofd. 'Waarom "Glimkop"?' vroeg hij.

'Sst! Zachtjes een beetje!' Maltus kwam vlak bij hem staan. 'Omdat hij helemaal kaal is.'

'Kaal? Maar...'

'Sst! Als kind heeft hij een zenuwziekte gehad en toen is al zijn haar binnen enkele dagen uitgevallen. Het is nooit meer teruggekomen. Hij draagt een pruik, en niemand mag hem ooit zonder die pruik zien.'

'Hoe kan het dan...?'

Maltus stond nu zo dicht bij Sebastiaan dat hij recht in zijn oor fluisterde: 'Op een keer toen hij hem niet ophad, kwam ik per ongeluk zijn kamer binnenlopen.' Bij de herinnering kreeg Maltus een doodsbange blik in zijn ogen. 'Gelukkig zag ik hem in een spiegel vóór hij mij zag, en ik kon nog net onopgemerkt de kamer uit glippen.' Maltus keek vertwijfeld. 'Echt, als hij het geweten had, zou ik de hand van de beul hebben mogen schudden.'

'O, dat meen je niet!'

'Ik meen het wel! Als hij ergens zijn zinnen op heeft gezet, kent hij geen genade. Soms denk ik dat Septimus de Strenge een betere naam voor hem zou zijn. Ik heb gehoord dat hij jaren geleden een pruikenmaker opdracht heeft gegeven om honderden pruiken te maken, wel drie keer zo veel als hij in een heel leven nodig heeft – en toen heeft hij de man ter dood laten brengen zodat hij het niet kon doorvertellen.' Maltus dacht even na. 'Goed onthouden,' voegde hij eraan toe, 'dat je dat niet van mij hebt gehoord, begrepen? Als je ook maar tegen iemand zegt dat ik het je verteld heb, dan ontken ik het, en ik kan je verzekeren dat ze mij zullen geloven, niet een of andere onbekende uit Jerabim.'

'O, wees maar niet bang, ik zal mijn mond heus niet voorbijpraten.' Onwillekeurig bedacht Sebastiaan dat een kletskous zoals Maltus niet de allergeschiktste lijfknecht voor een koning was. Ze waren inmiddels op de eerste verdieping aangekomen. Maltus ging rechtsaf en voerde Sebastiaan mee over een gang waarop een rij kamers uitkwam.

'Als ik je een goede raad mag geven,' zei Maltus, 'dan zou ik mijn voorraad grappen nog maar eens goed doornemen en alles schrappen waarin iets over haren wordt gezegd. Gewoon voor de zekerheid. Je wilt vast niet dat jou hetzelfde overkomt als Hengsto de Harige.'

Sebastiaan keek hem vragend aan. 'Wie is Hengsto...?'

'De Harige. Hij was een edelman uit Berundië. Vreselijk ha- rige kerel. Overal had ie haar. Op zijn hoofd, op zijn schouders, op zijn armen, op zijn tanden...'

'Haar op zijn tanden?'

'Nou ja, misschien niet op zijn tanden, maar je snapt wel wat ik bedoel. Septimus mocht hem meteen al niet. Laten we zo zeg- gen...' Weer wierp Maltus een heimelijke blik in het rond. 'Ze gingen samen op javralatjacht en er kwam maar één van tweeën terug.' Hij keek Sebastiaan aan en trok zijn wenkbrauwen even op. 'Rara hoe kan dat?'

Sebastiaan glimlachte, maar hij merkte dat hij in gedachten zijn grappen al doornam op zoek naar iets wat problemen zou kunnen opleveren. Hij kon geen enkele grap bedenken waarin haren of pruiken voorkwamen.

'Goed,' zei Maltus opgewekt. 'Ik heb iets heel bijzonders voor je uitgezocht. We noemen het de Bloedbadkamer...'

'Pardon?'

'O, rustig maar, het is mooier dan het klinkt,' verzekerde Mal- tus hem. 'Dat "bloedbad" slaat alleen maar op de muurschilde- ringen.' Hij opende een zware houten deur en Sebastiaan keek een grote, luxueus ingerichte kamer in, die ronduit prachtig zou zijn geweest als er op de muur aan de achterkant niet een bui- tengewoon bloederige veldslag was afgebeeld. Een troep voet- soldaten werd vertrapt door een bataljon van de Keladoniaanse cavalerie, gezeten op vervaarlijke, in harnas gestoken hippo's. Maltus ging Sebastiaan voor de kamer in.

'Op dat schilderij wordt de grootse overwinning van koning Septimus op de strijdkrachten van koning Rabnat van Delaton herdacht. Tijdens één charge werden meer dan drieduizend man in de pan gehakt!'

'Prachtig!' zei Sebastiaan met een zwak stemmetje. Hij probeerde het schilderij uit zijn hoofd te zetten en daarom liep hij naar het schitterende hemelbed dat midden in de kamer stond. Hij ging op de matras zitten, wipte even op en neer en moest toegeven dat het een erg comfortabel bed was; maar nu hij zich had omgedraaid viel zijn blik op een ander schilderij op de muur aan de overkant, een schilderij waarop een serie gruwelijke martelingen te zien was. Ongelukkige figuren zaten aan stoelen vastgebonden terwijl hun vingernagels werden uitgetrokken, hun knieschijven met hamers werden verbrijzeld en hun tongen werden doorboord met gloeiend hete ijzeren pinnen. 'O, lieve help!' zei Sebastiaan.

Maltus haalde zijn schouders op. 'Tja, ik geef toe dat het decor het een en ander te wensen overlaat. Maar het was kiezen tussen deze kamer en de vertrekken waarin de knaagdierenplaag en de builenpest werden herdacht.'

'O, het is vast... heel comfortabel,' zei Sebastiaan, en hij bedacht dat hij de afschuwelijke schilderijen altijd nog met een stel lakens kon bedekken. Hij wilde niet ondankbaar overkomen, en nadat hij wekenlang op de harde grond had geslapen, was alles een verbetering.

Maltus trok een paar zware fluwelen gordijnen opzij waarachter een hoog raam tevoorschijn kwam. 'Het uitzicht op de paleistuinen is ronduit fantastisch,' zei hij bemoedigend. 'En hiernaast heb je je eigen privépoepdoos en suite.'

'Dat is... heel mooi,' zei Sebastiaan, die opgetogen probeerde te klinken.

Maltus wees op een geborduurd koord dat van het plafond naar beneden bungelde. 'Als je iets nodig hebt, hoef je daar maar aan te trekken en dan komt er meteen een bediende.' Tevreden keek hij om zich heen. 'Ik weet zeker dat je het hier naar je zin zult hebben, Duister.'

'Dat denk ik ook.'

'Is er nog iets van je dienst, voor ik afscheid van je neem?'

'Tja, er is wel iets... maar het kan vast niet.'

'Vraag het nou maar!'

'Het gaat over mijn moeder, in Jerabim.'

Maltus keek bedenkelijk. 'Heb je heimwee naar je mammie?' vroeg hij.

'Nee! Dat nou ook weer niet. Maar ik wil haar heel graag laten weten dat ik hier veilig ben aangekomen en dat ik nu in dienst ben bij koning Septimus.'

'Geen enkel probleem!' Maltus wees naar een schrijfbureau met daarop een ganzenveren pen en wat vellen perkament. 'Schrijf haar maar een briefje, dan laat ik dat door een ruiter van onze snelpost bezorgen. Hm... Jerabim...' Hij dacht even na. 'Als we de brief vanavond nog verzenden en hij rijdt op zijn allerhardst, dan kan hij er over... laten we zeggen, vijf of zes dagen zijn.'

'Zo snel? Ongelooflijk!' Sebastiaan liep naar het bureau en ging zitten.

'Trek maar aan de bel als je klaar bent,' zei Maltus ten slotte. 'De bediende brengt de brief rechtstreeks naar de postkamer. Tot straks,' voegde hij eraan toe. 'Bij de voorstelling.'

'O, ja. Straks...'

Sebastiaan probeerde niet aan de voorstelling te denken. Hij doopte de ganzenveer in de inktpot, dacht een paar tellen na en schreef toen snel een briefje.

Lieve moeder,

Ik ben veilig in Keladon aangekomen. Iedereen hier is heel hartelijk en koning Septimus heeft me voor zes gouden kronen per maand in dienst genomen! Mijn eerste voorstelling is vanavond tijdens een groot feestmaal.

Onderweg kwamen Max en ik een heel aardige man tegen die Cornelius heet. Het is een legerkapitein uit Golmira – een klein

176

kereltje, maar met het hart van een reus. We hebben ook een prin-
ses gered, die werd aangevallen door Bandistanen! Ze blijkt het
nichtje van koning Septimus te zijn en ooit wordt ze koningin
van Keladon. Ze is heel aardig en we zijn dikke vrienden. Ik denk
dat je haar wel leuk zult vinden.

Op weg hiernaartoe hebben we wat problemen gehad met een
stel lupers, maar gelukkig zijn we nu hier, en alles gaat volgens
plan. Ik stuur je zo snel mogelijk geld.

Ik hoop dat je het goed maakt en dat je niet te eenzaam bent.

Max doet je ook de groeten – hij is ondergebracht in de ko-
ninklijke stallen, waar hij ongetwijfeld gruwelijk verwend wordt!

Je liefhebbende zoon,
Sebastiaan

Toen hij de brief nog eens doorlas, bedacht Sebastiaan onwillekeurig dat die nog het meest deed denken aan het geleuter van
de eerste de beste dwaas, en hij was bang dat zijn moeder zou
denken dat hij het allemaal verzon, of erger nog: dat hij gek was
geworden. Hij rolde het perkament op en bond er een touwtje
omheen. Hij wilde net aan de bel trekken om de bediende te laten komen toen er op zijn deur werd geklopt.

'Kom binnen,' zei hij, in de verwachting dat het Maltus was
met een nieuw roddeltje. Maar het was prinses Karijn.

16

Het wordt steeds ingewikkelder

De prinses stapte de kamer binnen.

'Hallo!' zei Sebastiaan. Hij stond zo snel op dat zijn slungelige knieën onder het bureau bleven steken, dat bijna omvertuimelde. Toen hij overeind was gekrabbeld, deed hij een nogal klunzige poging tot een buiging, maar met een handgebaar gaf ze aan dat hij niet zo officieel hoefde te doen.

'Ik kom alleen even langs om te kijken of alles naar je zin is,' zei ze. Sebastiaan zag dat er een klein, pluizig beest op haar schouder zat.

'Wat is dat in hemelsnaam?' vroeg hij.

'Dat is een boeba. Ze leven in het oerwoud, ver weg in het zuiden. Ik heb hem voor mijn verjaardag gekregen van oom Septimus. Ik dacht dat je het wel leuk zou vinden om hem te zien.' Terwijl ze dat zei, sprong het beest van haar schouder, klauterde tegen een van de bedstijlen op en ging ineengedoken op het baldakijn van het hemelbed zitten, waar hij merkwaardige kwettergeluidjes begon te maken. 'Ik noem hem Tinus,' zei ze.

'Het is net een klein mannetje!' vond Sebastiaan. 'Je had hem beter Cornelius kunnen noemen,' zei hij met een ondeugende glimlach.

'Laat ie dat maar niet horen,' zei de prinses. Toen betrok haar gezicht. 'Je had natuurlijk gelijk. Het is een prachtcadeau, maar het weegt niet op tegen de levens van mijn koninklijke lijfwacht. De volgende keer zal ik eerst goed nadenken voor ik iets doe, dat beloof ik.' Ze liep naar hem toe, maar bleef toen stokstijf staan en staarde naar de afbeelding op de muur achter hem. 'O help,' zei ze. 'Ik was dat afgrijselijke schilderij helemaal vergeten!'

Hij glimlachte. 'Na een tijdje raak je eraan gewend. Het is minder erg dan dat schilderij achter je.' Hij wees naar de martelscènes, en zodra ze zich had omgedraaid, kromp ze ineen.

'Echt,' zei ze, 'wat kunst betreft, moet mijn oom nog heel wat leren. Een van de eerste dingen die ik doe wanneer ik koningin ben, is de gastenverblijven opnieuw laten schilderen. Wat bescheidener. In mooi zachtroze, zoiets.' Ze keerde zich weer naar Sebastiaan toe. 'En, ben je er klaar voor? Voor de voorstelling van vanavond?'

Hij haalde zijn schouders op. 'Ik denk het wel. Ik moet me

nog een beetje opknappen – en laat ik maar een nieuw kostuum uit de wagen halen voor ik opkom. Op dit pak zit nog steeds luperbloed.'

Ze lachte. 'Wat een avontuur was dat,' zei ze. Ze liep naar zijn bed en ging op het voeteneind zitten. 'Nou, dit lijkt me in elk geval best comfortabel,' zei ze, op en neer wippend. Met haar hand klopte ze op de sprei. 'Kom eens naast me zitten.'

Sebastiaan gehoorzaamde en liet zich wat stijfjes op het bed zakken. Hij was er niet gerust op of hij wel op een bed hoorde te zitten naast een jongedame die binnenkort koningin zou worden.

'Je lijkt wel zenuwachtig,' zei de prinses.

'Nee hoor!' antwoordde Sebastiaan iets te snel. 'Nee – helemaal niet. Ik ben zo ontspannen als wat.'

Ze leek niet echt overtuigd. 'Zie je misschien op tegen vanavond?' vroeg ze.

'Nou... ja, je weet hoe het gaat. Een nieuwe plek, een nieuw publiek. Je weet nooit echt wat je kunt verwachten.'

'Je hebt zeker op heel wat voorname plekken opgetreden?'

'O... een paar,' beaamde hij, en hij hoopte dat ze geen namen wilde horen.

'Zijn alle narren zoals jij?' vroeg ze.

'Ik weet het niet. Ik heb er nog nooit een ontmoet. Behalve mijn vader dan, natuurlijk. En hij was een mens.' Er viel een ongemakkelijke stilte, waarin ze naar een schilderij aan de achterste muur zaten te kijken. Er stond een bende uitgelaten soldaten op afgebeeld die een tempel in brand staken, terwijl op de achtergrond een groep priesters in een rij werd opgesteld om geëxecuteerd te worden. Het leek wel of prinses Karijn ergens op wachtte, en weer voelde Sebastiaan het absurde verlangen in zich opkomen om haar te kussen; maar hij zei tegen zichzelf dat hij zich niet bepaald in een positie bevond om prinsessen te kussen. Hij keerde zich naar haar toe.

'Prinses, mag ik je iets vragen?'

'Natuurlijk.'

'Beloof je me dat je niet boos zult worden?'

'Dat weet ik pas als ik de vraag heb gehoord, toch?'

'Ja...' Sebastiaan tuurde naar zijn voeten, en het viel hem op dat zijn laarzen wel erg versleten en afgetrapt waren. Toen haalde hij diep adem. 'Je oom, koning Septimus. Eh... vertrouw je hem eigenlijk wel?'

'Natuurlijk vertrouw ik hem!' Ze keek hem strak aan. 'Waarom vraag je dat?'

'Nou, alleen omdat... Sommige mensen zouden zeggen dat hij het misschien heel fijn vindt om koning van Keladon te zijn en... dat hij misschien helemaal geen zin heeft om de macht aan iemand anders over te dragen. Zelfs niet aan zijn eigen nichtje.'

Ze trok een scheef gezicht. 'Ja, maar oom Septimus heeft altijd geweten dat hij maar voor een bepaalde periode kon regeren, tot ik oud genoeg was. Daar is nooit enige twijfel over geweest. En toen mijn ouders waren gestorven, was hij heel aardig voor me, heel zorgzaam...'

'Hm... ja. Dat is ook zoiets. Ik hoop dat je het niet erg vindt als ik het vraag, maar hoe zijn je ouders eigenlijk gestorven?'

De prinses staarde hem weer aan, alsof ze geschokt was door zijn vraag. Misschien had niemand dat onderwerp ooit durven aanroeren. Sebastiaan besefte dat hij weer het risico liep haar overstuur te maken, maar het was al te laat: hij kon de vraag niet meer inslikken. Prinses Karijn leek er heel lang over te moeten nadenken voor ze antwoord gaf.

'Ze zijn vermoord,' zei ze met een heel zacht stemmetje. 'Ze kregen vergiftigde wijn te drinken.'

'En het is nooit bij je opgekomen dat je oom misschien...?'

'Het is niet eens hier gebeurd,' viel ze hem in de rede, 'maar in Bodengen. Ze waren te gast bij koning Valschak, die toen over het land regeerde; ze waren ernaartoe gegaan om een verbond tussen onze twee landen te sluiten. Tijdens het feestmaal kregen ze vergiftigde wijn en ze waren op slag dood. Oom Septimus was er niet eens bij – hij was hier in het paleis en kreeg het nieuws over hun dood tegelijk met mij te horen.'

'Juist ja.' Sebastiaan voelde zich behoorlijk ellendig nu hij zijn bange vermoedens had uitgesproken.

'Mijn ouders kwamen thuis in twee kisten. Ik was toen dertien. We hebben om hen gerouwd en hen begraven, en oom Septimus werd tot koning uitgeroepen, tot ik meerderjarig was. Zijn eerste daad als vorst was de oorlog verklaren aan Bodengen, en aan die oorlog is pas kort geleden een einde gekomen, toen koningin Helena de troon besteeg. Nu wil oom Septimus heel graag het verbond van jaren geleden nieuw leven inblazen. Daarom zal ik, zodra ik koningin ben, trouwen met Rolf, de zoon van koningin Helena.'

Sebastiaan staarde haar aan. 'Wat?' riep hij uit. 'Rolf? Rolf die de helft van zijn tanden mist, Rolf met zijn wijkende voorhoofd?'

Ze knikte, zonder hem aan te kijken. 'Ja,' zei ze. 'Díe Rolf.'

'Maar... dat wil je toch helemaal niet? Ik bedoel, je hebt toch zelf gezegd dat je hem niet leuk vond?'

'Wat heeft dat ermee te maken?' vroeg ze boos. 'Denk je dat ik er ook maar iets over te zeggen heb? Het is mijn plicht om met hem te trouwen, het gaat erom wat goed is voor mijn land.'

'Maar dat is vreselijk!' Sebastiaan, die zijn oren nauwelijks kon geloven, stond op van het bed en begon rusteloos de kamer op en neer te lopen. 'Mijn moeder zegt altijd dat er maar één reden is om met iemand te trouwen, en dat is liefde.'

Prinses Karijn zuchtte. 'Dat is dan heel mooi voor gewone mensen,' zei ze, 'maar voor iemand als ik ligt het net even anders. Trouwens, ik heb het laatst ook al tegen je gezegd: ik geloof niet in de liefde. De enige mensen van wie ik ooit heb gehouden, zijn van me afgenomen toen ik nog een kind was. Verder is er niemand die om me geeft.'

Sebastiaan fronste zijn voorhoofd. 'Misschien heb je niet goed gekeken,' zei hij.

Ze bleef een hele tijd zwijgend zitten en keek hem aan met haar donkergroene ogen. Toen stond ze op, liep naar hem toe en kuste hem zacht op zijn wang. 'Op de goede afloop,' zei ze.

Ze zwegen en keken elkaar aan, alsof er iets tussen hen oversprong, een gevoel waar geen woorden voor waren. Op dat moment wist Sebastiaan dat ze inderdaad iets voor hem voelde, maar dat er vrijwel zeker niets van zou komen.

'Ik ga maar weer eens,' zei ze. 'Hier, Tinus, mannetje!' Gehoorzaam klom de boeba langs de bedspijl naar beneden en sprong op haar schouder. Ze wilde naar de deur lopen, maar aarzelde even en keek achterom naar Sebastiaan.

'Weet je,' zei ze. 'Ik vind het veel leuker als je grappen en verhalen vertelt. Dat is stukken minder ingewikkeld.' Ze glimlachte bedroefd. 'Tot vanavond.' Ze liep de kamer uit en deed de deur achter zich dicht. Sebastiaan bleef nog een tijdje naar de deur staan staren, in de hoop... misschien in de verwachting dat ze terug zou komen.

Maar de tijd verstreek en ze kwam niet terug. Opeens dacht

hij weer aan het briefje voor zijn moeder en hij liep naar het bureau. Hij stak zijn hand uit naar het koord en trok aan de bel om de bediende te laten komen.

Magda stond nog steeds uit het raam van haar kamer te turen toen de koning weer naar binnen stormde en haar voor de tweede keer een schop onder haar achterste gaf. Met een gil draaide ze zich om en tot haar ontzetting zag ze dat zijn woede van eerst nog maar het begin was geweest. Nu was hij echt des duivels.

'Mijn gezicht doet pijn!' gromde hij, terwijl hij op haar neerkeek.

'Neem me niet kwalijk, Majesteit, maar ik ben bang dat ik het niet...'

De koning wees met twee vingers naar zijn mondhoeken. 'Omdat ik de hele tijd als een malloot heb staan grijnzen,' zei hij. 'Omdat ik aardig moest zijn tegen dat kreng van een prinses. Omdat ik haar een kostbaar geschenk moest geven, dat ik eigenlijk zelf had willen houden; en wat nog erger is: omdat ik daar beneden op het plein die drie smerige zwervers moest verwelkomen. Er was ook een nar bij. En je weet wat mijn ervaring met narren is, Magda. Maar nee, ik moest hem met open armen begroeten!' Hij begon op en neer te lopen, zijn gezicht vertrokken van walging.

'Majesteit, ik denk dat ik...'

'En alsof dat niet erg genoeg was, moest ik toekijken terwijl mijn prijsvechter neergeslagen werd door een of ander onderkruipsel van een krijger, die op het oog nog te klein is om zonder zijn moeder te kunnen!'

'Als u even naar mij...'

'En ten slotte... ten slotte...' De koning was nu zo razend dat Magda half verwachtte dat de stoom uit zijn oren zou slaan. 'Ten slotte sta ik daar als een halvegare allerlei eisen aan te horen van een... een' – hij kreeg het woord amper over zijn lippen – 'een buffaloop! Een stinkend, smerig vlooienbeest, dat denkt dat het me als een soort bediende kan behandelen. Ik bedoel, wat moet er van de wereld worden? Ben ik soms gek geworden?'

Hij boog zich nu over Magda heen, met paars aangelopen gezicht, ontblote tanden en uitpuilende ogen. Zo kwaad en angstaanjagend had hij er nog nooit uitgezien. Ze durfde haar mond nauwelijks open te doen, maar ze was nog banger voor wat er zou gebeuren als ze hem er niet van kon overtuigen dat ze de situatie zou redden.

Ze deed een voorzichtige poging: 'Majesteit, staat u mij toe iets te zeggen...'

Hij sloeg zijn armen over elkaar en keek haar afwachtend aan. 'Nou?' vroeg hij.

'Ik... Ik besef maar al te goed wat het u gekost heeft om vriendelijk te zijn tegen die mensen. Maar het is u uitstekend gelukt. En nu heeft het hele hof ook gezíén dat u hen verwelkomde.' Ze hief een magere vinger en zwaaide ermee door de lucht. 'Dus de basis voor ons sluwe plannetje is gelegd.' Voorzichtig schoof ze naar de deur. 'Nu hoef ik alleen nog maar de zwakke plek te vinden, het geschikte moment af te wachten om de mensen wijs te maken dat de vreemdelingen boze bedoelingen hebben.'

Koning Septimus keek nors. 'En hoe gaan we dat aanpakken?' vroeg hij.

'Eh... nou... op dit moment, Majesteit, weet ik nog niet precies hoe we het zullen afronden.'

'Je weet nog niet wát?'

Woede borrelde weer in hem op, en in haar wijsheid besloot Magda zich uit de voeten te maken. 'Maar zodra ik met die nar heb gesproken, weet ik het wél!' Ze liep de deur nu door, met een verbazende vaart voor iemand van haar leeftijd. De koning keek vlug om zich heen en zijn oog viel op een zware bronzen drinkbeker, op een tafel vlak naast hem. In één snelle beweging greep hij de beker en gooide die door de deuropening achter haar aan. Hij werd beloond met een doffe plof en een kreet van pijn. Uit het zicht van de koning kletterde de beker op de stenen vloer, en nadat het even stil was geweest hoorde hij de oude vrouw de trap af strompelen.

Met een chagrijnig gezicht liep Septimus naar het raam om

naar buiten te kijken. De mensen waren inmiddels bij de paleistrap weggelopen en slenterden nu terug naar het marktplein. Met een zeker genoegen zag hij dat de boodschapper die hem het bericht over de redding van prinses Karijn had gebracht op de trap zat, met zijn hoofd tussen zijn gewonde vingers. Ongetwijfeld had het nieuws over zijn 'promotie' hem net bereikt. Koning Septimus wist het niet zeker, maar vanaf de plek waar hij stond had hij de stellige indruk dat de man als een kind zat te huilen.

Veel was het niet, maar toch klaarde het humeur van de koning een heel stuk op...

17

De koninklijke stallen

Nadat het dienstmeisje zijn brief had opgehaald, kon Sebastiaan zich maar moeilijk ontspannen, en bij de gedachte aan de voorstelling van die avond werd hij steeds zenuwachtiger. Daarom ging hij naar beneden en vroeg aan een van de bewakers of hij hem de weg wilde wijzen naar de koninklijke stallen.

Die bevonden zich achter het paleis, te midden van prachtige, weelderige tuinen, waar de ene na de andere ongelooflijk mooie fontein eindeloze waterstralen in stenen bekkens liet klateren.

De poort naar de stallen stond open en Sebastiaan liep naar binnen. Aan weerszijden van een breed, met stro bedekt middenpad waren rijen ruime stallen met daarin de schitterendste hippo's die hij ooit had gezien: trotse, vurige dieren met prachtig gebogen halzen en opengesperde neusvleugels. Hij bedacht net dat het wel heel merkwaardige stalgenoten waren voor Max, toen hij uit een stal achter in het gebouw het monotone gedreun van een vertrouwde, treurige stem hoorde. Hij hoefde alleen maar op het geluid af te gaan, dat steeds sterker werd naarmate hij dichterbij kwam.

'... dus daar stond ik, oog in oog met twee gigantische lupers, bij wie het kwijl langs de kaken liep, klaar om me aan stukken te scheuren. Maar ze hadden buiten mijn aangeboren moed en vastberadenheid gerekend. Eén zwiep met mijn hoorns en één trap met mijn achterpoten en ze renden jankend het bos in, hopeloos verslagen.'

Sebastiaan stak zijn hoofd om het deurtje van de laatste stal en zag Max lui op een dikke laag schoon stro liggen. Zijn woorden waren tot een kleine, nogal mollige muilezel gericht, die hem wezenloos stond aan te kijken.

'Ik schep niet graag op,' vervolgde Max, 'maar wij buffalopen staan bekend om onze vasthoudendheid, en dat geldt al helemaal voor mijn familie. Er wordt wel beweerd dat ik al op zeer jeugdige leeftijd kon...'

Max zweeg toen hij achter zich een beleefd kuchje hoorde. 'Ah, daar zul je mijn jonge meester hebben!' zei hij. 'Osbert, mag ik je voorstellen aan Sebastiaan Duister, Prins der Dwazen en Koning der Narren?'

De muilezel keek naar Sebastiaan en ontblootte zijn tanden in een maffe grijns. 'Allo!' zei hij. 'Osbert heel blij om narrenman te ontmoeten!'

Max schonk Sebastiaan een veelbetekenende blik. 'Osbert is niet echt het allergeleerdste gezelschap, maar hij is de enige hier die zichzelf niet te goed vindt om met me te praten.' Hij gaf een knik met zijn gehoornde kop in de richting van de stallen verderop in het gebouw. 'Dat clubje daar is nog te verwaand om me te groeten.' Hij snoof. 'Pech voor ze,' voegde hij eraan toe.

'Pech voor ze,' zei Osbert hem na. 'Kouwe kak.'

Sebastiaan keek Max glimlachend aan. 'En, hoe bevalt het je hier?' vroeg hij. 'Ik neem aan dat je avondeten dik in orde was?'

'Ik mag niet klagen,' gaf Max toe, en hij klonk bijna teleurgesteld. 'We krijgen hier heerlijke havervlokken gezoet met bijengoud, en vers fruit zo veel je maar wilt. Nou, na zo'n reis mag ik inderdaad wel wat bijgevoerd worden.' Hij keek even naar zijn makker. 'Osbert heeft me laten zien hoe de dingen hier in hun werk gaan. Hij schijnt de legermascotte te zijn.'

'Ikke geluksbrenger van leger,' zei Osbert zichtbaar trots. 'Als soldaten op parade gaan, mag Osbert ook mee. Brengt ongeluk als Osbert iets overkomt. Ikke goed verzorgd!' Kennelijk had hij zoveel woorden achter elkaar gezegd dat hij voorlopig uitgeput was. 'Ikke liggen,' liet hij weten, en hij slenterde de stal uit.

Max keek hem na en zei toen met gedempte stem: 'Aardige vent, hoor, maar het is nogal leeg in zijn bovenkamer. Veel te vertellen heeft ie niet.'

'In tegenstelling tot jou,' merkte Sebastiaan op. 'Toen ik binnenkwam hoorde ik je geloof ik heel duidelijk de loftrompet over jezelf steken.'

'Nou, je moet hier wel voor je eigen vermaak zorgen. De dag zou eindeloos duren als er niet gepraat werd.'

'Wie weet.' Sebastiaan keek eens goed om zich heen. 'Ik moet zeggen dat het hier behoorlijk riant is. Mooier ingericht dan ons huis in Jerabim. Je weet zeker niet waar ze de wagen gestald hebben, hè? Ik heb schone kleren nodig voor de voorstelling van vanavond.'

'Hij staat hier ergens.' Max krabbelde overeind. 'Ik loop wel met je mee.'

'O, doe geen moeite,' zei Sebastiaan spottend. 'Stel je voor dat je een spiertje verrekt. Dat wil ik niet op mijn geweten hebben.'

'Je begint sarcastische trekjes te vertonen,' zei Max misprijzend. 'Dat past niet bij iemand die nog zo jong is.' Hij ging Sebastiaan voor de stal uit. 'Je ziet het zeker wel zitten, hè?' vroeg Max. 'Ik heb het hier trouwens behoorlijk naar mijn zin. Hopelijk gebeurt er niet iets wat daar verandering in zou kunnen brengen.'

'Ik red het heus wel,' zei Sebastiaan op barse toon. 'Maar bedankt voor het vertrouwen dat je in me hebt.'

'Je moet alles niet zo persoonlijk opvatten. Ik zei alleen maar...'

Ze waren bij een grote opslagruimte aan de andere kant van de stallen aangekomen, en daar stond Sebastiaans wagen.

'Daar heb je hem, hoog en droog,' verkondigde Max. 'Je mag blij zijn dat ik zo dichtbij zit. Nu heb ik er een oogje op kunnen houden.'

'Hm.' Sebastiaan was niet helemaal overtuigd. Het viel hem op dat de houten achterklep was neergelaten – terwijl hij toch zeker wist dat dat niet het geval was geweest toen hij de wagen voor het laatst had gezien. En ja hoor, toen hij dichterbij kwam hoorde hij binnen iets of iemand zachtjes bewegen, en als vanzelf ging zijn hand naar het gevest van zijn zwaard. Hij stapte op de achterklep en tuurde de rommelige wagen in. Een kleine, in een mantel gehulde gestalte stond over een bak met rekwisieten gebogen en doorzocht met twee knokige handen de inhoud.

'Wie bent u?' vroeg Sebastiaan boos. 'Wat doet u in mijn wagen?'

Met een ruk draaide de gestalte zich om, en nu zag Sebastiaan een oud, gerimpeld gezicht. Eén oog was niet meer dan een witte, blinde bobbel. Terwijl Sebastiaan ernaar stond te staren, verscheen er op het gezicht een afschuwelijke grijns vol uiteenstaande tanden, een grijns die waarschijnlijk voor een glimlach moest doorgaan, maar die in het halfduister van de wagen ronduit angstaanjagend was. Max snoof van angst en deinsde terug. Sebastiaan wilde zijn zwaard al uit de schede trekken, maar hield zijn hand stil toen het schepsel het woord tot hem richtte.

'Wees niet bang, jonge meester, ik ben het maar, Magda, raadsvrouwe van koning Septimus.'

'Wat komt u hier doen?' vroeg Sebastiaan.

'De koning heeft me opgedragen naar beneden te gaan en, eh... te zorgen dat alles in orde is voor de voorstelling van vanavond.'

Sebastiaan vertrouwde het niet. 'Als dat zo is, had u toch veel beter naar mijn kamer kunnen komen?' vroeg hij.

'O, nou, ik... Ik dacht dat ik je hier zou aantreffen... dat je je hier aan het voorbereiden was.' Magda's stakerige vingers gebaarden naar de verschillende rekwisieten en kostuums in de propvolle wagen. 'Ik moet zeggen dat je prachtige spullen hebt. En dit hier viel me meteen op.' Haar vingertoppen streken langs de zijkant van een grote rechtopstaande houten kast, die aan een van de wanden was bevestigd.

'O, dat is de verdwijnkast,' zei Sebastiaan nogal ongeïnteresseerd. 'Ja, die gebruikte mijn vader altijd bij zijn optreden, maar ik...'

'Ben je dan tóvenaar?' vroeg Magda opgetogen.

'Zo zou ik mezelf niet noemen. Maar heel af en toe doe ik tijdens een optreden een tovertruc.'

'Wat een geweldig nieuws!' Magda klapte in haar handen van verrukking. 'Zijne Majesteit is dol op tovertrucjes, vooral op verdwijnkunstjes. Wat zal hij dat mooi vinden! En prinses Karijn ook!'

Sebastiaan beklom het trapje en ging de wagen binnen. 'Ik was anders niet van plan om die truc in de voorstelling van vanavond op te nemen.'

'O, maar waarom niet?' Magda keek hem afkeurend aan. 'Gun je Zijne Majesteit dat plezier niet?'

'Tja, eh... natuurlijk wel! Maar die truc hoort nou eenmaal niet bij mijn gewone nummer. Meestal vertel ik alleen grappen.'

'Grappen. Hm.' Nu keek Magda wel erg bedenkelijk. Een tijdlang liep ze de krappe wagen op en neer. 'Tja, je moet het natuurlijk helemaal zelf weten, maar...'

'Wat is er dan?'

'Dat zei onze láátste hofnar ook al. "Ik vertel alleen grappen."'

Dat klonk Sebastiaan verontrustend in de oren. Hij wist niet dat hij een voorganger had gehad. 'Is er hier dan een andere hofnar geweest?' vroeg hij.

'Jazeker. Percival, zo heette hij. Een vrolijke klant. Wat hebben we om zijn malle fratsen gelachen!' Ze zuchtte en schudde haar hoofd. 'Doodzonde wat er met hem is gebeurd.'

'Hoezo: "wat er met hem is gebeurd"?'

'Nou... Zijne Majesteit had al snel genoeg van zijn grappen en raadseltjes, en hij wilde iets... eh... anders. Helaas kon die arme Percival niets anders bedenken om de koning mee te vermaken, en toen ging hij voor de bijl.'

'Raakte hij zijn baan kwijt?' vroeg Sebastiaan hoopvol.

'Hij raakte zijn hóófd kwijt. Je moet namelijk weten dat koning Septimus niet veel geduld heeft met dwazen. Als ze hem niet op de ene manier kunnen vermaken, dan gebeurt het wel op een andere manier. Door een afspraakje met zijn beul.'

'O.' Sebastiaan liet zich met een plof op een rieten mand zakken. Hij had kunnen weten dat het niet zo simpel was als hij zich had voorgesteld. Hij was nu weliswaar hofnar in dienst van de koning, precies zoals hij gehoopt had – maar als de koning hem niet grappig vond, dan zou het weleens het kortste baantje uit de geschiedenis kunnen zijn.

Magda kwam naast hem op de rieten mand zitten. 'En daarom, jonge meester Duister, vind ik dat je er ook een paar tovertrucs bij moet doen. Als die arme Percival dat soort vermaak had kunnen bieden, dan was hij waarschijnlijk nog steeds bij ons geweest.'

Zenuwachtig likte Sebastiaan langs zijn lippen. 'Misschien hebt u gelijk,' gaf hij toe. 'Het kan geen kwaad om het hem naar de zin te maken.' Hij keek naar de oude feeks. 'Wat aardig van u dat u me zo helpt.'

Magda maakte een buiginkje. 'Met alle genoegen,' verzekerde ze hem. 'Per slot van rekening zijn we allebei op hetzelfde uit, toch? Een gelukkige koning betekent een zorgeloos leven... en als hij die verdwijntruc ziet...'

'O, ik ben bang dat ik die niet kan laten zien.'

Nu keek Magda verstoord, en niet zo'n beetje ook. 'Waarom niet?' vroeg ze.

'Nou, omdat je daar een assistente voor nodig hebt. En die heb ik niet.'

'Een assistente? Wat bedoel je met "een assistente"?'

'Nou, iemand die kan verdwijnen natuurlijk.'

Magda leek diep in gedachten verzonken. 'Kun je niet iemand uit het publiek vragen?'

Sebastiaan schudde zijn hoofd. 'Dat gaat niet. Dan ziet zo iemand hoe de truc in elkaar steekt. Ik moet ervan op aan kunnen dat die assistente niet doorvertelt hoe de truc gaat.'

Magda keek hem sluw aan. 'Je wilt me toch niet vertellen dat het geen échte tovenarij is?'

'Jawel, er zit namelijk een geheim vak achter in de...' Opeens besefte hij dat ze een spelletje met hem speelde. 'O, goed dan! Maar zonder iemand die me helpt, kan ik echt niet...'

Opeens knipte de oude vrouw met haar knokige vingers, alsof ze iets geweldigs had bedacht. 'Prinses Karijn!' zei ze met hese stem. 'Wat een schitterend idee – en wat een prachtig verjaarscadeau! Laat het maar aan mij over, jonge meester. Ik praat even met haar onder vier ogen en dan leg ik uit dat je haar hulp nodig hebt. Na alles wat je voor haar gedaan hebt, laat ze je vast niet in de steek.'

Sebastiaan keek bedenkelijk. 'O, nee! De prinses? Ik denk niet dat de koning het zo leuk zal vinden als ik haar erbij betrek.'

'Hij zal het geweldig vinden. Geloof me nou maar.' Ze boog zich naar hem toe en knipperde als een jong meisje met de wimpers boven haar ene goede oog, wat een beangstigend gezicht was. 'Ik ga meteen een babbeltje met haar maken. Wat een schitterende truc zal dat worden. Stel je voor: prinses Karijn – die lieve prinses Karijn, die zomaar verdwijnt waar iedereen bij zit!'

'En weer verschijnt,' benadrukte Sebastiaan.

'Ja, ja. Zijne Majesteit zal het geweldig vinden!' Ze strompelde naar de uitgang en in haar haast om weg te komen struikelde ze bijna over de rekwisieten die verspreid over de vloer lagen. 'Ik regel wel dat de kast naar de eetzaal wordt gebracht,' krijste ze. 'Tot vanavond!' En toen was ze verdwenen. Hij hoorde haar door de stallen wegsnellen.

Sebastiaan stond op van de mand, deed die open en zocht tussen de lagen kleurige kostuums naar het schoonste, mooiste pak dat hij bezat. Toen hij weer opkeek, zag hij de kop van Max ongerust door de deuropening gluren.

'Godzijdank, die is weg,' zei hij. 'Heb je ooit zo'n engerd gezien?'

Sebastiaan keek de buffaloop streng aan. 'Hoe vaak heb ik je niet gezegd dat je mensen niet op hun uiterlijk moet beoordelen?' vroeg hij. 'Ze was trouwens heel behulpzaam.'

Max snoof minachtend. 'Zo'n ouwe feeks als zij doet heus geen moeite voor je als er geen list achter zit,' mompelde hij.

'Daar ga je weer!' riep Sebastiaan uit. 'Heeft niemand je ooit verteld dat uiterlijke schoonheid maar schijn is?'

'Nou, bij haar is zelfs de schijn eraf,' zei Max. 'O, kom op zeg, ik vertrouw haar voor geen meter. Een kind kan zien dat het een heks is.'

Nu werd Sebastiaan kwaad. Hij was al op van de zenuwen en Max maakte het er niet beter op. 'Ze is geen heks!' riep hij. 'Het is gewoon een oude dame die aardig probeert te zijn. En als je niks positiefs te melden hebt, wil je dan zo vriendelijk zijn om op te hoepelen, zodat ik me in alle rust op mijn voorstelling kan voorbereiden?'

'Waar is die beroemde elfenintuïtie van je gebleven? Je hoeft maar naar haar te kijken en dan weet je al...'

Max maakte zijn zin niet af. Sebastiaan had een jongleerbal opgepakt en die smeet hij naar zijn kop. Hij stuiterde van een van zijn oren af, en de schrik was groter dan de pijn. Maar te oordelen naar de gekwetste blik waarmee hij Sebastiaan aankeek, had het net zo goed een mes kunnen zijn.

'Goed hoor,' mompelde hij. 'Als je er zo over denkt...' Hij draaide zich om en liep langzaam weg, met zijn neus in de lucht.

'Max, dat meende ik niet,' riep Sebastiaan hem na; maar de buffaloop was al weg, en hoewel Sebastiaan nog een paar tellen wachtte tot hij terug zou komen, gebeurde dat niet. Sebastiaan schudde zijn hoofd en zocht verder naar een geschikt kostuum. Hij moest aan zoveel dingen denken dat hij geen zin had zich druk te maken om een knorrige buffaloop.

Later, toen hij langs de stal liep, zag hij Max op de dikke stro-laag liggen, met zijn kop halsstarrig afgewend. Sebastiaan bleef even staan in de hoop dat Max zou omkijken en hem zou zien. Maar de buffaloop staarde met een buitengewoon strakke blik voor zich uit. Ten slotte kon Sebastiaan zijn mond niet langer houden.

'Wens je me geen succes?' vroeg hij.

Na een lange, ijzige stilte gaf Max antwoord.

'Mijn steun heb je vast niet nodig,' zei hij. 'Ik stel toch hele-maal niks voor? Ik ben gewoon een stomme buffaloop die altijd het ergste van iedereen denkt.'

Sebastiaan bleef heel lang zwijgend staan, vol spijt dat hij zich zo had laten gaan. Maar de tijd vloog en hij moest zich nog steeds voorbereiden. 'Jammer dat je er zo over denkt,' zei hij.

Hij keerde zich om en liep snel verder, naar het paleis.

18

Een opkikkertje

Met zijn schone kostuum over zijn schouder stapte Sebastiaan kordaat voort toen hij iemand op zich af zag komen, en meteen bleef hij stokstijf staan.

Het was Cornelius, gehuld in het bronzen borstschild en de prachtige rode mantel die bij zijn nieuwe betrekking hoorden. Onder zijn in maliën gestoken arm klemde hij een helm met een pluim. Hij voerde een kleine, appelgrauwe pony aan de teugel met zich mee. Het zadel en hoofdstel van de pony waren van prachtig leer, en het dier zelf was een rasecht Keladoniaans strijdros, maar dan in het klein.

Toen hij dichterbij kwam, keek Cornelius op en zag Sebastiaan. Met een onmiskenbaar trotse grijns draaide hij snel in de rondte, zodat zijn vriend het nieuwe uniform nog beter kon bewonderen.

'Wat zie je er schitterend uit!' zei Sebastiaan. 'Het lijkt wel of die uitrusting speciaal voor jou gemaakt is.'

Cornelius liet een opgetogen lachje horen. 'Hij is eigenlijk ge-maakt voor het zevenjarige neefje van een van de officieren,' zei hij. 'De jongen is er inmiddels uit gegroeid, maar de officier dacht dat het me misschien wel zou passen, en dat is ook zo! Het is een perfecte kopie, tot in de kleinste details.'

'En hoe heet je nieuwe kameraadje?'

Cornelius draaide zich om en woelde liefdevol met zijn hand door de ruige manen van de pony. 'Dit is Fantoom,' zei hij. 'Ze was de hippo van het kind, een miniras uit de vlakten van Ne-ruvia. Ze staat al heel lang weg te kwijnen in de koninklijke stal-len en nu trappelt ze van ongeduld, zo graag wil ze op avon-tuur. Ik ben een paar keer de wei met haar rondgereden, en volgens mij heb ik er een prima beestje aan. Ze is stevig, slim en gehoorzaam. Meer kan een krijger niet wensen.'

Grijnzend keek Sebastiaan op zijn vriend neer. 'Het ziet er-naar uit dat we allebei goed terecht zijn gekomen,' zei hij.

Nu trok Cornelius een bedenkelijk gezicht. 'Misschien, maar...'

'Wat bedoel je?' Sebastiaan keek wat onzeker. 'Ben je dan niet blij met hoe alles is gelopen?'

Cornelius zuchtte. 'Misschien ben ik van nature achterdoch-tig,' zei hij, 'maar ik kan me niet aan de indruk onttrekken dat het allemaal wat te gemakkelijk is gegaan.'

'Ik weet wat je bedoelt. Ik wil mezelf ook de hele tijd knijpen om zeker te weten dat ik het niet allemaal droom. Koning Septimus heeft ons heel hartelijk ontvangen...'

'Bijna té hartelijk?' opperde Cornelius.

Sebastiaan knikte. 'Af en toe denk ik... Tja, het lijkt onbeleefd na alles wat hij gedaan heeft, maar toch vertrouw ik hem niet helemaal.'

Cornelius knikte. 'Die man lacht alleen met zijn mond. Geen moment dringt de pret tot zijn ogen door.' Hij maakte een handgebaar, alsof hij zich stoorde aan zijn eigen gedachten. 'Zoals ik al zei: misschien ben ik te achterdochtig. Het is heel goed mogelijk dat we inderdaad ontzettend veel geluk hebben gehad.' Hij keek naar het kostuum dat over Sebastiaans schouder hing. 'Is dat voor vanavond, voor je eerste optreden?'

'Ja, maar ik kan niet zeggen dat ik me er erg op verheug. Ik reken op jou: je moet wel hard lachen om elke grap die ik vertel.'

Cornelius schudde zijn hoofd. 'Ik vrees dat ik er niet bij zal zijn.'

Sebastiaan was teleurgesteld toen hij dat hoorde, maar hij probeerde het niet te laten merken. 'Heb je andere plannen?'

'Ik moet mijn allereerste opdracht uitvoeren. Ik moet naar Bandistan om een heel belangrijk pakket te bezorgen.' Hij klopte op een grote bult in een van de tassen die aan het zadel van Fantoom waren gebonden.

'Bandistan? Gevaarlijke plek om naartoe te gaan.'

Cornelius haalde zijn schouders op. 'Als lid van de Rode Mantel kan ik niet anders verwachten dan dat mijn werk riskant is. Ik heb me er niet bij aangesloten om te gaan zitten duimendraaien.'

'Ja, maar Cornelius, het is je eerste dag! Konden ze je niet eerst rustig laten wennen?'

Daar moest Cornelius hard om lachen. 'Een lijfwacht volgt zijn bevelen zonder mankeren op,' zei hij. 'Zo simpel ligt het.'

'En wat zit er in dat geheimzinnige pakketje?'

'Dat weet ik niet. Ik mag er niet in kijken.'

'Maar je vraagt het je vast af.'

'Te grote nieuwsgierigheid kan gevaarlijk zijn, Sebastiaan. En soms is onwetendheid een zegen.' Cornelius zweeg. Hij keek naar de hemel en zag dat de zon al naar de horizon zakte. 'Ik kan hier niet de hele tijd staan kletsen,' zei hij. 'Ik moet nog heel wat kilometers afleggen voor het donker wordt.' Hij stak zijn hand uit, greep de zadelboog en met een behendig sprongetje steeg hij op. De kleine pony steigerde en schudde haar hoofd, zo graag wilde ze ervandoor. 'Succes vanavond,' zei Cornelius ten slotte. 'Maar ik weet zeker dat het zal lukken.'

En met die woorden drukte hij zijn knieën in Fantooms flanken, waarop de pony weggaloppeerde over het paleisterrein, in de richting van de hoofdpoort. Sebastiaan bleef nog even staan om man en rijdier na te kijken, tot ze om de hoek van een gebouw verdwenen.

Hij was nog nooit zo zenuwachtig geweest. Op de een of andere manier was hij ervan uitgegaan dat Cornelius erbij zou zijn om hem te helpen als alles in het honderd liep. Maar nee, hij kon van niemand hulp verwachten. Hij stond er helemaal alleen voor.

Sebastiaan draaide zich om en haastte zich naar het paleis.

Terug op zijn kamer waste hij zich, trok zijn schone pak aan – een grappig harlekijnskostuum met opvallende, veelkleurige ruiten – en zette een splinternieuwe driepuntige muts op. Somber bekeek hij zichzelf in de spiegel, en het viel hem op dat dit kostuum nog flodderiger om hem heen hing dan het vorige. Hij nam voor de spiegel wat malle poses aan en trok de ene gekke bek na de andere. Nog nooit in zijn hele leven was hij zo zenuwachtig geweest, en het speet hem verschrikkelijk dat Cornelius – of anders Max – er niet bij kon zijn om naar zijn voorstelling te kijken. Cornelius zou ondertussen wel een heel eind op weg zijn naar Bandistan, en er was geen schijn van kans dat een buffaloop tot de voorname feestzaal van het paleis zou worden toegelaten.

Sebastiaan liep naar het raam en tuurde bezorgd naar buiten. Het was al donker en aan de onstuimige wolkenhemel was geen sterretje te bekennen. Hij liep terug en bestudeerde zijn spiegelbeeld nogmaals aandachtig. Hij probeerde zichzelf een grap te vertellen, maar zelfs zonder publiek kreeg hij de woorden er niet goed uit.

'Twee looplieden kopen naar de markt... ik bedoel twee kooplieden lopen naar de markt. Nee, dat is oneconomisch! Kooplieden lopen niet als ze ook kunnen rennen – ik bedoel rijden. Ze reden dus naar de markt. En de ene zeikte – de ene zei: "Hoe lang zijn we al onder de heg"? Eh... "onderweg!" En de ander spelde... eh... snelde... eh – o, potverdonder!'

Hij vroeg zich af of hij niet stiekem de stad uit kon glippen om terug te keren naar Jerabim. Maar hij wist dat Max daar niets van zou willen weten. Hoezo, de luxe van de koninklijke stallen na één rustdag alweer verlaten? Nee, een weg terug was er niet. Hij moest naar beneden, er zat niets anders op, en daar zou hij zijn angsten onder ogen moeten zien...

Opeens werd er op de deur geklopt, en zijn hart stond bijna stil van schrik. 'Ja?' hijgde hij.

De deur ging knerpend open en het afgrijselijke gezicht van Magda gluurde naar binnen.

'Is de jonge meester er klaar voor?' vroeg ze, met dat kruiperige gekras waaraan hij nu al een hekel begon te krijgen.

'Het zal wel moeten,' mompelde hij.

'Ik heb met prinses Karijn gesproken. Ze wil je maar al te graag helpen met je verdwijntruc. Ik heb je magische toestel in de feestzaal laten zetten. Dat wordt me toch een finale!'

'Als ik die ooit haal,' fluisterde Sebastiaan.

Bezorgd strompelde ze de kamer in. 'Ben je soms zenuwachtig?' vroeg ze.

'"Zenuwachtig" is het woord niet,' antwoordde hij. 'Ik ben doodsbang. Ik heb nog nooit eerder voor een koning opgetreden. En als ze me nou eens niet grappig vinden?'

'O, maak je maar geen zorgen, jonge meester. Het koninklijk hof is een publiek dat voor alles openstaat.'

'Ja vast. Dat hebben ze zeker ook tegen Percival gezegd vlak voor zijn laatste optreden!'

Magda fronste haar voorhoofd. 'Ik had je eigenlijk niet over je voorganger moeten vertellen.'

'Nou, ik ben anders blij dat u het gedaan hebt! Het is heel wat waard om te weten waar je staat. Met je voet op een bananenschil en je hoofd op het beulsblok!'

Met krakende knoken liep Magda naar een tafeltje waarop een kruik met wijn en een drinkglas stonden. 'Drink maar een glas wijn, daar ontspan je van,' zei ze, en ze schonk hem in.

'O, maar vóór de voorstelling kan ik beter niet drinken!' wierp hij tegen. 'Ik moet mijn hoofd helder houden.'

'Onzin. Een flink glas geeft je zelfvertrouwen.' Ze stond voorovergebogen bij het tafeltje, en Sebastiaan zag niet dat ze een flesje met groene vloeistof uit haar mouw haalde en het boven het glas leeggoot. 'Alsjeblieft,' zei ze. Ze hief het glas, liet het drankje heimelijk rondkolken en gaf het toen aan hem. 'De wijn uit Keladon is beroemd om zijn bijzondere eigenschappen. Eén slok en je hebt voldoende moed en zelfvertrouwen om aan alles het hoofd te bieden. Probeer maar.'

Sebastiaan nam het glas en keek weifelend naar de machtige, rode inhoud. 'Nou, één slok kan vast geen kwaad,' zei hij. Hij bracht het glas naar zijn lippen en nam een teug van de warme vloeistof. Het was ongelooflijk, maar hij voelde echt een golf door zich heen gaan – een stroom van levenskracht, een schok van zelfvertrouwen. Verbluft staarde hij Magda aan. 'Ik geloof echt dat het werkt,' zei hij verbaasd.

Ze knikte. 'Natuurlijk werkt het,' mompelde ze. 'Vertrouw Magda nou maar. Neem nog wat. Dan word je onoverwinnelijk!'

Hij volgde haar advies op en onmiddellijk voelde hij een warme gloed naar zijn wangen stijgen. Er zat iets in zijn hoofd, iets flikkerends en vlammends. Opeens waren al zijn remmingen als sneeuw voor de zon verdwenen. Hij merkte dat hij alles wilde zeggen wat in zijn hoofd opkwam – dingen die verdacht veel op de waarheid leken. Hij wees naar Magda.

'Ik wil niet beweren dat je lelijk bent, maar toen de gezichten werden uitgedeeld, heb jij vast helemaal achteraan in de rij gestaan! Het is niet beledigend bedoeld, hoor, maar ik heb monsters gezien die er beter uitzagen! Eigenlijk zou ik wel een schilderij van je willen laten maken. Dat zou ik dan op de schoorsteenmantel zetten om te zorgen dat de kinderen niet te dicht bij het vuur komen!'

Die gruwelijke grijns vol scheve tanden verscheen weer op Magda's gezicht. 'Ja hoor,' zei ze. 'Heel goed. Dat moet straks lukken.' Ze pakte zijn arm en stak die voorzichtig door de hare. 'Kom, volgens mij is het tijd om het podium op te gaan, vind je ook niet?'

'Zeg het maar... Poeh! Wat is dat voor stank? Je hebt je al heel lang niet gewassen, of anders zit het afvoerputje verstopt!' Hij liet zich door haar meevoeren de kamer uit, maar op de een of andere manier bleef hij praten. 'Hoor eens, ik weet niet waar je die mantel vandaan hebt, maar volgens mij wil de vogelverschrikker hem terug!'

Terwijl hij aan één stuk door babbelde, nam ze hem mee de gang door en de marmeren trap af naar de balzaal, waar zijn koninklijk publiek op hem zat te wachten.

Cornelius had het gevoel dat hij al uren onderweg was. Het maanlicht was zwak en hij kon niet ver vooruitzien, maar hij had zijn uiterste best gedaan om de aanwijzingen op te volgen die hij had meegekregen en hij wist zeker dat hij de goede richting te pakken had.

De stilte werd alleen verbroken door het getjirp van onzichtbare insecten en het spookachtige gehuil van een luper, ergens ver weg naar het noorden. Fantoom hinnikte nerveus en trapte met haar achterbenen. Cornelius stak zijn hand naar beneden en streek over haar appelgrauwe hals.

'Rustig maar, meisje,' zei hij. 'Dat is heel ver hiervandaan.' Toch kon hij de luperaanval van kort tevoren niet uit zijn gedachten zetten, en toen hij zijn hand weer optrok, liet hij hem rusten op het gevest van zijn zwaard. Hij hield zijn blik op de weg voor zich gericht.

Cornelius reed enige tijd in stilte door en werd toen beloond met een plotselinge golf maanlicht die door een gat in de wolken brak. Het zilveren licht viel op iets wat zich ver weg aan de horizon bevond. Midden op de vlakte stond een eenzame houten schuur. Dat was de plek waar hij zijn pakket moest afleveren.

Hij liet Fantoom op stap overgaan en reed recht op de schuur af, waarbij hij probeerde zo veel mogelijk in zich op te nemen. Het was een oude schuur, zo verwaarloosd dat hij bijna in elkaar stortte. Het was vreemd dat er buiten geen hippo's stonden te wachten. De deuren en ramen zaten stevig dicht om de nacht buiten te sluiten. Toen Cornelius nog dichterbij kwam, zag hij de flauwe gloed van lamplicht onder de deur door komen.

'Nou, dan is er in elk geval iemand thuis,' mompelde hij peinzend, en bij wijze van antwoord blies Fantoom zachtjes door haar neusgaten.

Nu waren ze vlakbij. Cornelius liet Fantoom halt houden,

maar hij steeg niet meteen af. Hij bleef zitten, ingespannen luisterend, misschien in de hoop binnen stemmen te kunnen horen; maar het enige geluid was het zwakke geruis van nachtbriesjes, die laag en in vlagen over de vlakte waaiden en het lange gras lieten deinen.

Uiteindelijk zat er niets anders op en moest hij wel afstijgen. Cornelius nam er alle tijd voor. Hij bond Fantoom vast aan een struik in de buurt. De kleine pony stampte opgewonden met een achterhoef en begon halfhartig te grazen. Cornelius reikte omhoog en gespte de leren zadeltassen los. Hij stak zijn hand in een ervan en haalde het pakket eruit: een vierkant bundeltje, in een doek gewikkeld.

'Blijf hier maar wachten,' zei hij tegen Fantoom, maar hij had het nog niet gezegd of hij merkte hoe belachelijk het klonk. Natuurlijk bleef de pony daar wachten: ze was immers aan een struik vastgebonden? Hij schudde zijn hoofd, schoof het pakketje onder zijn arm en liep langzaam naar de deur van de schuur. Hij bleef nog even staan luisteren, maar van binnen kwam geen enkel geluid.

Hij hief zijn hand en klopte met zijn knokkels op de deur, hard genoeg om schokgolven over de vlakten te zenden. De deur bleek niet op slot te zitten, en onder zachte druk zwaaide hij soepel en geruisloos open. Onmiddellijk kreeg Cornelius het gevoel dat er iets niet klopte. Het was een oude, verlaten schuur, maar toch had iemand kortgeleden de scharnieren van de deur geolied. De oliegeur drong in zijn neus toen hij naar binnen stapte.

Onzeker keek hij om zich heen, met zijn vrije hand nog steeds om het gevest van zijn zwaard. Vluchtig nam hij het binnenste van de schuur in zich op; overal om hem heen zag hij stapels oude hooibalen. Hij zag de lange houten tafel in het midden van de ruimte en de gestalte van een man die aan het uiteinde van de tafel zat, met voor zich een bronzen kroes. De man keek Cornelius verwachtingsvol aan.

'Welkom,' zei hij. 'Volgens mij heb je iets voor me.'

Cornelius knikte, maar hij verroerde zich niet.

'Kom dan,' zei de man ongeduldig, en hij wenkte. Het was een wat oudere kerel, kalend en met een grijze baard. 'Kom het dan brengen.'

Cornelius fronste zijn voorhoofd en hij bedacht dat de schuur wel honderd schuilplekken telde. Maar hij stond onder bevel, een bevel dat hij tot op de letter moest opvolgen. Hij stak de met hooi bedekte vloer over tot hij voor de tafel stond. Hij zette het pakket voor de man neer. Die keek naar hem en schonk hem een vreugdeloze grijns. Zittend was hij toch nog een kop groter dan Cornelius.

'Je hebt een lange rit achter de rug,' merkte hij op. Het was geen vraag, maar een constatering. Hij stak zijn grote, smerige handen naar voren en begon het pakket open te maken. Cornelius keek vol belangstelling toe, want hij was benieuwd wat er voor belangrijks in kon zitten. Met zijn vingers peuterde de man de leren riempjes los die het pakket samenbonden en toen de omslagen wegvielen, bleek er geld in te zitten: een grote hoop gouden kronen, die samen een flink bedrag vormden. Cornelius kon een gevoel van teleurstelling niet onderdrukken. Hij had iets interessanters verwacht dan doodgewoon geld. Maar de baardige man leek er zeer mee ingenomen te zijn. Zijn grijns werd nog breder en weer keek hij naar Cornelius.

'Een klein fortuin,' zei hij. 'Wil je weten waarvoor dat geld bestemd is?'

Cornelius haalde zijn schouders op. Zo geïnteresseerd was hij nou ook weer niet.

'Het is de prijs die een koning ervoor overheeft,' zei de baardige man, 'om zich te ontdoen van lastig ongedierte.' En met die woorden stond hij op en trok een zwaard uit zijn riem. 'Mannen!' riep hij. 'Pak hem!'

Cornelius, die nog bezig was zijn eigen zwaard uit de schede te trekken, verstarde even. Hij was zich bewust van beweging overal om hem heen, hooibalen die opzij werden geduwd terwijl mannen uit hun schuilplaatsen opdoken: haveloze, gewapende mannen, Bandistanen naar hun uiterlijk te oordelen. Het was een hinderlaag en Cornelius was er met open ogen in gelopen.

Toch gunde hij zichzelf de tijd om zijn blik door de hele schuur te laten gaan. Er waren vijftien tot twintig mannen en met een ijzige vastberadenheid in hun ogen kwamen ze op hem af.

Hij grijnsde en trok zijn zwaard nu helemaal uit de schede. 'Heren,' zei hij. 'Ik zie dat u allemaal gekomen bent voor een lesje zwaardvechten. Zullen we dan maar?'

19

De show kan beginnen

Sebastiaan kon onmogelijk stil blijven staan en liep te ijsberen achter de gordijnen. Het was geen kwestie van zenuwen, maar van ongeduld. Hij popelde om het podium op te gaan en ze te laten zien wat hij kon. Ergens wist hij dat het niet normaal was zoals hij zich voelde, dat er iets in de wijn moest hebben gezeten die de oude vrouw hem had gegeven. Maar dat kon hem niet schelen. Hij barstte van het zelfvertrouwen en was er in zijn hart van overtuigd dat hij de grappigste man uit de hele geschiedenis was. En nu kreeg hij de kans om het te bewijzen.

Aan de andere kant van de gordijnen hoorde hij het geroezemoes van de hovelingen, die zich op hun stoelen installeerden; boven, op de galerij aan de achterkant van de zaal, speelden minstrelen een merkwaardige, bijna vals klinkende dansmuziek. Opeens hield de muziek op en ervoor in de plaats klonk schetterend trompetgeschal. Sebastiaan trok de gordijnen iets opzij en gluurde ertussendoor. Zojuist had koning Septimus de zaal betreden, met prinses Karijn aan zijn arm. Ze liepen over een middenpad tussen de rijen knielende dames en heren door en namen plaats op twee overdadig versierde tronen helemaal vooraan in de zaal. Koning Septimus zwaaide even met zijn hand en iedereen ging weer zitten. Alle blikken waren op het podium gericht. Toen beklom Maltus het verhoogde gedeelte waarop Sebastiaan zijn voorstelling zou geven. Voor hij het woord nam, maakte hij een diepe buiging.

'Majesteit... Koninklijke Hoogheid... op deze zeer bijzondere dag is het een grote eer voor het hof van Keladon om ter uwer vermaak aan u te mogen presenteren: de populairste nar van alle koninklijke hoven over de hele wereld – de Grootmeester van de Grap, de Vorst van de Vrolijkheid, de Koning van de Komedie! Hier is de enige echte Sebastiaan Duister, Prins der Dwazen!'

Maltus verliet het podium terwijl de gordijnen uiteengingen, en meteen sprintte Sebastiaan het licht in, met de openingszin van zijn zorgvuldig voorbereide nummer op het puntje van zijn tong. Maar zodra hij op zijn plek stond, leken de woorden te verdampen, in rook op te gaan; en hoewel hij wist dat het verkeerd was, dat het volslagen dwaas was, was er op de een of andere manier geen houden meer aan: hij begon te improviseren.

Met zijn handen in de zij keek hij even om zich heen naar de mistroostige gezichten van het publiek. 'Wat is er aan de hand?' vroeg hij. 'Is er soms iemand gestorven?'

Stilte.

'Ik weet namelijk hoe dat voelt. Ooit stond ik een hele zomer in Bandistan. Ik wil niet beweren dat het publiek stil was, maar op een seance zou ik meer reactie hebben gekregen. Er was een man die soep begon te eten en iedereen stond op om te gaan dansen.'

Weer stilte... en opeens klonk er een gniffellachje. Prinses Karijn. Even draaiden alle hoofden haar kant op, en toen de mensen beseften dat er een koninklijk precedent was geschapen, besloten ze allemaal haar voorbeeld te volgen. Allemaal, behalve koning Septimus. Geen spiertje in zijn gezicht bewoog. Door de zaal ging echter een beschaafde rimpeling van pret, en Sebastiaan ging met nieuwe moed verder.

'Hé, het is echt fantastisch om eindelijk in het paleis te mogen optreden! Hoewel, ik heb gehoord dat de laatste man die hier een show gaf het niet zo goed deed bij het publiek. De hele voorstelling wist hij het hoofd koel te houden, maar meteen erna raakte hij het kwijt. Trouwens, de beul bracht hem het nieuws op een wel heel leuke manier. Hij zei: "Percival, eigenlijk heb je vijf kilo vadsig vet te veel – en niemand kan je daar beter van afhelpen dan ik!"'

Weer werd er gelachen, deze keer luider.

'Die arme Percival knielt dus neer, met zijn hoofd op het blok. Dan komt er een boodschapper aanrennen die zegt dat hij een belangrijke brief voor hem heeft. Percival zegt: "Gooi maar in de mand, dan lees ik hem later wel!"'

Opnieuw klonk het geschater van prinses Karijn – en na een korte stilte vielen de overige leden van het hof haar bij.

'Plotseling krijgt de koning medelijden met Percival en hij besluit hem vrijspraak te verlenen. Dus hij zegt: "Kom overeind, Percival, op slag." Er gebeurt niets. De koning zegt het nog eens, maar nu iets luider: "Kom overeind, Percival, op slag!" Maar nog steeds verroert hij zich niet. Iemand in de menigte roept: "U moet zeggen dat hij onmiddellijk overeind moet komen, Majesteit. Hij is hofnar en hij weet niet wat opslag is!"'

Nu klonk er luider gelach, hoewel koning Septimus een vreselijk chagrijnig gezicht trok. Misschien had hij niet veel op met een grap die inhield dat hij zijn hofnarren niet genoeg loon betaalde. Als Sebastiaan wat helderder van geest was geweest, had hij zich misschien voorzichtiger uitgelaten, maar hij wist van geen ophouden meer.

'Hé, zitten er vanavond ook kooplieden in de zaal?' Hier en daar ging een hand omhoog. 'Ik ben gék op kooplieden! Maar een hele krijg ik niet op! Even serieus, hebben jullie gehoord van die koopman die door Bandistanen werd overvallen? Ze sloegen hem in elkaar en stalen zijn geld. Maar nu komt het slechte nieuws: hij was mijlenver van huis en het werd al donker. Toen zag hij een boer bij zijn hek staan en met een beroep op het goede hart van de man smeekte hij hem of hij de nacht bij hem mocht doorbrengen. Die boer krijgt medelijden met de koopman en zegt tegen hem dat hij die nacht bij zijn varkens mag slapen. De koopman is ontzet. "Maar die vreselijke stank dan?" vraagt hij. "Maak je maar geen zorgen," zegt de boer, "daar zijn ze zo aan gewend!"'

De meeste toeschouwers konden er wel om lachen, maar dat gold duidelijk niet voor degenen die hun hand hadden opgestoken. Sebastiaan liet zich niet uit het veld slaan en ging verder.

'Hoe noem je een koopman die van een steile rots valt? Een veelbelovend begin! Hoe red je een koopman van de verdrinkingsdood? Door je voet van zijn hoofd te halen! Hoe weet je dat je langs het huis van een koopman loopt? Omdat er toiletpapier aan de waslijn hangt!'

'Zo kan ie wel weer!' klonk het humeurig vanuit het publiek.

'O, nou komt het zeker te dicht op je huid, hè? Even denken, wie hebben we hier nog meer?' Langzaam liet hij zijn blik over het publiek gaan, tot hij bij het strakke gezicht van de koning was aangekomen. 'Natuurlijk,' zei hij. 'Zijne Majesteit koning Septimus.' Hij zweeg even en keek naar de rijen gezichten, die hem vol ontzetting aanstaarden. Hij wist dat het waanzin was om grappen te maken over de koning, die hem per slot van rekening pas in dienst had genomen, maar hij leek wel een beest dat door het dolle heen was en als een gek op een klip afstormde. 'Eigenlijk zou ik het liefst willen zeggen dat de koning een aardig, grootmoedig en intelligent heerser is. Dat zou ik echt het liefst willen zeggen, maar ik heb onlangs een eerlijkheidsgelofte afgelegd!'

Prinses Karijn begon te lachen, maar hield daar meteen weer mee op toen het tot haar doordrong wat Sebastiaan precies had gezegd. Opeens was het doodstil in de zaal en toen Sebastiaan zijn verhaal vervolgde, leken zijn woorden te weergalmen.

'De koning is namelijk een ongelooflijk rijk man, maar je vraagt je toch af hoe hij zo rijk is geworden. Heel eenvoudig: door een speciale regeling te treffen waarbij hij alles krijgt van de mensen om hem heen. Het enige andere schepsel met een dergelijke regeling is een vampier. Koning Septimus heeft een gezegde: "Wat van mij is, is van mij en wat van jou is, is ook van mij." Er wordt wel beweerd dat hij daarom nooit getrouwd is. Niet dat hij niet van de dames houdt; nee, hij wil gewoon niemand bij zich in de buurt hebben, stel je voor dat die haar hand in zijn zak steekt!'

Op zijn woorden volgde weer een ondraaglijke stilte.

'Heb ik soms iets verkeerds gezegd?' vroeg hij, en hij trok een onschuldig gezicht. 'Kom op nou, ik zeg alleen wat jullie allemaal denken! Dat Septimus geen vrouw heeft, betekent natuurlijk ook dat hij geen opvolger heeft!' Het publiek hapte naar adem. '"Opvolger", zei ik,' benadrukte Sebastiaan. 'Zoals in "troonopvolger". Laatst dacht ik bij mezelf dat de meeste koningen bijnamen hebben die aardig bedoeld zijn. Je weet wel, zoals Richard de Rechtvaardige, Erik de Eerlijke, Michiel de Magnifieke – maar die arme ouwe Septimus heeft er geen een.' Sebastiaan aarzelde even en knipte toen met zijn vingers. 'O, wacht eens even, dat is niet helemaal waar. Er schoot me er net eentje te binnen. In sommige kringen staat hij bekend als... Septimus Glimkop.'

In de daaropvolgende verschrikkelijke stilte had je een veertje kunnen horen vallen.

In de schemerig verlichte schuur stonden Cornelius en de baardige man tegenover elkaar en staarden elkaar aan. Toen Cornelius het woord nam, was zijn stem kalm.

'Allereerst,' zei hij, 'leren we hoe we een ondubbelzinnige aanval moeten afweren.'

De baardige man stormde naar voren, met geheven zwaard, klaar om toe te slaan, maar Cornelius pareerde de slag met de kling van zijn eigen zwaard en met een snelle salto landde hij op de tafel, zodat hij nu oog in oog met zijn tegenstander stond. Terwijl zijn voeten met een plof op het stevige hout neerkwamen, onderschepte hij een tweede slag en reeg de baardige man aan zijn zwaard, en dat alles in één vloeiende beweging.

'Als je een vijand wilt verslaan, moet je altijd rekening houden met het onverwachte,' zei hij.

En inderdaad, nog voor de baardige man op de grond was gestort, voelde Cornelius achter zich iets bewegen en hij zwiepte zijn zwaard over zijn linkerschouder. Als beloning hoorde hij de klap waarmee de kling een stalen helm raakte, gevolgd door een brul van pijn, maar hij draaide zich niet om om zijn tegenstander te zien vallen. In plaats daarvan trok hij zich terug naar het midden van de tafel, in de wetenschap dat de Bandistanen zich naar voren zouden moeten buigen om hem neer te steken, waardoor ze uit balans dreigden te raken. Ook wist hij dat hij van alle kanten omsingeld was en dat hij al die zwaarden hooguit een paar tellen lang kon ontwijken.

'Als een bepaalde positie te gevaarlijk wordt, ga dan altijd op zoek naar een betere,' liet hij zijn gehoor weten. Er vloog een speer op hem af en hij zwenkte opzij en bracht hem met zijn linkerarm uit koers, waarbij hij de houten schacht langs bot voelde schampen. De speer tolde de andere kant op en boorde zich tussen de ribben van een naderende Bandistaan, die een kreet van verbazing slaakte en als een zoutzak neerstortte.

'Soms komt een ongelukje wel heel gelegen!' zei Cornelius.

Hij keek vluchtig om zich heen: eerst naar de slordige kring van flitsend staal die zich snel rond hem samentrok, en toen naar de dakbalken boven zijn hoofd. Hij koos de juiste plek, een punt waar een horizontale dwarsbalk en een verticale spantbalk elkaar ontmoetten. Vervolgens rende hij naar voren en wierp zichzelf de lucht in, met inzet van alle krachten die hij voor de Golmiraanse doodssalto nodig had. Messcherpe zwaarden maaiden door de lucht, op enkele centimeters onder zijn omhoogvliegende voeten, maar hij sloeg zijn linkerarm rond de spantbalk en met een zwaai kwam hij op de dwarsbalk terecht. Hij keek neer op de krijgers beneden hem en moest lachen om hun verblufte gezichten. Nu konden ze hem alleen op zíjn voorwaarden benaderen: een voor een of met zijn tweeën.

'Zodra je je nieuwe positie hebt ingenomen,' bulderde hij opgewekt, 'schat je de situatie in en wacht je de vijand op.'

Een tweede speer boorde zich met een klap en trillende houten schacht in de spantbalk, op enkele centimeters van Cornelius' hoofd. Hij wilde de speer eruit trekken, maar toen bedacht hij zich. 'Onverwachte hulpstukken kunnen later nog van pas komen,' luidde zijn commentaar.

Weer wierp hij een blik naar beneden, waar een gedrang vanjewelste ontstond toen de Bandistanen naar links en naar rechts renden en tegen de hooibalen op klauterden, die hoog langs de zijmuren van de schuur lagen opgestapeld. Terwijl Cornelius in alle rust toekeek, schuifelde er een man over de dwarsbalk naderbij, even later gevolgd door een tweede man, maar nu van de andere kant. Ze kwamen op Cornelius af, met het zwaard voor zich uit. Het waren grote mannen, die onzeker wankelend naderbij sloften.

'Zodra de vijand zich op onbekend terrein begeeft, ben jij in het voordeel,' zei Cornelius. De eerste man was nu binnen zwaardbereik en haalde met een woeste zwiep uit naar het hoofd van de kleine krijger. Terwijl Cornelius de slag ontweek, zag hij dat het gigantische zwaard van de Bandistaan een grote hap uit de spantbalk boven zijn hoofd sloeg. Zijn eigen zwaard zwiepte langs de benen van de Bandistaan, waarop de man zijn evenwicht verloor, zijwaarts neerviel en met een zware dreun beneden op de tafel terechtkwam. Nu boog de tweede man zich om de spantbalk heen en probeerde naar Cornelius uit te halen, maar de kleine krijger draaide zich lichtvoetig om en stak de punt van zijn zwaard tussen de ribben van zijn tegenstander. Die viel ook en plofte op de tafel, boven op zijn voorganger.

'Het verrassingselement mag nooit onderschat worden,' verklaarde Cornelius.

Nu schuifelden meer mannen van weerszijden over de horizontale balk, in twee lange rijen, die vastberaden op hem afkwamen. Cornelius keek naar links en naar rechts, en nam toen een besluit.

'Probeer je vijand zo veel mogelijk in grote aantallen te gra-zen te nemen,' luidde zijn advies.

Hij stak zijn linkerhand omhoog en klemde die stevig om de schacht van de speer die uit de spantbalk stak. Toen hakte hij met zijn zwaard in de dwarsbalk voor zijn voeten. Zijn eerste slag ging er tot halverwege doorheen en de Bandistanen aan die kant schreeuwden het uit van schrik toen ze beseften wat hij aan het doen was. Sommigen probeerden uit alle macht terug te krabbelen in de richting waaruit ze gekomen waren, maar met een tweede haal van zijn zwaard sloeg Cornelius de balk dwars doormidden. Het uiteinde viel opeens naar de vloer en de vijf mannen die erop stonden tuimelden naar hem toe, zwaaiend met hun armen in een vruchteloze poging om hun evenwicht te bewaren. Hangend aan de speer haalde Cornelius naar hen uit terwijl ze langs hem buitelden, en de kling van zijn zwaard sneed moeiteloos door maliënkolder en leer. Met zijn vijven donderden ze dood of gewond op de tafel, die omkieperde on-der hun gewicht en het hele zootje op de grond kwakte.

'Goed onthouden,' zei Cornelius, 'dat het voordeel niet altijd aan jouw kant is, dus maak er goed gebruik van!'

Nu zwaaide hij rond aan de speer en schopte met zijn voeten tegen de borst van de dichtstbijzijnde krijger aan de andere kant van de spantbalk. De man sloeg ruggelings achterover en smak-te tegen zijn makkers aan. Hij viel, samen met een tweede man;

een derde bleef wanhopig bungelen tot Cornelius zijn voeten met een klap op zijn vingers liet neerkomen en hij brullend van de pijn losliet. Cornelius wilde net weer in gevechtshouding omhoogkomen toen hij plotseling een klap kreeg en de bijtende pijn voelde van koud metaal dat door zijn schouder sneed. In doffe verbazing sloeg hij zijn blik neer en zag het gevest van een werpmes uit zijn maliënhemd steken. Hij gaf een grom van verrassing en ergernis, en toen hij opkeek, zag hij de man die het mes had geworpen: een lange, slungelige kerel die gevaarlijk wankelend op de balk stond en met een doodsbange uitdrukking op zijn groezelige gezicht naar zijn zogenaamde slachtoffer staarde.

'Woede kan heel nuttig zijn,' grauwde Cornelius, 'maar alleen als het beheerste woede is.' Met een oorverdovende brul rende hij de balk over, recht op de drie mannen af die er nog steeds op stonden. De messenwerper raakte in paniek en probeerde achteruit te wijken, maar de overige mannen drongen juist naar voren, zodat ze een warrig kluitje vormden, tot Cornelius tegen hun benen aan ramde en ze alle kanten op liet vliegen. Ze vielen van de balk en voegden zich bij de grote kreunende hoop mannen op de vloer.

Cornelius pauzeerde even, stak zijn zwaard weg en met opeengeklemde kaken van de pijn trok hij met zijn rechterhand het werpmes uit zijn schouder. Bloed spoot over zijn borstschild naar beneden. Hij keek naar de vloer en zag daar de laatste paar krijgers, die hem onzeker aanstaarden.

'Als je een werpmes gebruikt,' liet hij hun weten, 'onthoud dan dat het alleen iets uithaalt als het de juiste plek raakt.' Hij hief zijn arm en bracht hem weer naar beneden, en het mes vloog rondtollend op de dichtstbijzijnde Bandistaan af. De man zag het naderen, maar hij was te traag om ook maar een poging te doen het te ontwijken. Met een luide plof drong het lemmet in zijn borst en hij viel achterover op de vloer, morsdood. Glimlachend keek Cornelius neer op de drie mannen die nog overeind stonden en hij trok zijn zwaard weer uit de schede.

'Laatste les,' zei hij. 'Als je te maken krijgt met de zielige restanten van een lafhartige hinderlaag, toon dan geen genade.'

Hij maakte zich gereed voor de afdaling, maar eigenlijk was dat al niet meer nodig. De drie overgebleven Bandistanen draaiden zich om en renden via de schuurdeur naar buiten. Cornelius hoorde hun voeten over de vlakte roffelen. Hij sprong naar beneden, maar toen zijn voeten de vloer raakten, moest hij zijn kiezen op elkaar klemmen, zo hevig was de pijn in zijn schouder. Hij wierp een vluchtige blik op de berg dode en gewonde mannen en verzekerde zich ervan dat niemand hem verder problemen zou bezorgen. Ook al had hij de hinderlaag overleefd, toch wist hij dat het niet het einde van het verhaal was.

Koning Septimus had hem de dood in willen sturen. Hij had er vast een reden voor om hem uit de weg te ruimen...

'Bij Schimloks baard!' gromde hij. 'Sebastiaan!' Hij wist niet hoe het de jongen op dat moment verging in het paleis, maar wat er ook aan de hand was, waarschijnlijk zou hij enige hulp heel goed kunnen gebruiken. Cornelius haastte zich naar buiten. Hij voelde dat zijn gewonde schouder en de arm die eraan bungelde stijf begonnen te worden, maar het ontbrak hem aan tijd om erbij stil te staan. Hij moest zo snel mogelijk terug en had nog een lange reis voor de boeg. Hij trof een angstige Fantoom aan, die nog steeds aan de struik zat vastgebonden. Vlug maakte hij de teugels los en sprong in het zadel.

'Kom op, meisje,' fluisterde hij in haar oor. 'Terug naar het paleis, zo rap als je kunt. Iemand heeft onze hulp hard nodig.'

Hij drukte zijn hakken in haar appelgrauwe flanken, ze sprong in galop en racete ervandoor, zo snel als haar korte beentjes haar konden dragen. Cornelius hoopte dat het niet te laat was.

20

In de puree

Sebastiaan keek naar het paars aangelopen gezicht van de koning en besefte dat hij iets volslagen onvoorstelbaars had gezegd.

Septimus Glimkop? Kwam dat echt uit zijn mond? Hij had het inderdaad iemand horen zeggen en zo te zien was er verder niemand in de buurt die zo stom was om dergelijke woorden uit te spreken. Dan móést hij het zelf gezegd hebben, concludeerde hij. Maar wat had hem bezield? Had Maltus hem niet verteld dat niemand zo roekeloos was om die woorden in aanwezigheid van de koning in de mond te nemen?

De koning zat ineengedoken op zijn troon; zijn ogen schoten vuur en grauwend van woede had hij zijn tanden ontbloot. Naast hem zat prinses Karijn, met open mond en haar gezicht verstard van schrik. En naast háár zat Maltus, die keek alsof hij zojuist een stomp in zijn maag had gekregen; hij had zijn ogen samengeknepen en zijn mond getuit tot een verbijsterde 'oh!'.

En die diepe, vreselijke stilte duurde maar voort.

'H-heb ik soms iets v-verkeerds gezegd?' stamelde Sebastiaan zenuwachtig. Hij besefte dat zijn eerdere zelfvertrouwen weg-smolt als ijs onder de felle schittering van de zon. Het drankje dat hij had ingenomen raakte vast uitgewerkt, maar het was te laat, nu had hij er niks meer aan. 'Majesteit, ik... Ik bedoelde het eigenlijk niet...'

Achter in de zaal bewoog iets en hij keek op. Hij zag dat die ouwe feeks, Magda, woest naar hem gebaarde en zijn aandacht probeerde te trekken. Hij negeerde haar en zei tegen zichzelf dat ze voldoende schade had aangericht voor één avond. In uiterste wanhoop besloot hij een poging te doen om de koning wat op te vrolijken.

'Majesteit, als u me toestaat zal ik proberen met een rijmpje uw brong te teken... eh, ik bedoel uw brang te twoken... eh... breek te tongen...'

Hij gaf zijn onhandige poging om het uit te leggen op en stortte zich op het rijmpje:

'Een berige boer en een boerige beer
zaten barrig en bozig bij een meer.
De boer verdroeg de beer niet meer
en de beer die vond de boer geen heer.
"Zeg," zei de boer tegen de beer,

"je lijkt wel een doorboorde peer."
Waarop de beer in ene keer
de boer wegmepte in het meer.
"Ha," klonk de beer zijn barse sneer,
"die boer die zien we hier niet weer."'

Met een glimlach spreidde Sebastiaan zijn armen om het einde van het lied aan te geven, en hij kon nauwelijks geloven dat hij het er goed af had gebracht; maar koning Septimus liet op geen enkele manier blijken dat hij het gedicht ook maar gehoord had. Nog steeds keek hij Sebastiaan aan, met een priemende blik vol onversneden haat. Als Sebastiaan een schep had gehad, zou hij met alle genoegen een gat hebben gegraven en erin zijn geklommen.

'O, toe nou,' zei hij verongelijkt. 'En ik doe nog wel zo mijn best! Jullie kunnen me toch wel een beetje aanmoedigen!'

Weer zag hij dat Magda verwoed gebaren stond te maken. Het viel hem nu op dat ze naar de verdwijnkast wees, die achter op het podium stond, alsof ze dacht dat die op de een of andere manier uitkomst kon bieden. Sebastiaan zei tegen zichzelf dat het geen kwaad kon om het te proberen. Wat had hij eigenlijk te verliezen?

Hij maakte een diepe buiging. 'En nu, Majesteit, heb ik een heel speciale verrassing voor u, en ik weet zeker dat u ervan zult genieten.'

'Ga je jezelf soms van kant maken?' opperde koning Septimus hoopvol.

'Eh... nee, Sire. Nee, ik ga een wonderbaarlijke toverkunst voor u opvoeren! Iets wat u nog nooit hebt gezien. Maar daarvoor heb ik wel de hulp nodig van iemand uit het publiek!' Sebastiaan maakte een gebaar naar de hovelingen op hun stoelen en het viel hem op dat er geen gezicht bij was waar de ontzetting niet vanaf droop. 'Het... eh... is een prachtige truc,' vervolgde hij. 'Eentje die de gekroonde hoofden van de hele wereld voor een raadsel heeft gesteld...'

'Schiet nou maar op!' snauwde koning Septimus.

'Hm... ja, alleen heb ik er een assistente bij nodig. Misschien zou de prinses zo vriendelijk willen zijn...'

Weifelend stond prinses Karijn op van haar troon. Zonder plichtplegingen gaf haar oom haar een duw in haar rug, in de richting van het podium, en ze tuimelde bijna om.

'Ah, prinses! Wat een eer,' mompelde Sebastiaan. Hij pakte haar hand en voerde haar mee naar de kast.

'Wat is er met jou aan de hand?' fluisterde ze, met haar rug naar het publiek. 'Hoe kwam je erbij om dat te zeggen?'

'Ik weet het niet,' fluisterde hij terug. 'Volgens mij zat er iets in mijn wijn.'

'Ben je soms dronken?' vroeg ze.

'Nee, dat ook weer niet.' Hij keerde zich weer naar het publiek toe en maakte opnieuw een buiging. 'Majesteit, dames en heren van het hof, aanschouw de magische kast van Aliminthera!' Hij stak zijn hand uit en met een zwaai opende hij de houten deur. 'Zoals u ziet, is het net een doodgewone lege kast.' Hij bewoog zijn hand in het binnenste heen en weer om te laten zien dat het was wat het leek. 'Goed, mag ik de prinses nu verzoeken in de kast te stappen?' Ze gehoorzaamde en ging met haar rug tegen de achterwand staan. Sebastiaan draaide zich naar haar toe, en terwijl hij deed alsof hij een laatste controle verrichtte, vroeg hij fluisterend: 'Je weet toch wat je moet doen, hè?'

Ze knikte, maar haar gezicht stond strak. 'Toch heb ik het gevoel dat jíj maar beter kunt verdwijnen,' zei ze binnensmonds.

Daar had Sebastiaan niet van terug. Met een zwaai sloot hij de deur en op hetzelfde moment drukte hij op het mechaniek ernaast, dat de achterwand van de kast geruisloos liet ronddraaien.

'En nu spreek ik de toverformule uit...'

'*... Alika karamah silika kai!*'

Via de houten achterwand van de kast drong Sebastiaans stem vaag tot prinses Karijn door. Het mechaniek had haar op goed geoliede wielen laten rondgaan, en nu hoefde ze alleen maar tussen de gordijnen achter op het podium door te glippen

233

en daar te wachten, verborgen voor het publiek, zodat Sebastiaan de hele kast kon omdraaien om de toeschouwers te laten zien dat er niemand achter stond.

Na een kletspraatje zou hij de kast weer in zijn oorspronkelijke positie zetten en aankondigen dat het tijd werd om de prinses terug te halen; dat was voor haar het signaal om zich op precies dezelfde plek op te stellen, waarna het mechaniek opnieuw zou ronddraaien zodat zij weer ín de kast kwam te staan.

Een ongelooflijk eenvoudige truc – en eigenlijk heel doorzichtig, als je erover nadacht, maar het zag er wel verbazingwekkend uit. Hoewel, naar het humeur van oom Septimus te oordelen was hij hoogstwaarschijnlijk niet onder de indruk. Ze zou er al haar overredingskracht voor nodig hebben om te zorgen dat Sebastiaan niet gestraft werd. Wat had hem toch bezield dat hij zich zo roekeloos had gedragen?

Ze glipte tussen de gordijnen het schemerduister in, draaide zich om en gluurde door een smal spleetje, net op het moment dat Sebastiaan de deur opengooide en het hele publiek verbaasd de adem inhield.

'Maar wat is dat nou, Majesteit?' hoorde ze hem zeggen. 'Het ziet ernaar uit dat prinses Karijn verdwenen is!' De truc werd begroet met een halfhartig applausje, en ze dacht net dat alles misschien toch nog goed zou komen toen een krachtige arm haar bij haar middel greep en een enorme hand stevig voor haar

mond en neus werd geslagen, een hand die een doek vasthield
– een vochtige doek waar een sterk ruikend goedje op zat. De
prinses probeerde zich te verzetten, maar de handen waren te
sterk en de stank die van de doek afkwam leek in een grote golf
door haar neusgaten te spoelen en haar hele hoofd te vullen.
Opeens had ze geen kracht meer in haar spieren en ze viel een
peilloze, donkere diepte in.

Al zwevend was ze zich heel vaag bewust van armen die
haar optilden en wegdroegen, de doodstille schaduwen aan de
rand van het podium in.

'Dus, Majesteit, zoals u ziet, staat er niemand achter de kast!'
verkondigde Sebastiaan, die het meubel helemaal ronddraaide
zodat het publiek het van alle kanten kon bekijken. 'Hare Koninklijke Hoogheid is weggetoverd door de duiveltjes van Aliminthera. Maar vrees niet, want ik kan haar terughalen!'

'O, fijn!' zei de koning op droge toon.

'Ik hoef alleen maar de toverformule uit te spreken.' Sebastiaan aarzelde, want hij wilde er zeker van zijn dat prinses Karijn
voldoende tijd had om haar plek weer in te nemen. 'Die heilige
en buitengewoon geheime formule, die alleen de hogepriesters
van Aliminthera kennen. Een formule die uiteraard in de goede
volgorde moet worden uitgesproken...' Sebastiaan drukte op de
geheime knop en voelde een lichte trilling toen het mechaniek

begon te draaien. '*Alika karamah silika kai!*' riep hij uit, en hij greep het handvat van de deur. 'En zoals u ziet, Majesteit, is de prinses' – hij wierp de deur open – 'nog steeds weg,' zei hij beteuterd.

Uit het publiek steeg een teleurgesteld geroezemoes op, dat Sebastiaan met een onverschillig lachje probeerde te bezweren.

'Ha ha! Dat was alleen maar een test! Ik... Ik had jullie echt even beet, hè?' Hij deed de deur weer dicht. 'Maar deze keer komt ze uiteraard wél echt terug.' Hij wachtte, waarschijnlijk langer dan nodig was. 'Ja, ik voel dat de geesten haar nu vrijlaten. Ze laten haar gaan en... en sturen haar terug... terug... terug naar de mysterieuze kast van Aliminthera. Majesteit, bereidt u zich voor, want u zult absoluut versteld staan!'

Voor de tweede keer wierp hij de deur open. En onthulde niets dan leegte.

Nu hapte het publiek hoorbaar naar adem en het ontstelde gemompel werd steeds luider.

'Waar is mijn nicht?' vroeg koning Septimus.

'O, rustig maar, Sire, waarschijnlijk staat ze nog... met de geesten te praten.' Sebastiaan sloot de deur weer, en toen knipte hij met zijn vingers. 'Volgens mij helpt het als we haar met z'n allen roepen! Ja, waarschijnlijk kan ze me niet horen achter het gor... ik bedoel, achter de sluiers der vergetelheid.' Hij gebaarde naar het publiek in een poging het erbij te betrekken. 'Prinses Karijn!' riep hij luid. 'Prinses Karijn? We wachten op u, kom

236

maar terug. U hoeft... U hoeft alleen maar op de goede plek te gaan staan en... ta-dáá!' Voor de derde keer opende hij de deur. En weer was de kast afgrijselijk leeg. Sebastiaan dook erachter, maar ook daar was geen teken van haar te bekennen.

Er ontstond steeds meer tumult onder het bezorgde publiek, en inmiddels was koning Septimus zelf van zijn troon opgestaan.

'Waar is prinses Karijn?' wilde hij weten.

Sebastiaan zuchtte. Er zat niets anders op. Nu moest hij alles bekennen. 'Ze staat achter het gordijn,' zei hij. Hij liep ernaartoe en trok het opzij. Maar het was leeg achter het gordijn. Verbijsterd staarde hij de duisternis in en weigerde te geloven dat zijn eenvoudige truc zo gruwelijk was mislukt. Waar was ze? 'Eigenlijk... Eigenlijk zou ze hier moeten staan wachten,' bracht hij met moeite uit.

'Waar heb je het over?' snauwde koning Septimus. 'Je zei dat je haar naar het rijk van Aliminthera zou zenden!'

'Tja, dat heb ik inderdaad gezégd,' gaf Sebastiaan toe. 'Maar u dacht toch niet...?'

'Hekserij!' riep iemand vanuit het publiek. 'Hij heeft de prinses weggetoverd!'

'Eh... nee, doe niet zo belachelijk, het is gewoon een truc. Ik kan echt niet...'

'Bewakers!' riep koning Septimus. 'Neem hem gevangen!'

Voor Sebastiaan zich kon verroeren, renden twee gespierde soldaten het podium op en pakten zijn armen vast. Machteloos probeerde hij zich aan hun greep te ontworstelen.

'Majesteit,' hijgde hij, 'ik kan het uitleggen!'

'Ik geloof niet dat er iets valt uit te leggen,' snauwde koning Septimus. 'In aanwezigheid van al deze getuigen heb je me zelf verteld dat je de prinses naar een of andere magische wereld zou sturen, en zo te zien heb je dat gedaan ook. Nu eis ik dat je haar onmiddellijk terughaalt.'

'Dat... Dat kan ik niet,' riep Sebastiaan uit. 'Ik weet niet waar ze gebleven is!'

Toen hij dat zei, brak er pas echt tumult uit in de zaal. Iedereen sprong op van zijn stoel en begon op zijn allerhardst te schreeuwen. Tussen de kreten door hoorde Sebastiaan verschillende stemmen opgaan die de koning op luide toon opriepen om 'de heks te verbranden'! Hoopvol keek hij de zaal rond, in de veronderstelling dat iemand tot het besef was gekomen dat Magda erachter zat; maar toen drong het tot hem door dat ze om hem schreeuwden.

'Maar... ik ben helemaal geen heks!' wierp hij tegen. 'Dat is belachelijk. Laat me nou uitleggen...'

'Naar de kerkers met hem!' brulde koning Septimus. 'Eens kijken of de koninklijke folteraars achter de waarheid kunnen komen.'

Sebastiaan probeerde tegen te sputteren, maar de twee kracht-patsers van soldaten sleepten hem al weg, dwars door de me-nigte. Terwijl hij werd meegevoerd stapten mensen naar voren om naar hem te spuwen of zijn hulpeloze lichaam met hun vuisten te bewerken. In doffe ontzetting besefte hij dat het ge-beurd was met hem. Binnen enkele uren was hij van held in ho-peloos geval veranderd – en erger nog: nu Cornelius weg was om een opdracht uit te voeren en Max in de koninklijke stallen zat opgesloten, was er niemand die hem kon helpen.

Vlak voor de soldaten hem de deur uit sleepten, zag hij Magda naar hem staan kijken, met een tevreden glimlach op haar le-lijke gezicht. Hij opende zijn mond om iets naar haar te roepen, maar een enorme vuist sloeg tegen zijn voorhoofd zodat hij het bewustzijn verloor, en tegen de tijd dat hij weer was bijgeko-men zeulden de soldaten hem de trap af, het duister van de ker-kers in.

239

21

De bittere waarheid

Fantoom spoedde zich voort onder de sterrenhemel, wolken stof achter zich opwerpend. Cornelius zat voorovergebogen in het zadel, met zijn kiezen op elkaar tegen de verschrikkelijke pijn in zijn schouder. Hij had nog een heel eind te gaan en zou er alles voor over hebben gehad om even te kunnen stoppen en uit te rusten.

Maar hij wist nu zeker dat het goed mis was en hij wilde pas halt houden als hij terug was in Keladon. Terwijl Fantooms hoeven de afstand tussen haarzelf en Sebastiaan steeds kleiner maakten, sloeg Cornelius met de teugels tegen haar flanken om haar tot nog grotere snelheid aan te zetten.

Prinses Karijn had het gevoel dat ze langzaam opsteeg van een plek diep op de bodem van een warmwaterpoel. Haar hoofd verbrak de waterspiegel en ze opende haar ogen, maar eerst was alles wazig. Toen kwam haar omgeving scherp in beeld, en ze besefte dat ze op een stoel zat in een verlaten kelderruimte.

Nee – toch niet verlaten. Een eindje van haar af zat iemand: een vuile, lompe man met een stoppelige kin en een dikke bos vettig zwart haar. Ze zag dat het Golon was, de opzichter van de koninklijke kerkers. Ze probeerde van de stoel op te staan, maar toen ze merkte dat ze vastgebonden zat, liet ze zich met een snik van ergernis weer vallen. Ze schudde haar hoofd in een poging zich van de laatste restjes slaap te bevrijden en probeerde zich uit de ruwe touwen te wurmen waarmee haar armen aan de stoel waren gebonden. Golon zag haar en grijnsde kruiperig, met een mond vol uiteenstaande tanden.

'Rustig maar, prinses,' zei hij. 'Wind je niet op, dat is nergens voor nodig. Gewoon stil blijven zitten en wachten.'

'Wat... Wat is er aan de hand?' vroeg ze. 'Waarom ben ik vastgebonden?'

'Ik volg alleen maar bevelen op, Hoogheid. Het is niet persoonlijk bedoeld.'

Nu zag ze dat ze een smerige, haveloze jurk aanhad, het soort vod dat dienstmeisjes droegen.

Plotseling, als een klap in haar gezicht, drong het vernederende van de situatie tot haar door. 'Hoe durf je!' riep ze uit. 'Laat me onmiddellijk vrij! Als mijn oom hoort hoe schandalig ik behandeld word, dan zal hij...'

241

'Hoogheid, toevallig was je oom degene die het bevel heeft gegeven,' zei Golon bot. 'Hij heeft me ook toestemming verleend om op wat voor manier dan ook te zorgen dat je je rustig houdt.' Dreigend boog hij zich naar haar toe, met een bars gezicht en gebalde vuisten. 'Dus als ik jou was, zou ik mijn mond maar houden. Tenzij je er liever een prop in wilt, natuurlijk.'

Prinses Karijn wilde antwoorden, maar na enige aarzeling klemde ze haar lippen weer op elkaar. Haar ogen vulden zich met tranen van verontwaardiging. Het enige wat ze voorlopig kon doen was blijven zitten en naar Golon kijken, die de cel op en neer liep en genoot van de macht die hij over haar had. Met een doffe schok besefte ze dat Sebastiaan gelijk had gehad toen hij de motieven van haar oom in twijfel trok.

Na een eeuwigheid ging de deur open en kwamen twee figuren het vertrek binnen. Oom Septimus stapte als eerste naar binnen, met een spotlach op zijn gezicht. Achter hem liep een enorme, wreed uitziende man met een kaalgeschoren hoofd en een lange hangsnor. Hij was gekleed in een bontgewaad en een broek van dierenhuid, waaraan je kon zien dat hij een Bandistaan was. Boosaardig grijnzend keek hij op prinses Karijn neer.

'Oom Septimus!' riep de prinses, die zichzelf nog steeds probeerde wijs te maken dat het allemaal een afgrijselijke vergissing was. 'Wat is er aan de hand? Golon zegt dat ú hiervoor het bevel hebt gegeven.'

'Dat klopt,' zei koning Septimus op kille toon.

'Maar... waarom?'

'Waarom?' Koning Septimus wierp zijn hoofd in zijn nek en lachte spottend. 'Ik had gedacht dat dat wel duidelijk zou zijn, zelfs voor een onnozel schaap zoals jij. Dacht je nou heus dat ik de sleutels van het koninkrijk aan een snotmeid zou overhandigen? Dat ik de macht en kracht van een koning onbekommerd zou afstaan en weer jouw officiële kindermeisje zou worden?'

'Maar... het is altijd de bedoeling geweest dat ik koningin zou worden.'

'De bedoeling, ja... Maar dat wil niet zeggen dat ik dat ooit heb geaccepteerd. Het is mijn bestemming om over Keladon te heersen. En daarin laat ik me door niets of niemand tegenhouden.'

'Maar ik ben uw nichtje! U wilt toch zeker een familielid geen kwaad doen?'

Koning Septimus schonk haar een poeslieve glimlach. 'Waarom niet? Door dat soort zaken heb ik me nooit laten weerhouden, of wel soms?'

Prinses Karijn sperde haar ogen wijd open toen de waarheid tot haar doordrong. 'Mijn ouders!' stamelde ze. 'U hebt hun dood op uw geweten!'

Koning Septimus maakte een spottende buiging. 'Hè, hè, het kroatertje is eindelijk gevallen!' zei hij. 'Arm dwaasje dat je bent. Waarschijnlijk was je de enige in het hele koninkrijk die mij niet verdacht. Maar inderdaad, ja, ik heb hun eh... verdwijning geregeld.'

'Maar waarom? Uw eigen broer en zijn vrouw...'

'Omdat je vader een slappeling was!' snauwde koning Septimus. 'Hij stond zo volledig onder invloed van je moeder dat hij vergat om te denken en te handelen zoals het een koning betaamt. Hij had geen flauw benul wat er bij het koningschap kwam kijken, en hij zou Keladon recht op de ondergang af hebben gestuurd. Wist je dat hij overwoog om het systeem af te schaffen waarbij iedereen betaalt voor het onderhoud van het paleis? Nog een paar jaar en we zouden allemaal straatarm zijn geweest. Dus heb ik maatregelen genomen om hem van het toneel te laten verdwijnen; en aangezien je moeder zonder hem doodongelukkig zou zijn, heb ik ervoor gezorgd dat ze hem naar de andere wereld kon vergezellen.'

Woede vlamde op in het hart van prinses Karijn, een grote vurige golf, waardoor ze nauwelijks voldoende adem had om hem te antwoorden. 'U... U hebt ons koninkrijk de oorlog in gejaagd... een oorlog die jaren heeft geduurd!' gilde ze. 'Duizenden mensen... zijn gestorven om wat u hebt gedaan!'

Koning Septimus haalde zijn schouders op. 'Wat kunnen ménsen mij nou schelen?' grauwde hij. 'Ik werd koning. De rest deed er niet toe. En ik ben van plan om koning te blijven, tot elke prijs.'

Het was alsof prinses Karijn jarenlang een blinddoek voor had gehad, die nu werd afgenomen. 'Sebastiaan heeft geprobeerd me voor u te waarschuwen,' zei ze bitter. 'En ik veegde zijn vermoedens van tafel. Ik heb uw leugens niet doorzien, maar hij wel.'

'Echt? Dan is het maar goed dat de elfenman bij zonsopkomst ter dood zal worden gebracht.'

Prinses Karijn schudde haar hoofd. 'Nee! U mag hem niets doen! Wat heeft hij misdaan dat hij zo'n lot verdient?'

'Wat hij misdaan heeft? Wat hij misdaan heeft?' Koning Septimus liep de cel een paar keer op en neer, alsof hij de vraag moest laten bezinken. 'Ik zal je vertellen wat hij misdaan heeft. Hij heeft een zorgvuldig voorbereid plan gedwarsboomd om je door Bandistanen gevangen te laten nemen, dát heeft hij misdaan. Hij heeft je veilig teruggebracht naar het paleis, terwijl ik vurig hoopte dat je dood was.'

Hete tranen biggelden over het gezicht van prinses Karijn. 'Wat moet u een hekel aan me hebben,' stamelde ze.

'Prinses, je weet niet half wat een hekel ik aan je heb,' zei koning Septimus. 'Al die jaren waarin ik de liefhebbende oom moest spelen – altijd maar glimlachen, cadeautjes geven, gunsten verlenen. Terwijl ik je het liefst bij de strot had gepakt en gewurgd.'

'Maar wat heb ik u dan ooit misdaan?'

In een hulpeloos gebaar spreidde de koning zijn handen, alsof hij geen andere keus had gehad. 'Dat je geboren bent,' zei hij. 'Daardoor werd je het zoveelste obstakel op mijn pad naar de macht. Maar nu ben je helemaal aan me overgeleverd. Die gemene nar heeft je met behulp van boosaardige hekserij naar een ander rijk gestuurd, een wereld waaruit je nooit zult ontsnappen. Niemand zal je ooit meer zien, prinses. Tenminste, niemand in Keladon.'

'Gaat u... Gaat u me doden?'

De koning schudde zijn hoofd. 'Dan zou ik het je te gemakkelijk maken,' zei hij. 'Heel even pijn en dan zou alles voorbij zijn. Je moet weten, prinses, dat ik zo'n gigantische hekel aan je heb dat ik wil dat je lijdt. Ik wil dat je nog jaren leeft, dat je elke ochtend bij het ontwaken beseft wat je allemaal verloren hebt. Je moet de pijn en de schande voelen van het leven in de goot, een wereld waaruit je alleen dood kunt ontsnappen. Zoals je ziet, ben je helemaal op een dergelijke situatie gekleed. Sta me toe je aan iemand voor te stellen.' Hij gebaarde naar de grote, kaalgeschoren man, die met een wrede grijns naar voren stapte. 'Dit is Kasim, een handelaar van de slavenmarkten in Bandistan. Hij is er een meester in mensenvlees te verkopen aan de hoogste bieder. Ik heb hem vooruitbetaald en tegen hem gezegd dat hij je geen speciale behandeling mag geven. Hij zal je te koop aanbieden als iemand van lage komaf, iemand uit het volk. Zo weet ik zeker dat degene die je koopt alle werkkracht uit je verwende lichaam zal persen, tot op het laatste grammetje. Zo kun je nog jaren mee, terwijl je je al wassend, boenend en schrobbend kapotwerkt.'

Kasim knikte. 'Ze ziet er sterk genoeg uit,' merkte hij op. 'En ze is bepaald niet lelijk. Ik denk dat er wel veel mensen een bod op haar willen uitbrengen.'

Prinses Karijn schudde haar hoofd. 'Dan... Dan vertel ik aan degene die me koopt wie ik in werkelijkheid ben!' liet ze hun weten. 'En dan bied ik hem een beloning als hij me terugbrengt naar Keladon.'

'Moet je doen,' zei de koning opgewekt. 'Bied jij maar beloningen aan! Denk je echt dat ook maar iemand in Bandistan je zal geloven? En zeker niet als Kasim aan de koper heeft verteld dat je een domme gans bent met vreemde waanideeën en fantasieën.'

'Monster dat u bent!' riep prinses Karijn uit. 'Daar zult u voor moeten boeten. Het volk houdt van me – het zal dit niet toestaan!'

Koning Septimus gebaarde naar Golon. 'Ze begint me te vervelen,' zei hij. 'Zorg dat ze weer in slaap valt en maak haar gereed voor de reis naar Bandistan.' Opeens scheen hij zich iets te herinneren. 'O, nog één ding.' Hij liep wat dichter naar haar toe en grijnsde spottend. 'Gefeliciteerd met je verjaardag,' zei hij liefjes. Toen draaide hij zich lachend om.

247

'Nee, wacht even...' zei prinses Karijn met dichtgesnoerde keel. 'Alstublieft, ik...'

Op dat moment sloeg Golon zijn gespierde armen om haar schouders en met zijn hand klemde hij de stinkende doek voor haar neus en mond. Ze hield haar adem zo lang mogelijk in, maar uiteindelijk had ze geen keus en moest ze de vreselijke geur wel opsnuiven. Weer vulde die vreemde, bevende leegte haar hoofd en voor de tweede keer die avond zonk ze weg naar de diepte.

Moedeloos ineengezakt op een houten bank in de diepste, donkerste cel van de koninklijke kerkers dacht Sebastiaan over zijn lotgevallen na. Hij was zich ervan bewust dat de optimistische brief die hij aan zijn moeder had geschreven nog geen derde van zijn reis had afgelegd, en nu klopte er al niets meer van.

Zijn aanstelling als hofnar van koning Septimus was van rampzalig korte duur geweest. Door de listen van dat afschuwelijke oude wijf, Magda, had hij het niet eens één volledige voorstelling volgehouden. Als hij ooit de kans kreeg haar bij haar magere strot te grijpen, dan zou hij ervoor zorgen dat hij het allerlaatste slachtoffer was dat aan haar ten prooi was gevallen. Hij dacht aan Max en dat die had geprobeerd hem voor haar te waarschuwen, en dat hij de opmerkingen van de buffaloop als kwaadaardig geroddel naast zich had neergelegd. Maar Max' wantrouwen was volkomen gerechtvaardigd geweest.

Ook was het nu zonneklaar wat koning Septimus in zijn schild voerde. In de ogen van de dames en heren van het hof had hij, Sebastiaan Duister, hekserij toegepast om prinses Karijn weg te toveren. Ze hadden het zelf gezien. Het zou geen enkele zin hebben om zijn onschuld te betuigen en te roepen dat koning Septimus zijn eigen nichtje had ontvoerd. Niemand zou hem ook maar een seconde geloven; bovendien hoefde je er geen genie voor te zijn om te bedenken dat hij niet veel tijd meer had om wat dan ook te betuigen. Waarschijnlijk was de koninklijke beul op dat moment zijn bijl al aan het slijpen.

Sebastiaan slikte even. Wat moest hij doen? Het was hem nu duidelijk dat Cornelius op een 'geheime missie' was gestuurd om hem uit de buurt te houden. Wat zou hém trouwens zijn overkomen? En een eind verderop, in de luxe van de koninklijke stallen, had Max geen flauw idee wat er met zijn meester was gebeurd.

Er zat niets anders op dan op zijn plek te blijven en zijn lot af te wachten. Hij kon wel janken en dat had hij misschien ook gedaan als zijn gepeins niet onderbroken werd door de galmende dreun van een ijzeren deur, ergens buiten zijn blikveld. Hij hoorde het gestommel van voeten op de stenen trap die vanaf de ingang naar beneden voerde, en toen hij opkeek zag hij Golon, de grote, wrede opzichter van de kerkers, op zich afkomen in het gezelschap van een iele gestalte, waarin hij Maltus herkende. De twee mannen zeiden iets tegen elkaar en toen draaide de kerkeropzichter zich om en ging weg, terwijl Maltus naar de betraliede cel liep. Hij bleef staan en mismoedig keek hij naar Sebastiaan.

'Tja,' zei hij ten slotte. 'Wat je een debuut noemt!'

Machteloos spreidde Sebastiaan zijn armen. 'Wat zal ik zeggen?' zei hij. 'Als je toch van het toneel verdwijnt, dan kun je dat maar het best in stijl doen.'

'Maar de dingen die je gezegd hebt! Het leek wel of je dood wilde.'

'Ja, dat was omdat ik wijn had gedronken die Magda me had gegeven. Er heeft vast iets in gezeten.'

Maltus trok een scheef gezicht. 'Zelf zou ik niks aanraken waar zij ook maar in de verste verte bij in de buurt is geweest,' merkte hij op. 'Ze is de duivel in eigen persoon, dat mens.'

'Jammer dan dat je me niet eerder voor haar gewaarschuwd hebt.'

Maltus kwam wat dichter naar de tralies toe en dempte zijn stem. 'En... wat heb je met de prinses gedaan?' vroeg hij.

'Ik heb niets met haar gedaan! Koning Septimus heeft haar laten ontvoeren, dat is toch duidelijk? Hij had vast iemand achter het gordijn staan.'

Maltus knikte. 'Nou, ik dacht ook niet echt dat je haar had laten verdwijnen,' zei hij. 'En het is eigenlijk ook geen geheim waarom hij haar uit de weg wil hebben, hè? Zeg nou zelf: als je de almachtige heerser van een rijk als Keladon bent, draag je de zaak liever niet over aan een simpel meisje.'

Sebastiaan staarde hem verbaasd aan. 'Dus... Dus je gelooft me?' vroeg hij verbijsterd. 'Dat had ik nooit gedacht!'

'Natuurlijk geloof ik je. Ik ben lang genoeg bij koning Septimus in dienst om te weten dat hij een boosaardige en buitengewoon meedogenloze man is, die over lijken gaat om zijn doel te bereiken.'

'Ga je... Ga je me dan helpen?' vroeg Sebastiaan hoopvol.

Maltus keek hem nors aan. 'Geen denken aan. Ik heb geen zin om je morgenochtend gezelschap te houden.'

'Morgenochtend?' Sebastiaans maag draaide zich om. 'Hoezo, wat is er morgenochtend dan?'

'Dan verschijn je voor het laatst op het toneel, vrees ik. Een dubbelnummer met Luther, de koninklijke beul. We noemen dat hier ook wel: "een tik van de Percivals".'

'Juist ja,' zei Sebastiaan somber. Hij probeerde zich groot te houden. 'O, nou ja, ik kan niet zeggen dat ik verbaasd ben.'

'De koning stelt je hoofd tentoon bij de paleispoort, als waarschuwing aan iedereen die zich tegen hem durft te verzetten.'

'Ja, mooi, bedankt voor...'

'Ik moet daar niks van hebben. Dan komen de vogels naar beneden fladderen en beginnen in de ogen te pikken...'

251

'Ja, ja, zo kan ie wel weer!' Sebastiaan keek Maltus strak aan. 'Niet te geloven dat je zomaar wegloopt en me aan mijn lot overlaat. Je weet toch dat ik onschuldig ben...'

'Ja, en zelf ben ik ook onschuldig. Maar dat wil nog niet zeggen dat de koning me niet in de kokende olie gooit als ik bij hem in ongenade val. Je moet begrijpen, Sebastiaan, ik ben een echte... ach, hoe heet het ook alweer?' Hij dacht even na. 'Ja, ik heb het: een lafaard. En bovendien ben ik van plan nog een tijdje in leven te blijven.'

'Noem je dat leven? In dienst van een meester voor wie je geen respect hebt? Iemand van wie je weet dat hij slecht is?'

Maltus haalde zijn schouders op. 'Ik moet toegeven dat het niet de baan van mijn dromen is,' zei hij. 'Maar het is altijd nog beter dan dat mijn hoofd op een paal wordt gespietst. Het spijt me, meneer Duister, maar het is niet anders.' Hij draaide zich om en wilde vertrekken.

'Wacht eens even!' zei Sebastiaan. Hij stond op van de bank en liep naar de tralies. 'Wil je me een plezier doen? Wil je een boodschap aan mijn buffaloop Max overbrengen, in de koninklijke stallen? Vertel hem maar wat er met me gebeurd is.'

'Daar komt hij anders gauw genoeg achter,' zei Maltus. 'De koning geeft een gratis feestmaal voor iedereen die morgen bij de executie aanwezig is. Gebraden buffaloopvlees is altijd heel gewild bij dergelijke gebeurtenissen.'

Sebastiaan staarde Maltus aan. 'Nee, hè!' zei hij. 'Niet Max. Hij heeft niks verkeerds gedaan. Wie doet er nou in vredesnaam zo'n arm, stom beest iets aan?'

'Nou, stom is hij bepaald niet,' vond Maltus, terwijl hij over de gang wegliep. 'Dat beest kan praten, en wie weet met wie hij allemaal kletst! Denk je echt dat de koning het riskeert dat hij zijn bek voorbijpraat?' Hij keerde zich naar de stenen trap toe. 'Bewaker! Laat me eruit, als je wilt!'

'Maltus, wacht even! Kom terug, alsjeblieft!'

Maar Maltus klom de trap op naar de zware houten deur en keek niet één keer om. De deur ging open en sloeg weer achter hem dicht. Sebastiaan liep terug naar zijn bank en liet zich er bedroefd op zakken, met zijn hoofd in zijn handen. Op de een of andere manier vond hij dat van Max nog het ergst. Wat zou die bang zijn als ze hem naar buiten voerden om geslacht te worden! Het was zo'n moedige, edele kameraad. Oké, hij liep wel vaak te klagen, maar toch...

En toen dacht Sebastiaan aan zijn moeder, en hij vroeg zich af hoe lang het zou duren voor het nieuws over de dood van haar enige zoon haar zou bereiken. Misschien zou ze zijn lot nooit te weten komen, maar zou ze op zijn terugkeer wachten, al die lange, eenzame jaren voor de ouderdom haar wegnam.

Het had geen zin. Hij kon zijn tranen niet langer bedwingen, en hij was allang blij dat er niemand was die hem zag huilen.

22

Een sprankje hoop

Weer had prinses Karijn het gevoel dat ze zich in een diep, warm binnenmeer bevond, waarin ze loom ronddreef en zich af en toe met een zwiep van haar voet voortbewoog. Boven haar hoofd zag ze het rimpelende wateroppervlak en ze wist dat ze haar hand maar hoefde uit te steken om de lucht te bereiken. Maar ze was heel warm en soezerig, en het ontbrak haar aan energie om vanuit de diepte op te stijgen.

Er drong een geluid tot haar door: een stem die merkwaardig vertrouwd klonk, maar die door de druk van het water in haar oren uiteenviel in een reeks onbegrijpelijke klanken. Met uiterste krachtsinspanning stuwde ze zichzelf naar boven. Haar hoofd brak door de waterspiegel en even bleef ze stil liggen en keek onzeker en met knipperende ogen om zich heen.

Er was nergens een binnenmeer te bekennen. Ze bleek op een hoop stro in een of andere kar te liggen, aan vier kanten omsloten door ruwe houten wanden. Ze probeerde overeind te komen, maar het was alsof alle kracht uit haar armen en benen was verdwenen. Toen draaide ze haar hoofd opzij en voelde een zacht vleugje lucht over haar wang strijken. Op enkele centimeters afstand zag ze een gaatje in het hout, waar een noest had gezeten, en door dat gaatje drong die vertrouwde stem tot haar door, wat verstaanbaarder nu ze haar bewusteloosheid tijdelijk had afgeschud.

'... ik wil maar zeggen, Osbert, dat je daaraan kunt merken hoe weinig hij om me geeft. Ik bedoel, hij gooide dat ding nota bene naar me toe en het stuiterde zo van mijn kop! Niet dat het pijn deed, maar het is niet leuk om zo behandeld te worden.'

'Max?' Met veel moeite bracht prinses Karijn haar ene oog recht voor het gat. In het schemerdonker aan de andere kant zag ze een gigantische kop met hoorns, die al knikkend doorpraatte.

'Hoe zou jij het vinden, Osbert, als een van je soldaten binnen kwam marcheren en je een dreun op je kop gaf met een...?'

'Max!' Ergens had prinses Karijn de energie vandaan gehaald om haar stem wat krachtiger te laten klinken. Ze zag de buffaloop ineenkrimpen en zijn kop naar de wagen toe draaien.

'Wie is daar?' vroeg hij.

'Het is een spook!' riep een andere stem uit. 'Osbert vindt

spoken niet lief! Osbert gaat weg!' Over de grond buiten de kar klonk het geroffel van kleine hoeven.

'Osbert!' zei Max afkeurend. 'Doe niet zo dom, het is alleen maar...' Verbluft brak hij zijn zin af en liep wat dichter naar de wagen toe. Even later snuffelde hij met zijn warme, vochtige neus langs het gat. 'Wie ís daar?' vroeg hij wantrouwend.

'Ik... ben het... prinses Karijn.'

'Prinses? Wat doet u in hemelsnaam in een...?'

'Geen tijd!' stamelde prinses Karijn. 'Kan niet... wakker blijven... Ben... verdoofd.'

'Verdoofd? Wat een schandaal! Wie doet nou...?'

'Max! Luister, alsjeblieft! Ik ben ontvoerd. Ze brengen me naar... naar Bandistan. Daar word ik verkocht als... slavin.' Prinses Karijn voelde een nieuwe bedwelmende golf op zich afkomen, en weer dreigde ze overspoeld te worden. 'Zeg het tegen... Sebastiaan,' fluisterde ze. 'En tegen Corn... Corn...eli...'

Toen donderde de warme golf over haar heen en weer zonk ze naar beneden, diep onder het oppervlak van het meer, in de greep van een slaap waaraan ze niet kon ontsnappen.

'Prinses? Prinses, zeg eens wat! Wie heeft u ontvoerd?'

Onthutst stond Max naar de veewagen te kijken en hij vroeg zich af of hij sterk genoeg was om door de houten wanden heen te breken. Maar had dat wel zin als de prinses verdoofd was?

Dan kon ze nog niks uitrichten. Nee, hij moest Sebastiaan zien te vinden, maar zelfs dat was geen eenvoudige taak. Ten eerste had iemand de poorten van de stallen gesloten voor de nacht; en ook al kwam hij eruit, dan nog kon hij als buffaloop niet zomaar het paleis afschuimen op zoek naar zijn baas.

Terwijl hij over dat dilemma stond na te denken, ging de hoofdpoort aan de voorkant van de stallen krakend open. Twee mannen kwamen binnen en liepen over het middenpad naar de wagen. Een van hen was klein en gedrongen; zijn haar was smerig en hij had een voddige baard. De tweede was een enorme, wreed uitziende kerel met een kaalgeschoren kop en een lange hangsnor. Hij wees naar een van de stallen.

'Span die hippo's maar voor de wagen,' zei hij, 'en schiet een beetje op. Ik wil hier zo snel mogelijk weg.' Hij zag Max bij de wagen staan en schonk hem een achterdochtige blik. 'Wat doet dat lelijke gedrocht daar?'

'Moet jij nodig zeggen!' wilde Max al opmerken, maar iets zei hem dat hij zich beter rustig kon houden. De man zag er wreed en gevaarlijk uit, alsof hij tot alles in staat was. Dus bleef Max staan en staarde hem aan. De metgezel van de man kwam de stal uit en voerde twee stevige hippo's aan hun halster met zich mee.

'O, dat is gewoon een oude buffaloop, meester Kasim. Daar zou ik me maar niet druk om maken.'

Maar zo gemakkelijk liet Kasim zich niet overtuigen. 'Daar ben ik nog niet zo zeker van. Sommige van die beesten kunnen namelijk praten.'

De kleine man lachte smalend. 'Ik ben er weleens een of twee tegengekomen die hier een daar een woordje hadden opgepikt, maar veel soeps was het niet.'

Kasim schudde zijn hoofd. Hij reikte naar de kromme schede aan zijn zij en trok zijn zwaard, waarbij hij het staal liet zingen. 'Je kunt maar beter het zekere voor het onzekere nemen,' zei hij. 'Kleine moeite om te zorgen dat hij zijn bek nooit meer open-doet.'

Het kostte moeite, maar Max slaagde erin om wezenloos te blijven kijken. Als die man ook maar het geringste vermoeden had dat hij elk woord verstond, was het gebeurd met hem.

'Ik weet eigenlijk niet of het wel zo'n goed idee is om hem te doden,' wierp de kleine man tegen. 'Per slot van rekening zijn dit de koninklijke stallen. Misschien is de koning zeer op hem gesteld.'

'Wat, op zo'n stinkend oud beest?' Kasim keek Max onder-zoekend aan, alsof hij speurde naar een teken dat hem zou ver-raden. 'Wat moet de koning in godsnaam met een buffaloop?'

De kleine man haalde zijn schouders op. 'Hij stáát hier toch? Daar moet een reden voor zijn. De meeste gewone beesten staan buiten, in de veekralen.'

'Hm.' Kasim stak zijn zwaard naar voren, tot de punt nog maar een paar centimeter van Max' keel verwijderd was. 'En,' zei hij zachtjes en vleiend, 'vertel eens, meneer de buffaloop: kun je praten?'

Het bleef heel lang stil, terwijl Max zich voorbereidde op het onvermijdelijke. Het was bijna niet te verdragen, maar hij kon niet onder het bedrog uit als hij lang genoeg in leven wilde blijven om de prinses te kunnen helpen. Hij opende zijn bek en stootte een suf, langgerekt geluid uit.

'Boeoeoeoe!' klonk het.

Een paar tellen lang keken de twee mannen hem aan, en toen barstten ze allebei in lachen uit.

'Ja hoor, een echte professor,' gniffelde Kasim. 'Daar hoeven we ons, geloof ik, geen zorgen om te maken.' Met het vlak van zijn zwaard gaf hij Max een pets op zijn achterste. De buffaloop liet zijn kop hangen en liep op een drafje naar de andere kant van de stal, want het was hem opgevallen dat de mannen de poort open hadden laten staan. Hij keek even achterom en zag dat het tweetal druk bezig was om de hippo's voor de wagen te spannen. Behoedzaam stapte hij naar voren en gluurde tussen de open poortdeuren door, over de uitgestrekte, keurig verzorgde gazons aan de achterkant van het paleis. Dit was zijn kans, vond hij.

En hij liep naar buiten, de nacht in.

Toen Cornelius de kolossale houten stadspoort naderde, hoorde hij de stem van een wachter, die vanaf de muur naar hem riep.

'Wie is daar, vriend of vijand?'

'Vriend!' riep Cornelius. Hij hield Fantoom in en keek op naar de borstwering. 'Kapitein Cornelius Drummel van de Rode Mantel.'

Het bleef een hele tijd stil, en Cornelius vroeg zich af of hij er verstandig aan had gedaan om recht op de poort af te rijden. Stel dat de koning het bevel had gegeven om hem te doden zodra hij zich vertoonde? Maar nee, redeneerde hij, waarschijnlijk was die hinderlaag in het grootste geheim opgezet. Koning Septimus had er geen enkel belang bij als allerlei mensen wisten dat hij zijn nieuwste rekruut had verraden.

Even later riep een stem terug: 'Kom binnen, vriend', en de poortdeuren gingen krakend open. Cornelius gaf Fantoom een lichte por in de flanken en reed naar binnen.

Een forse officier met een blozend gelaat stond hem glimlachend op te wachten. 'Wat ben je nog laat buiten,' merkte hij op. 'Alles in orde?'

Cornelius knikte en wees naar zijn bebloede schouder. 'Ik heb het aan de stok gehad met een stelletje Bandistanen,' zei hij. 'Een van hen gaf me een houw in mijn schouder. Ik heb ze stevig onder handen moeten nemen.'

De officier grijnsde. 'Je hebt ze zeker een kopje kleiner gemaakt, hè?' vroeg hij gniffelend, maar toen trok hij een geschrokken gezicht. 'O, sorry hoor, het was niet mijn bedoeling...'

'Geeft niet,' zei Cornelius. Hij wilde er nog iets aan toevoe-
gen, maar werd onderbroken door het geluid van een krakende
veewagen, die vanuit het donker aan kwam rijden, getrokken
door twee machtige hippo's. Op de bok zaten twee schurkach-
tige mannen, en toen de wagen dichterbij kwam, zwaaide een
van hen – een kale schavuit met een hangsnor – een vel papier
heen en weer dat het koninklijk zegel droeg. De officier knikte
en met een handgebaar liet hij de wagen passeren, maar vol
walging keek hij hem na.

'Tegenwoordig schijnen ze iedereen tot Keladon toe te laten,'
mompelde hij. 'Als ik me niet vergis zijn dat twee Bandistanen.'
Hij gaf een teken aan de drijvers van de buffalopen die voor het
mechaniek waren gespannen waarmee de poortdeuren werden
geopend en gesloten. De mannen lieten de dieren keren en de
andere kant op lopen, waardoor de deuren dichtzwaaiden. Cornelius zag nog net hoe de veewagen met een vaart weghobbel-
de, de nacht in.

'Waar gaan die zo laat naartoe?' vroeg hij zachtjes.

'Wie het weet mag het zeggen,' antwoordde de officier. 'Maar
nu ze weg zijn, kunnen wij weer een stuk rustiger slapen.' Hij
knikte naar de bebloede schouder van Cornelius. 'Ga maar gauw

naar de tent van de legerarts, dan kun je je schouder laten verbinden. Ziet er niet best uit.'

'Dat komt later wel,' zei Cornelius. 'Eerst moet ik mijn vriend spreken, Sebastiaan Duister.'

'De hofnar?' De officier trok een bedenkelijk gezicht. 'Ben jij met hem bevriend? Dat zou ik maar tegen niemand zeggen als ik jou was.'

'En waarom niet?'

'Tja, je bent weg geweest en weet het dus niet.' De officier ging wat dichter bij hem staan en dempte zijn stem, alsof hij een geheim wilde vertellen. 'Hij heeft prinses Karijn namelijk weggetoverd. Hij heeft haar zomaar laten verdwijnen! Niemand weet wat er met haar gebeurd is.'

Cornelius keek de man woedend aan. 'Waar sta je nou over te kletsen, man?' snauwde hij.

'Over die hofnar. Het schijnt een boosaardige tovenaar te zijn. De koning heeft hem in de kerker laten gooien. Morgenochtend wordt hij geëxecuteerd.'

'Bij Schimloks baard! Ik hoop dat dat een grap is!'

'Nee, over dat soort zaken maak ik geen grappen. Ik probeer mijn dienst te verzetten. Ik heb al eeuwen geen mooie executie meer gezien.'

'Waar zijn die kerkers?' wilde Cornelius weten.

'Ik breng je er wel naartoe,' klonk een stem vanuit de schaduwen links van hen. De officier schoot meteen in de houding en salueerde. Cornelius draaide zijn hoofd om en zag kapitein Zeelt met een uitgestreken gezicht op hem af rijden. 'Ik begrijp dat de hofnar een vriend van je is en ongetwijfeld wil je hem nog even spreken voor we met hem... afrekenen.'

Aandachtig bekeek Cornelius het magere gezicht van de man. Wat hij zag, stond hem helemaal niet aan. Maar hij besloot het spelletje mee te spelen. 'Heel vriendelijk van je, kapitein,' zei hij.

'Geen dank. Ik moet toch die kant op.' Hij reed de brede hoofdstraat op en Cornelius spoorde Fantoom aan en voegde zich bij hem. Zwijgend reden de twee mannen een tijd samen voort.

'Zo te zien heb je in een veldslag gezeten,' zei kapitein Zeelt uiteindelijk, en hij keek vanuit zijn zadel op Cornelius neer.

'Het stelde niet veel voor,' antwoordde die op rustige toon. 'Stelletje gluiperige lafaards, ze zaten me in een hinderlaag op te wachten. Kennelijk wilde iemand me uit de weg ruimen.'

'O?' Zeelt trok zijn wenkbrauwen op. 'Ik kan me niet voorstellen waarom.'

'Er zou weleens verraad in het spel kunnen zijn,' opperde Cornelius.

'Verraad?' herhaalde Zeelt zachtjes, alsof hij het hele woord niet kende. 'Hoe bedoel je?'

263

'Ik bedoel dat een of andere achterbakse ellendeling een stie-keme streek wilde uithalen. Zonder dat ik me ermee kon be-moeien.'

Zeelt antwoordde niet en zonder nog iets te zeggen reden ze door, tot ze het binnenplein van het paleis hadden bereikt. Zeelt steeg af en bond zijn hippo vast aan een hek. Cornelius deed hetzelfde en aaide Fantoom nog even over haar snuit.

'Ik ben zo terug,' fluisterde hij. Toen keerde hij zich om, naar kapitein Zeelt, die hem over de klinkers naar de hoofdingang van het paleis voerde. Een paar gewapende bewakers salueer-den en openden met een zwaai de deuren. Cornelius en Zeelt liepen naar binnen, stampend met hun laarzen over de gladde witmarmeren vloeren.

'Ik vind dat je jezelf overschat,' zei Zeelt ten slotte. 'Waar kun jij je nou mee bemoeien, klein kereltje dat je bent?' Hij ging hem voor door een boogvormige opening en over een lange trap naar beneden.

Cornelius ging niet op de opmerking in. 'Misschien was iemand bang dat ik zou proberen Sebastiaan te helpen,' bracht hij naar voren.

'Hem helpen? Om de prinses te laten verdwijnen, bedoel je dat?'

Cornelius grinnikte en schudde zijn hoofd. 'Ik zal je één ding vertellen,' zei hij. 'Ik ken Sebastiaan aardig goed. Hij heeft echt geen idee hoe hij iemand moet laten verdwijnen. In elk geval niet met behulp van toverkracht of hekserij.'

'Maar iedereen heeft het gezien!' wierp Zeelt tegen. 'Het hele hof was erbij! Hij heeft haar in een magische kast gestopt en toen is ze in het niets opgelost. Vervolgens kon hij haar niet meer terugtoveren.'

'Als dat waar is, dan is er iemand anders bij betrokken geweest,' zei Cornelius. 'Sebastiaan aanbidt de prinses; hij zou nooit toestaan dat haar iets overkwam.'

Nu waren ze bij een lage gang aangekomen. Zeelt liet Cornelius voorgaan en wees naar een stevige houten deur aan het uiteinde.

'Daar is de ingang naar de kerkers,' zei hij. 'Golon! Doe de deur open. Er is bezoek voor de hofnar.'

Aan de andere kant klonk het geluid van voetstappen, die een tweede stenen trap op sloften. Een enorme grendel werd teruggeschoven en de deur ging langzaam en krakend open. Een lelijke, ongeschoren kop gluurde naar buiten en keek Cornelius aan.

'Is het niet een beetje laat voor bezoek?' gromde Golon geërgerd. Naar zijn wazige ogen te oordelen was hij net uit zijn slaap ontwaakt. Cornelius rook zijn adem en ving een wrange wijnlucht op.

'Integendeel,' zei kapitein Zeelt, die nog steeds achter Cornelius stond. 'Het is nooit te laat voor nieuwe klanten.' Plotseling hoorde Cornelius het geschuur van staal toen Zeelt zijn zwaard trok. Kalm draaide hij zich om. De wending die de gebeurtenissen hadden genomen verbaasde hem niet in het minst. Eigenlijk had hij zoiets al verwacht. 'Dit mannetje komt niet bij de hofnar op bezoek, maar zal zijn cel met hem delen,' liet Zeelt weten. 'En voor morgen staat er een dubbele executie op het programma.' Hij nam Cornelius aandachtig op. 'Misschien moeten we tegen de beul zeggen dat hij beter een kleinere bijl kan nemen.'

Vol afschuw keek Cornelius naar Zeelt op. 'Het is precies zoals ik dacht,' zei hij. 'Je was van de hinderlaag op de hoogte. Waarschijnlijk heb je die zelf op touw gezet.'

Zeelt haalde zijn schouders op. 'Ik heb alleen het bevel van mijn vorst opgevolgd,' was zijn reactie. 'En, loop je rustig die trap af, of ga je liever met een zwaard tussen je ribben naar beneden?'

Cornelius trok een peinzend gezicht. 'Eens kijken. Wat verdient de voorkeur?' Hij dacht even na en toen sperde hij zijn ogen wijd open, alsof hij opeens op een idee was gekomen. 'Wacht,' zei hij. 'Ik weet iets beters.' Hij wees naar Golon en toen naar Zeelt. 'Als we nou eens samen de trap afgaan? Met z'n drieën?'

'Samen?' grauwde Zeelt. 'Hoe stel je je dat voor?'

'Zo,' zei Cornelius. En toen kwam hij in actie.

23

De ontsnapping

Nog even en Sebastiaan was weggedommeld als hij niet plot-seling klaarwakker was geschud door een ontzaglijke klap, die gepaard ging met luide kreten van verbazing. Hij sprong op van zijn houten brits, rende naar voren en tuurde tussen de tralies van zijn cel door. De klap werd gevolgd door een heleboel gedreun, gegrom en gebrul, waarop drie mannen de stenen trap af tuimelden, de kelder in. Sebastiaan zag Golon en twee geüniformeerde soldaten, van wie er een heel klein was.

'Cornelius!' riep hij uit.

Maar op dat moment was het mannetje niet in staat om te antwoorden. Terwijl het drietal in een kluwen van ledematen over elkaar heen rolde, hing Cornelius aan de rechterpols van de tweede soldaat en probeerde het zwaard tegen te houden dat de man in zijn gigantische vuist hield geklemd. Ten slotte kwamen ze met een smak op de harde kerkervloer terecht. Golon kwam als eerste neer, met zijn gezicht naar beneden, en gaf een laatste grom van pijn toen de grootste van de twee soldaten boven op hem viel, met Cornelius ineengedoken op zijn borst. Nu zag Sebastiaan dat de andere soldaat kapitein Zeelt was, en dat hij zijn uiterste best deed om Cornelius te doden.

De worsteling duurde niet lang. Cornelius haalde uit met zijn vuist en sloeg kapitein Zeelt keihard op zijn kin. Het lichaam van de man verslapte en hij zakte ineen op de bewusteloze gestalte van Golon. Cornelius bukte zich en rukte de sleutels van de riem van de gevangenbewaarder. Toen holde hij naar de cel van Sebastiaan.

'Ik snap het niet,' zei hij. 'Ik laat je één avond alleen, en kijk nou eens wat er gebeurt.'

'De prinses,' begon Sebastiaan. 'Ze heeft me geholpen met een verdwijntruc en...'

'Ik weet er alles van,' onderbrak Cornelius hem. 'Ik heb het gehoord van een van de mannen bij de poort.' Hij doorzocht de sleutels aan de bos en probeerde ze een voor een uit door ze in het slot van de celdeur te steken, waarvoor hij op zijn tenen moest gaan staan. 'Blijkbaar hadden we gelijk met onze bange vermoedens over koning Septimus,' zei hij.

'Je bent gewond,' merkte Sebastiaan op toen hij de bloedkorst op de schouder van de kleine krijger zag.

Cornelius knikte. 'De koning heeft me in een hinderlaagje laten lopen. Twintig Bandistanen tegen één Golmiraan.'

Sebastiaan glimlachte. 'Dan waren jullie dus min of meer tegen elkaar opgewassen,' zei hij.

Weer knikte Cornelius glunderend. Hij probeerde een nieuwe sleutel en deze ging met een bevredigende klik in het slot. Hij draaide de sleutel om en de goed geoliede deur zwaaide geruisloos open. 'Kom op,' zei hij. 'We moeten ervandoor voor ze merken wat er hier beneden aan de hand is.'

'En Max dan? Ze willen hem morgen aan het braadspit rijgen.'

'Echt?' Even keek Cornelius blij verrast, maar hij riep zichzelf meteen tot de orde. 'Laten we hem dan maar ophalen. Op weg naar buiten gaan we langs de koninklijke stallen om te zien of we hem daar kunnen vinden.' Ze liepen naar de trap. Cornelius bukte zich, raapte het zwaard van kapitein Zeelt op en gaf het aan Sebastiaan.

'En de prinses?' vroeg Sebastiaan somber.

'Wat is er met haar?' Onbewogen keek Cornelius naar hem op.

'Nou, ze is ontvoerd, weet je nog? We moeten haar helpen.'

Cornelius schudde zijn hoofd. 'Op dit moment is het belangrijker dat we ons eigen hachje redden. Ze kan overal wel zijn.' Met ijzige blik keek hij Sebastiaan aan. 'Ze kan wel dood zijn.'

Geschokt staarde Sebastiaan terug. Daar had hij zelf nog niet aan gedacht. Hij wilde iets zeggen, maar Cornelius beklom de trap al en er zat niets anders op dan hem te volgen. Toen ze boven bij de deuropening aankwamen, verscheen er een soldaat met een dienblad met eten. Waarschijnlijk bracht hij Golon zijn avondmaal. Hij zag de twee mannen op zich afkomen en bleef onzeker naar hen staan kijken. Cornelius aarzelde geen moment. Hij rende naar voren en wierp zich tegen de benen van de man aan, waardoor die zijn evenwicht verloor. Sebastiaan, die Cornelius op de voet volgde, greep de man bij zijn schouders, gaf een harde ruk en dook onder hem door toen hij viel. Met het dienblad nog steeds in zijn handen tuimelde de man over Sebastiaans rug en duikelde de trap af om zich bij de twee bewusteloze mannen beneden te voegen. Terwijl het kapotte serviesgoed alle kanten op vloog, smakte hij tegen de grond en bleef roerloos liggen.

Met Cornelius voorop liepen ze de kerkers uit en de gang door. Hij hield zijn zwaard gereed voor het geval ze op tegenstanders stuitten. Maar het was al laat en er scheen niemand meer te zijn. Ze bereikten de grote zaal van het paleis, en op dat moment dacht Cornelius weer aan de zwaarbewapende bewakers, die aan de andere kant van de hoofdingang stonden.

'Er staan daarbuiten twee soldaten,' waarschuwde hij Se-

bastiaan. 'Jij pakt de linker, ik neem de rechter voor mijn rekening.'

Ze naderden de deur. Sebastiaan greep de kruk en wilde de
deur al met een zwaai openen; maar hij stopte toen hij een bekende stem hoorde. Verbaasd keek hij naar Cornelius.

'Dat lijkt Max wel,' fluisterde hij.

Ze luisterden aandachtig en door het dikke hout heen konden ze met enige moeite de woorden verstaan.

'... en ik zeg dat jullie me binnen moeten laten. Dit is een zaak
van het grootste belang.'

'Denk je echt dat we een buffaloop tot het paleis toelaten?'
riep een van de bewakers uit. 'De koning zou gehakt van ons
maken.'

'Niet als hij hoort wat ik te vertellen heb. Het gaat over de
prinses.'

'Hé, opgerot, voor ik een speer in je lijf steek!' grauwde de
tweede bewaker. 'We laten ons niet commanderen door een
smerig lastdier.'

'Die toon van je staat me helemaal niet aan!'

Sebastiaan en Cornelius keken elkaar aan. Cornelius knikte
en begon te tellen.

'Een... twee... drie!'

Sebastiaan rukte de deur open en ze sprongen allebei naar
buiten, waar ze de overrompelde bewakers tegen de grond

271

sloegen voor ze ook maar de kans kregen om iets terug te doen. Max stond met wijd open bek van verbazing naar de twee bewusteloze mannen te kijken.

'Nou zeg!' zei hij klagerig. 'Ook al waren ze wat grof, toch vind ik jullie reactie overdreven.'

'Dat doet er nou even niet toe,' zei Cornelius. 'Hier, Sebastiaan, pak hun wapens. Misschien hebben we straks niet genoeg aan één zwaard per persoon.'

Sebastiaan ging op zijn hurken zitten en eigende zich het zwaard en de schede van de dichtstbijzijnde bewaker toe. 'Wat had je nou voor belangrijk nieuws?' vroeg hij aan Max, terwijl hij de riem omgespte.

'Prinses Karijn,' zei Max. 'Ze is ontvoerd.'

'Dat had ik je ook wel kunnen vertellen,' zei Sebastiaan.

'Ja, maar ik heb net nog met haar gesproken.'

'Wat?' Sebastiaan keek Max ongelovig aan.

'Echt waar, ik zweer het! Ik heb met haar gesproken. Ze zat achter in een veewagen.'

'Max, weet je dat zeker?'

'Natuurlijk weet ik dat zeker. Ze is meegenomen naar Bandistan, waar ze als slavin verkocht zal worden.'

Nu schoot Cornelius iets te binnen. 'Bij Schimloks tanden!' zei hij. 'Ik ben zo'n wagen tegengekomen toen ik de stad in reed! De twee mannen op de bok leken net Bandistanen – de dienstdoende officier zei er nog iets over. Maar ze hadden een vrijgeleide met het zegel van de koning bij zich.'

'Kun je een beter bewijs van verraad bedenken?' riep Sebastiaan. 'Cornelius, we moeten achter haar aan.'

Peinzend, alsof hij het verzoek wilde laten bezinken, keek Cornelius naar Sebastiaan. Toen haalde hij zijn schouders op. 'Je zult wel gelijk hebben,' gaf hij toe. 'Hoewel ik vind dat we beter kunnen maken dat we hier wegkomen.' Hij zuchtte. 'Ze hebben een zekere voorsprong, maar volgens mij is het niet moeilijk om ze op de vlakte in te halen en met ze af te rekenen.' Hij dacht nog even na en leek toen tot een besluit te komen. 'Kom op, laten we gaan.' Hij rende naar het hek aan de rand van het binnenplein, waar Fantoom nog steeds wachtte, en sprong met een zwaai in het zadel. Toen wees hij naar de hippo van kapitein Zeelt.

'Je kunt toch wel rijden, hè?' vroeg hij aan Sebastiaan.

'Geen probleem.' Sebastiaan liep naar het rijdier van de kapitein. Hij had al een eeuwigheid niet gereden, maar hij dacht dat hij het nog wel kon. Hij hees zijn slungelige lijf in het zadel en klopte de hippo op zijn hals. 'Toch moeten we nog even bij de stallen langs. Dan nemen we wat water mee – en bovendien wil ik een paar andere spullen uit mijn wagen halen.'

'Nou, dan moeten we snel zijn,' waarschuwde Cornelius. 'Voor je het weet wordt er alarm geslagen.'

'Hoe komen we eigenlijk langs de bewakers bij de poort?' wilde Sebastiaan weten.

'Goeie vraag. Daar ben ik nog niet helemaal uit. Binnenkomen was geen kunst, maar zodra ze jou zien, moeten we ons hoogstwaarschijnlijk naar buiten vechten.'

Max schudde zijn kop. 'Er zijn te veel bewakers,' zei hij. 'Alleen al door hun aantal hebben ze jullie zo uit het zadel. Nee, gaan jullie maar naar de stallen en haal de voorraden. Laat de poort maar aan mij over. Laat me een paar minuten alleen met de buffalopen die het aandrijfmechaniek bedienen. En wanneer jullie eraan komen, wees dan snel.'

Sebastiaan en Cornelius keken elkaar bedenkelijk aan, terwijl Max wegdraafde over de toegangsweg naar het paleis.

'Wat ben je eigenlijk van plan?' siste Sebastiaan; maar Max aarzelde niet en binnen een paar tellen was hij buiten gehoorsafstand.

'Wat vind jij ervan?' vroeg Sebastiaan.

'Ik weet het niet,' moest Cornelius bekennen. Hij hief een zwaard en liet het een paar keer boven zijn hoofd rondzwiepen. De messcherpe kling suisde door de lucht. 'Wat er ook gebeurt, we kunnen maar het best op het ergste voorbereid zijn,' zei hij. 'Kom op!'

De twee mannen galoppeerden weg in de richting van de koninklijke stallen.

Aan het eind van de straat ging Max de bocht om en zag de indrukwekkende poortdeuren voor zich verrijzen. Langs de hele lengte waren bewakers opgesteld, maar tot zijn opluchting leken ze allemaal te slapen.

Hij zag de twee enorme buffalopen op hun plek gereedstaan, met hun tuig aan het mechaniek gekoppeld dat de deuren in beweging zette, en hij werd overspoeld door een golf van medelijden. Waarschijnlijk hadden ze het grootste deel van hun leven hier vastgeketend doorgebracht. Toen hij in Keladon was aangekomen, had hij in mensentaal het woord tot hen gericht, en ze hadden hem volkomen genegeerd. Pas later had hij beseft dat ze waarschijnlijk wel geantwoord zouden hebben als hij Buffaloops had gesproken. Het waren per slot van rekening simpele arbeiders, en kennelijk hadden ze het buskruit ook niet uitgevonden. Het was alweer jaren geleden dat Max iets in zijn moedertaal had gezegd, maar hij dacht dat hij zich wel verstaanbaar zou kunnen maken. Dat hoopte hij in elk geval. Want hij had een plan...

Hij vertraagde zijn pas en schuifelde behoedzaam naar de buffalopen toe, waarbij het hem niet ontging dat hun oppasser vlakbij op een deken lag te slapen. De buffalopen stonden te dommelen, maar toen Max dichterbij kwam openden ze hun ogen.

Max begon het gesprek met een snuivend gebrom, dat in het Buffaloops zo veel betekent als: 'Gegroet, broeders.'

'Hallo,' zei de eerste buffaloop, hoewel het niet van harte ging; zijn metgezel bromde alleen maar wat.

'Ik breng jullie goed nieuws,' zei Max.

'Ja hoor,' zei de eerste buffaloop. 'Niks zeggen: we krijgen vrij en hoeven een hele dag niet aan die verdomde deuren te sjorren.'

'Eh... nee, dat is het niet. Ik kom met een boodschap van de grote god Kolinus.'

Hun ogen begonnen te schitteren. Nu had hij hun onverdeelde aandacht. Hij had er al op gerekend dat ze trouwe volgelingen waren van de buffaloopgod, en hij had meteen beet.

'Wat zegt Kolinus dan?' vroeg de tweede buffaloop gretig.

'Hij wil dat al zijn volgelingen in opstand komen tegen het mensenras,' zei Max.

'Wat?' De eerste buffaloop keek stomverbaasd. 'En hoe moeten we dat aanpakken?'

'Door precies het tegenovergestelde te doen van wat ze van jullie verlangen.'

De twee buffalopen keken elkaar verbluft aan.

'Waarom wil hij dat?' vroeg de eerste buffaloop.

'Zo stelt hij jullie standvastigheid op de proef. Hij zegt dat alleen buffalopen die hem naar de letter gehoorzamen bij hem in het Buffaloopparadijs mogen komen – in de Grote Modderpoel in de Lucht.'

276

'Weet je zeker dat Kolinus dat heeft gezegd?'

'Ja, zeker weten. Hij is in een visioen aan mij verschenen en heeft toen gezegd: "Max, ik draag je op om de boodschap te verspreiden." En hier ben ik.'

'Hoe zag hij eruit?' vroeg de tweede buffaloop.

'O, eigenlijk heel vorstelijk. Met grote kromme hoorns. En een heel mooie kop. Je zag zo dat hij van onberispelijke komaf is.' Max keek nerveus achterom, maar er was nog geen teken van zijn vrienden te bekennen. 'En hij flakkerde helemaal, overal om hem heen scheen van dat vreemde licht. En aan zijn neus hing...'

'De wereld, aan een zilveren ring.' De eerste buffaloop zuchtte. 'Gompie, had ik hem maar gezien.'

'O, dat zal niet lang meer duren! Zodra het mensenras overwonnen is, is hij van plan aan ons allemaal te verschijnen.'

'Echt waar?' De tweede buffaloop kreeg een verlangende blik in zijn ogen. 'Was het maar alvast zover.'

'Tja, nou, zullen we vast een beetje oefenen?' stelde Max voor.

'Hm... oké,' zei de tweede buffaloop.

'Goed, dan doe ik alsof ik jullie meester ben. Ik geef jullie een bevel en dan...'

'Dan doen wij precies het tegenovergestelde,' zei de tweede buffaloop. 'Ja, volgens mij weten we daar wel raad mee.'

Weer keek Max over zijn schouder, en tot zijn schrik zag hij aan het andere eind van de straat twee ruiters verschijnen.

'Goed,' zei hij. 'Zorg allereerst dat die poortdeuren goed gesloten zijn!'

'Wat betekent...' zei de eerste buffaloop.

'... dat ze open moeten!' concludeerde zijn kameraad.

Gehoorzaam liepen de twee buffalopen naar links, waardoor
de gigantische houten tandraderen in beweging werden gezet.
De poortdeuren gingen krakend open.

Door het geluid werd de beestenmeester uit zijn slaap ge-
wekt. Een paar tellen lang staarde hij naar de twee buffalopen,
toen wierp hij een achterdochtige blik op Max. Hij hief zijn
hoofd, keek naar de poort en was in één klap klaarwakker.

'Stop daarmee!' riep hij tegen de buffalopen. Ze keken elkaar
even aan, maar gingen onverminderd door. De deuren zwaaiden steeds verder open.

'Stomme schepsels,' gromde de beestenmeester. Hij krabbelde overeind, rukte een leren rijzweep van zijn riem en begon de
buffalopen ermee op de rug te slaan. Ze krompen ineen, maar
bleven de deuren steeds verder opendraaien. 'Stoppen!' brulde
de beestenmeester. 'Doe die deuren dicht!'

Max keek zorgelijk. Hij voelde zich vreselijk schuldig door
het leed dat hij de buffalopen had bezorgd, maar nu kwam het
er echt op aan. Hij liet zijn kop zakken en schraapte met zijn
hoeven over de grond. De beestenmeester onderbrak zijn bezigheden en keek Max argwanend aan.

278

'Wat ben jij aan het doen?' snauwde hij.

'Ik sta op het punt een grote, domme bullebak omver te lopen,' zei Max in mensentaal; en toen viel hij aan, waarbij hij één hoorn liet zakken om die onder de benen van de man te haken. Hij wierp zijn kop omhoog en brullend van angst vloog de beestenmeester door de lucht. Met een zware smak kwam hij op een stapel vaten terecht, waarvan er een opensprong. Bewusteloos zakte de man tussen de brokstukken in elkaar. Door de harde klap was een aantal andere bewakers ook wakker geworden. Ze kwamen overeind en keken in stomme verbazing naar de poortdeuren van de stad, die steeds verder opengingen.

'Wel potver...! Doe die deuren dicht!' brulde de officier met het blozende gezicht, dezelfde die Cornelius kort daarvoor had binnengelaten. Maar de buffalopen gooiden er nog een schepje bovenop en de deuren zwaaiden steeds verder open. De officier wilde weer iets roepen, maar plotseling drong van achteren het gedreun van hoeven tot hem door en toen hij zich omdraaide stormden er twee hippo's op hem af. De ene was groot en majestueus, en hoewel de andere piepklein was, galoppeerde hij met een noodvaart over de weg. De officier tastte naar zijn zwaard, maar ze waren al voorbij en raceten de nacht in.

'Bewakers!' riep hij. 'Haal jullie hippo's! We moeten achter die mannen aan.'

'Kolinus zegt dat jullie de deuren nu moeten openen,' zei

Max tegen de buffalopen, en hij ging in galop achter zijn vrienden aan.

Gehoorzaam hielden de twee buffalopen halt, ze keerden om en liepen in tegenovergestelde richting terug. De poortdeuren begonnen weer dicht te zwaaien. Max slaagde er op het laatste moment in door de steeds nauwer wordende opening te glippen.

'Nee!' brulde de officier. 'Doe de deuren ópen! We moeten achter ze aan! Doe die verdomde deuren open!'

De buffalopen gingen alleen maar harder lopen. De officier rende naar de poort en deed een wanhopige poging om de deuren tegen te houden, maar het haalde niets uit. 'Help eens even!' brulde hij. Soldaten schoten toe, maar ze waren niet opgewassen tegen de kracht van twee volwassen buffalopen. De poortdeuren sloegen met een machtige klap dicht en niemand kon er meer uit.

Sebastiaan, Cornelius en Max galoppeerden over de vlakte en volgden de karrensporen, die in de richting van Bandistan voerden. Cornelius draaide zich om in zijn zadel en keek naar het paleis.

'Kennelijk worden we door niemand gevolgd!' riep hij. 'Het lijkt wel of ze de poort hebben gesloten.'

Sebastiaan keek Max aan, die voortdenderde met een zelfvoldane grijns op zijn kop. 'Hoe heb je dat voor elkaar gekregen?' vroeg hij ongelovig.

Max wierp hem een blik toe. 'De kracht van de godsdienst mag nooit onderschat worden,' luidde zijn raadselachtige antwoord. En dat was het enige wat hij erover kwijt wilde.

Deel III

24

In gevangenschap

Vroeg in de ochtend, in het steeds krachtiger wordende zonlicht, stonden de drie vrienden op de heuvelkam en keken
moedeloos neer op de vallei beneden hen. Daar zagen ze de
stad Bandistan liggen, vormeloos en door de afstand nietig
gemaakt, als een ingewikkeld schaalmodel dat op de dorre
vlakte was neergezet. Er stonden geen muren rond dit wette-
loze oord, want alleen helden en roekelozen waagden zich in
het doolhof van smalle straatjes. Terwijl ze stonden te kijken,
spoedde een piepkleine veewagen zich in een wolk van stof
onder de gigantische stenen boog door die de hoofdingang
vormde.

'Dat is toch niet te geloven,' zei Cornelius boos. 'Ze hadden
maar een kleine voorsprong. Eigenlijk hadden we ze al voor
zonsopkomst moeten inhalen.'

'Het is mijn schuld,' zei Max verdrietig. 'Ik ben ook de jongste niet meer. Dat tempo kon ik niet de hele nacht volhouden. Ik zei toch dat jullie zonder mij verder moesten gaan!'

'Het is evengoed onze schuld,' vond Sebastiaan. 'Wat jammer dat we geen kaart van dit gebied hebben.'

'Wat moeten we nou met een kaart?' bromde Cornelius. 'Ik heb het nut van die dingen nooit ingezien. Ik volg gewoon mijn intuïtie.'

'Tja, oké, maar je moet toegeven dat we een hele tijd de weg kwijt zijn geweest. Ik blijf erbij dat we het linkerpad hadden moeten nemen toen we bij die dode boom aankwamen. Maar jij was ervan overtuigd dat het het rechterpad was...'

Cornelius zuchtte en schudde zijn hoofd. 'Nou ja, wat de oorzaak ook is, die hele reddingsoperatie wordt er alleen maar een stuk ingewikkelder op,' zei hij. 'Het is één ding om met een stel Bandistanen op de vuist te gaan als je ergens in de wildernis zit, maar het wordt een heel ander verhaal als je hun vesting binnenwandelt en de hele bevolking tegenover je vindt.'

'We laten prinses Karijn niet stikken,' waarschuwde Sebastiaan.

'Dat heb ik ook niet gezegd! Maar het vereist wel enige planning, dat is duidelijk.' Cornelius wendde zich af en ging vlakbij op een rotsblok zitten. 'Je hebt zeker geen eten meegenomen uit de koninklijke stallen, hè?' vroeg hij. 'Ik ben uitgehongerd!'

Sebastiaan liep naar de hippo van kapitein Zeelt en maakte

een grote waterzak los, die aan het zadel hing. 'Alleen water,' zei hij. 'Sorry.' Hij bracht de zak naar Cornelius en reikte hem die aan.

'En wat heb je daar verder nog in zitten?' wilde Cornelius weten, wijzend naar een stel uitpuilende zadeltassen. 'Voor we vertrokken heb je in elk geval lang genoeg in je wagen rondgescharreld. Ik dacht dat je proviand aan het pakken was.'

'Ik heb een paar spullen meegenomen die misschien van nut kunnen zijn,' zei Sebastiaan geheimzinnig. 'Dingen die van mijn vader zijn geweest.'

'Wat voor dingen?' vroeg Max achterdochtig.

'Donderstaven.'

Nu keek Max wel heel bedenkelijk. 'O nee, niet de donderstaven,' zei hij. 'Ik wilde niet eens dat je ze meenam in de wagen, laat staan in je zadeltassen.'

'Wat zijn donderstaven nou weer, in Schimloks naam?' vroeg Cornelius.

'Het zijn dingen die mijn vader mee terugbracht van een bezoek aan de bergen van Kanderban,' legde Sebastiaan uit. 'Je steekt met een tondeldoos het uiteinde aan en een paar tellen later ontploft ie met een heel harde knal! De stammen van Kanderban gebruiken ze voor hun feesten. Mijn vader was van plan ze in zijn nummer te verwerken, maar toen hij er een uitprobeerde, was de ontploffing veel te krachtig...'

'Die sloeg een gigantisch grote krater midden in het veld,' zei Max. 'Ik heb de jonge meester nog aangeraden om ze weg te doen voor er een vreselijk ongeluk gebeurde. Maar naar mij luistert nooit iemand.'

Cornelius fronste zijn voorhoofd. 'Die zouden nog weleens van pas kunnen komen,' vond hij. 'We zouden ze kunnen gebruiken als afleidingsmiddel. Maar hoor eens, zover komt het misschien helemaal niet. Zoals ik het zie, weerhoudt niets ons ervan om gewoon naar binnen te rijden. En ik kan geen enkele reden bedenken waarom we tijdens de veiling geen bod op de prinses kunnen uitbrengen – waarschijnlijk is die open voor het publiek.'

'O,' zei Sebastiaan zachtjes, 'bedoel je dat we haar gewoon terug kunnen kopen?'

'We kunnen toch een bod doen? Ik weet trouwens niet hoe het met jou zit, maar ik heb maar een paar kroater op zak.' Spijtig schudde hij zijn hoofd. 'Het is om gek van te worden! Daar bij die hinderlaag lag een hele berg gouden munten. Had ik die nou maar meegenomen na dat gevecht, dan hadden we waarschijnlijk genoeg geld om haar te kopen.'

'Tja, ik heb ook niks,' zei Sebastiaan. 'Het is jammer dat koning Septimus me niet alvast een deel van mijn loon heeft uitbetaald.'

Allebei keken ze Max aan.

'Je snapt toch wel dat ik ook niks heb?' liet hij weten. 'Ik ben een buffaloop.'

'Dus moeten we een andere manier verzinnen,' zei Cornelius. 'Het is geen kunst om de prinses te pakken te krijgen; maar zorgen dat we heelhuids wegkomen, dat is andere koek. De kans is groot dat iedere Bandistaan in de stad ons straks op de hielen zit.' Het leek wel alsof het vooruitzicht hem opfleurde. Hij bracht de waterzak naar zijn lippen, nam een slok en gaf hem toen aan Sebastiaan. 'Ik stel voor dat we afdalen en beneden eens een beetje rondsnuffelen,' zei hij. 'Eens kijken hoe de zaken ervoor staan. Ze zullen wel niet elke dag slavenmarkt hebben: we moeten erachter zien te komen waar en wanneer die wordt gehouden.'

Sebastiaan knikte. Hij nam zelf ook een teug. 'Ik hoop dat het goed met haar gaat,' zei hij.

'O, ik heb gezien hoe dat grietje het tegen de lupers opnam,' benadrukte Cornelius. 'Die houdt het vast wel uit tot wij er zijn. Kom, we gaan erop af.'

Ze liepen terug naar hun rijdieren, hesen zich in het zadel en daalden af over het spoor dat naar Bandistan voerde. Max bleef nog even op de heuvelkam staan en staarde somber naar beneden, zich maar al te bewust van de vreselijke reputatie die de stad had.

'Bandistan,' mompelde hij. 'Dievenstad.' Hij zuchtte. 'En het leek nog wel zo goed te gaan!'

Hij haalde zijn machtige schouders op, wendde zich af en volgde de twee hippo's heuvelafwaarts.

Terwijl de wagen door de smalle straatjes hotste, tuurde prinses Karijn door het gaatje in het hout en zag het ene tafereel na het andere langsflitsen. Bij kraampjes langs de weg, waar etenswaren en zelfgemaakte wijn werden verkocht, zag ze groepjes haveloze, in lompen gehulde mensen rondhangen, die achterdochtig naar de wagen staarden; ze zag hoge, witgeschilderde gebouwen, waar kleden en tapijten uit de ramen hingen, en vreemde dieren met lange halzen en bulten op de rug, die zakken graan vervoerden.

Een straatgoochelaar liet een klein kind tegen een touw opklimmen dat los in de lucht scheen te hangen; een eindje verderop hurkten bedelaars in deuropeningen en staken hun handen uit, smekend om muntjes. Gewapende groepjes dronken soldaten paradeerden over straat en horden kinderen renden gillend en schreeuwend achter een bal aan. Ze zag bedienden die een rijk versierde, met fluweel beklede stoel droegen waarop een welvarende koopman en zijn vrouw zaten, lui onderuitgezakt, en ook zag ze een gigantisch grijs beest met grote flapperende oren en een merkwaardig langgerekte snuit. Ten slotte viel haar oog op een bordje, een stuk hout waarop met slordige letters NAAR DE VEILING stond geschilderd.

Ze wendde zich af van het gat en merkte dat de wagen langzamer ging rijden. Toen hij stilstond, hoorde ze buiten honende mannenstemmen. Er klonk gerammel van een ketting die werd losgemaakt, waarop de deuren van de wagen openvlogen en fel zonlicht naar binnen stroomde. De man die Kasim heette stond haar grijnzend aan te kijken. Achter hem zag ze een kleine, pezige man met een voddige baard.

'We zijn op onze bestemming aangekomen, Hoogheid,' zei Kasim, en hij maakte een spottende buiging. 'Kom eens van je koninklijke krent en stap naar buiten.'

'Dat doe ik niet,' liet prinses Karijn hem weten.

'Dan zal ik je een handje moeten helpen,' zei Kasim. Hij dook naar voren, greep een handvol haar en terwijl ze schreeuwde en tegenstribbelde, sleurde hij haar de straat op en wierp haar in het zand. Daar zat ze en ze keek verbijsterd en sprakeloos naar hem op.

'Dat bevoorrechte leventje kun je verder wel vergeten,' zei hij. 'Dat telt hier niet. Je doet wat ik zeg, of anders krijg je de punt van mijn laars tegen je gat.' Hij keek naar de pezige man. 'Breng haar naar de gevangenenkooi,' zei hij. 'En probeer niet te veel schade aan te richten. Ik wil niet dat ze morgen tijdens de veiling onder de blauwe plekken zit.'

'Ja, meester Kasim.' De kleine man greep haar bij haar arm en trok haar met een ruk overeind. Kasim liep weg, bevelen uitdelend aan andere mannen.

291

Snel keek prinses Karijn om zich heen. Ze waren op een breed, open marktplein, waarvan één kant in beslag werd genomen door een hoog houten platform, dat toegankelijk was via een trap. Vóór hen stond een laag stenen gebouw met een ijzeren deur. Toen ze het gebouw naderden, riep de pezige man iets, waarna de deur aan de binnenkant ontgrendeld werd. Een wreed uitziende bewaker in een maliënhemd deed een stap terug en liet ze een steile trap afdalen; vervolgens sloeg hij de zware deur weer dicht en schoof de grendel ervoor.

Prinses Karijn werd een vochtig, benauwd ondergronds vertrek binnengebracht, dat alleen door een paar olielampen werd verlicht. In het schemerdonker zag ze twee enorme ijzeren kooien, waarin groepen mensen waren gestopt. In de ene kooi zaten mannen, in de andere vrouwen, maar alle gevangenen zagen er even verslagen, haveloos en bang uit.

De bewaker liep naar de vrouwenkooi, haalde een sleutelbos tevoorschijn en deed de deur van het slot. In zijn andere hand hield hij een zware knuppel gereed om uit te halen naar iedereen die een ontsnappingspoging deed, maar niemand waagde het. In plaats daarvan weken ze terug, alsof ze regelmatig geslagen werden.

'Ik heb een nieuw celmaatje voor jullie,' kondigde het pezige mannetje aan. 'Ze is heel aardig, maar wel knettergek.'

'Niet naar hem luisteren!' riep prinses Karijn. 'Ik ben prinses

292

Karijn van Keladon, het nichtje van koning Septimus. Ik ben tegen mijn wil ontvoerd. Ik gebied jullie allemaal om in opstand te komen en me te helpen.'

'Dat bedoel ik nou,' zei het mannetje. 'Volkomen geschift.' Zonder verdere plichtplegingen gaf hij de prinses een harde duw in haar rug, zodat ze met zo'n vaart de cel in vloog dat ze struikelde en plat op haar gezicht viel. Er klonk wat gelach van de andere gevangenen. 'Prettige avond, Majesteit,' zei het mannetje, en hij klapte zijn magere lijf dubbel in een spottende buiging. 'Ik ga ervan uit dat de huisvesting uw goedkeuring kan wegdragen!'

'Hoe durf je!' riep de prinses uit, die weer overeind krabbelde en zich tegen de tralies aan wierp. 'Daar zul je voor boeten, ellendeling! Iedereen die zijn handen naar me uitsteekt, zal het bitter berouwen!' Maar de bewaker liet de man naar buiten en deed de deur achter hem op slot. 'Kom terug!' riep ze. 'Je kunt me hier niet laten zitten!' Ze draaide zich om en keek naar de overige vrouwen, die binnen de beperking van de krappe kooi zo ver mogelijk bij haar uit de buurt bleven. 'Ik... Ik besef dat het klinkt alsof ik gek ben,' zei ze, 'maar ik spreek de waarheid. Ik ben echt een prinses!'

'Ja hoor, liefie,' zei een vrouw van middelbare leeftijd met slap grijs haar. 'En ik ben in werkelijkheid toneelspeelster – ik zit alleen op mijn volgende rol te wachten!'

Dat ontlokte weer gelach aan de overige gevangenen.

'Jullie moeten me geloven,' smeekte prinses Karijn. 'Er is vast wel iemand van jullie in Keladon geweest. Die heeft me misschien gezien bij het koninklijk paleis!'

'Ik ben in Keladon geweest,' zei een morsig vrouwtje, 'en ik heb de prinses vaak genoeg gezien.'

'Ja? En...?'

'Ze leek in de verste verte niet op jou. Het was een mooi meisje in een jurk van rood fluweel, en ze droeg prachtige sieraden.'

'Maar dat is... Probeer je mij eens in die kleren voor te stellen en dan...' De prinses zweeg. Ze keken haar allemaal aan, en in al die ogen zag ze alleen maar medelijden – geen medelijden omdat ze een prinses was die beroofd was van haar geboorterecht, maar omdat ze duidelijk gestoord was en niemand haar kon helpen. Ze keerde zich om, liep naar een hoek van de kooi en liet zich op haar hurken zakken. Met haar handen voor haar gezicht begon ze te huilen.

25

In Bandistan

Langzaam stapten Sebastiaan, Cornelius en Max door de smalle straten van Bandistan, zich ervan bewust dat ze uit elk raam en elke deuropening werden nagestaard.

Het was een behoorlijk verontrustend gevoel, want niemand van de mensen die naar hen keken straalde ook maar een sprankje vriendelijkheid uit. Met openlijk wantrouwen sloegen de Bandistanen de bezoekers gade, want ze waren vreemdelingen, en als je in deze stad geen bekend gezicht had, werd je als een mogelijke vijand beschouwd. En het ging ook niet om een enkeling. Iedereen staarde hen aan, van de passerende groepjes haveloze barbaren en de vrouwen die kleren wasten in de gemeenschappelijke waterbak tot de woeste troepen verwaarloosde kinderen die overal op straat tikkertje aan het spelen waren.

Nog nooit had Sebastiaan zich zo kwetsbaar gevoeld. Hij keek even neer op Cornelius, die op Fantoom naast hem voorttrippelde. 'Niet wat je een gezellig uitje noemt,' zei hij met op-eengeklemde kaken.

'Niet op ze letten,' raadde Cornelius hem aan. 'Gewoon strak voor je uit blijven kijken. En zeker niet omkijken, want dan denken ze dat je bang voor ze bent.'

'We zíjn ook bang voor ze,' zei Max. 'Sommigen zien eruit alsof ze je puur voor de lol in stukken zouden hakken om je boven een vuur te roosteren.'

Cornelius snoof minachtend. 'Vergeet niet dat zij doodgewone Bandistanen zijn en wij heren. Ze zullen nooit op gelijke voet met ons staan.'

'Daar zal ik aan denken wanneer ze me aan het zwaard proberen te rijgen,' merkte Sebastiaan mistroostig op. Toch zei hij tegen zichzelf dat hij nauwelijks recht van klagen had. Per slot van rekening was hij degene die op deze reddingsoperatie had aangedrongen. Hij hoopte alleen dat het niet te laat was. Als de slavenveiling die ochtend was gehouden, dan was prinses Karijn misschien al op weg naar de plek waar ze tewerk werd gesteld en dan was de kans heel klein dat ze haar ooit zouden vinden.

In de hoofdstraat sloegen de drie vrienden een hoek om, waarna ze bij een groot open plein aankwamen. Aan één kant was een houten verhoging, waar een trap naartoe voerde.

'Dat moet de slavenmarkt zijn,' zei Cornelius. 'Maar zo te zien

ligt de zaak op dit moment stil.' Hij liet Fantoom het plein oversteken naar een aanbindpaal voor hippo's en steeg af, en Sebastiaan volgde zijn voorbeeld. Max bleef staan en snoof onzeker
de lucht op.

'Het staat me hier helemaal niet aan,' mompelde hij. 'Het ruikt
naar wanhoop.'

Cornelius keek peinzend om zich heen. 'Waar het ook naar
ruikt, op deze plek wordt de prinses verhandeld. En op deze
plek zullen we in actie moeten komen.' Hij wees naar een vervallen gebouw aan de overkant. De deuropening braakte rook
en kabaal uit en erboven hing een beschilderd bord waarop een
zwaarbewapende, oorlogszuchtige krijger stond afgebeeld, met
de tekst: HET WAPEN VAN BANDISTAN. 'Laten we die herberg
maar eens binnengaan en een paar vragen stellen,' zei hij.

Bij wijze van waarschuwing klonk er opeens een enorme
dreun, waarop een man met zijn hoofd naar voren door het
raam vloog. Met een luide smak kwam hij op de onverharde
weg terecht, waar hij een paar keer over de kop rolde en toen
op zijn rug bleef liggen. Hij deed een halfslachtige poging om
rechtop te gaan zitten, maar met een dronken kreun zakte hij
bewusteloos in elkaar.

'Een alleraardigst zaakje, zo te zien,' merkte Max op. 'Je bent
toch niet serieus van plan om daar naar binnen te gaan?'

'Er is geen betere plek om informatie te verzamelen dan een

herberg,' zei Cornelius. 'Dat weet iedereen. Kom op, Sebastiaan, we zullen eens even laten zien dat we niet bang zijn.'

De twee mannen liepen naar de deur, maar ze bleven staan toen ze beseften dat Max hen volgde.

'Waar dacht jij naartoe te gaan?' vroeg Sebastiaan.

'Mee de herberg in natuurlijk.'

'Jij kunt daar niet naar binnen!' zei Cornelius geschrokken. 'Ze staan ons nu al aan te gapen. Wat denk je dat er gebeurt als we jou mee naar binnen nemen?'

'Nou, ik heb echt geen zin om hier alleen achter te blijven,' jammerde Max. 'Het is niet veilig.'

'Er overkomt je heus niks,' verzekerde Cornelius hem. 'Trouwens, jij moet een oogje op onze hippo's houden. Zorg dat er niemand bij ze in de buurt komt.'

'O, en hoe moet ik ze dan tegenhouden?' vroeg Max. 'Dan zeg ik zeker: "Neem me niet kwalijk, meneer de Bandistaan, zou u zo vriendelijk willen zijn die hippo's met rust te laten?" Nee, dát zal helpen!'

'Je bedenkt vast wel iets,' verzekerde Sebastiaan hem. Hij stak zijn hand uit en gaf Max een klopje op zijn kop. 'Bij twijfel doe je je kop maar naar beneden en val je aan. In de meeste situaties is dat afdoende. En wees maar gerust, we zijn zo terug.'

Terwijl hij dat zei, vloog er een man de deuropening door en viel met zijn gezicht in het zand. Vanuit de herberg steeg rauw, bulderend gelach op. Sebastiaan slikte en wierp een blik op Cornelius.

'Misschien moesten we Max toch maar mee naar binnen nemen,' zei hij.

'Doe niet zo belachelijk! Kom op!'

Vastberaden liep Cornelius door, gevolgd door een weifelende Sebastiaan. Ze stapten door de deuropening en doken een nevel van pijpenwalm en alcoholdampen in. Even bleven ze staan en keken om zich heen. Binnen zat de herberg stampvol smerige, in vodden gestoken mannen, die in uiteenlopende stadia van dronkenschap verkeerden en allemaal zo luid mogelijk praatten en lachten en moppen vertelden. Maar toen de twee vreemdelingen binnenkwamen, werd het opeens ijzig stil, en alle ogen in de herberg werden op de nieuwkomers gericht.

Het voelde niet goed. Het liefst wilde Sebastiaan zich omdraaien en het op een lopen zetten, maar hij wist dat dat niet kon. Cornelius stond onbewogen om zich heen te kijken; hij beantwoordde elke blik en liet duidelijk merken dat hij zich niet bang liet maken. Met een knik naar Sebastiaan liep hij op de bar af. In de stilte klonken hun voetstappen ongewoon hard op de kale houten vloer, en het leek een eeuwigheid te duren voor ze de afstand naar de bar hadden overbrugd. Maar toen stonden ze voor de tap, waar een dikke blozende herbergier in een leren wambuis de scepter zwaaide. Hij was een bierkruik aan het oppoetsen met een doek die eruitzag alsof er eerst een beerput mee was uitgesopt. Dreigend keek hij Sebastiaan aan.

'Je hebt wel lef dat je hier in je eentje naar binnen stapt,' merkte hij op.

Even wist Sebastiaan niet hoe hij het had, maar toen besefte hij dat de man Cornelius niet kon zien, omdat die door de bar aan het oog werd onttrokken.

'Hij is niet in z'n eentje,' zei Cornelius. Hij trok een lege kruk naar zich toe en klauterde erop, zodat zijn hoofd en schouders boven de bar uitstaken.

De herbergier knikte. 'Zo, zo, een dwerg! Ik heb jouw soort hier al heel lang niet meer gezien. De laatste die we hier hadden, klaagde over de kwaliteit van de drank.'

Sebastiaan bereidde zich voor op moeilijkheden, maar Cornelius reageerde met een glimlach.

'Dwergen kunnen vreselijk pietluttig zijn,' gaf hij toe.

'Ja, nou, wij Bandistanen houden niet van kritiek. Daarom hebben we hem ook met een ferme schop het raam uit geknikkerd. Hij vloog de hele straat over en kwam in de drinkbak aan de overkant terecht.'

Cornelius veroorloofde zich een wrang glimlachje. 'Gelukkig ben ik geen dwerg, maar een Golmiraan,' zei hij. 'Golmiranen kunnen trouwens ook behoorlijk pietluttig zijn, dus ik zal een beetje op mijn manieren letten.' Opnieuw keek hij het vertrek rond, en de overige drinkers wendden hun blik af en pakten de draad van hun gesprekken weer op. Het stemmenkabaal was al snel even luid als eerst. 'Ik ben Cornelius Drummel, voorheen van het Golmiraanse leger,' zei hij tegen de herbergier. 'Dit is mijn goede vriend Sebastiaan Duister, hofnar en avonturier.'

Verbaasd keek Sebastiaan Cornelius aan, en hij vroeg zich af wanneer hij precies tot de rang van 'avonturier' was bevorderd.

De herbergier knikte. 'En ik ben Geurt Brasgordel, herbergier van Het Wapen van Bandistan. Goed, wat kan ik voor jullie inschenken, heren?'

'We willen wat informatie,' zei Cornelius.

Brasgordel schudde zijn hoofd. 'Misschien was het je nog niet opgevallen,' zei hij, 'maar dit is een plek waar gedronken wordt. Ik geef geen informatie aan lieden die niet drinken.'

Cornelius en Sebastiaan keken elkaar aan.

'In dat geval,' zei Cornelius, die zijn hand in zijn zak stak en met een klap een stel kroaters op de bar legde, 'willen we graag twee kruiken met je allerbeste bier.'

Brasgordel grijnsde, waarbij een heleboel open plekken tussen zijn tanden zichtbaar werden. 'Zo mag ik het horen,' zei hij. 'Hebben, eh... hebben jullie weleens Bandistaans bier geproefd?'

Ze schudden allebei hun hoofd.

Brasgordel begon meteen twee bierkruiken te vullen: uit een

enorm open vat dat naast hem op de grond stond schepte hij een troebel brouwsel.

'Dat vraag ik alleen omdat je de smaak wel moet leren waarderen. De mensen hier hebben er een naam voor. Ze noemen het Moeraskoorts. Het wordt gebrouwen naar een oud recept dat al generaties lang van vader op zoon overgaat. Het heeft wat meer "pit" dan de meeste biersoorten.'

Hij zette de bierkruiken op de bar en Sebastiaan keek bedenkelijk naar het vunzige grijze schuim dat over de rand stroomde. Terwijl hij keek, dobberde er iets naar boven – iets ronds en glanzends. Het was de oogbol van een dier. Tenminste, hij hoopte dat hij van een dier was. Sebastiaans maag draaide zich om.

'Hé, geluksvogel!' zei Brasgordel, en hij gaf hem een klap op zijn schouder. 'Daarvan zitten er niet veel in een vat!' Hij boog zich naar Sebastiaan toe. 'Niet aan de anderen vertellen, hoor!' fluisterde hij. 'Dan willen ze er allemaal eentje.'

'Goed, wat die informatie betreft...' zei Cornelius.

'Nee, nee, jongens, eerst moeten jullie drinken! Op jullie gezondheid.' Brasgordel vulde een derde kruik uit hetzelfde vat en terwijl hij die naar zijn mond bracht, gebaarde hij naar de twee vreemdelingen dat ze zijn voorbeeld moesten volgen.

Sebastiaan, die misselijk begon te worden, hief zijn eigen kruik, stak zijn vingers erin en viste de oogbol eruit. Hij legde hem op de bar. 'Ik denk dat ik die voor later bewaar,' zei hij zwakjes.

'Ah, en zo hoort het!' brulde Brasgordel. 'Drinken maar!'

Sebastiaan bracht de kruik naar zijn lippen, haalde diep adem en klokte een mondvol van het goedje naar binnen. Eerst werd hij aangenaam verrast door de smaak, die helemaal niet zo slecht was – zoet en merkwaardig bevredigend – maar toen ging er een schok door zijn maag, alsof hij zojuist een trap van een buffaloop had gehad, en zijn benen begaven het bijna. Hij liet een verbaasd gebrom horen en moest zijn vrije hand op de bar leggen om zijn evenwicht te bewaren. Toen hij naar Cornelius keek, zag hij dat zijn vriend op een haar na van zijn kruk was gevallen.

'Lekker hè, jongens?' zei Brasgordel met een grijns, en hij likte een halvemaan van schuim van zijn lippen. 'En goed voor de gezondheid. Ik drink er tien per dag!'

'Tien!' herhaalde Cornelius, die het nauwelijks kon geloven, waarna hij er meteen met een diepere stem aan toevoegde: 'Ja, dat, eh... zal wel zo ongeveer genoeg zijn.' Hij zette zijn bierkruik voorzichtig neer, alsof hij bang was hem te laten vallen. 'Goed, wat die slavenveiling betreft...'

'O, dus jullie zijn hier voor de veiling? Mooi, dan ben je precies aan het juiste adres! In heel Bandistan is er geen geschiktere plek te vinden. Morgenvroeg begint het. Hebben jullie al onderdak voor de nacht, heren?'

'Eh... nee,' zei Sebastiaan. 'Hoezo, weet jij misschien een ploeie gek?' Hij schudde zijn hoofd, en stond er versteld van dat hij na één slok bier al dronken begon te worden. 'Ik bedoel, weet jij misschien een goeie plek?'

'Tja, normaal zou ik zeggen hier in Het Wapen van Bandistan, maar ik heb net mijn laatste kamer verhuurd aan die heer daar.' Hij wees naar een tafel aan de andere kant van de volle kroeg, waar een gigantische, zwaar gespierde man aan het armworstelen was met een sjofele Bandistaan. Grommend en zwoegend probeerde het tweetal elkaars handen op de tafel te drukken. Uiteindelijk won de grote man, die meteen een triomfantelijk gebrul uitstootte. 'En het is nog wel zo'n mooie kamer,' vervolgde Brasgordel. 'Kijkt uit op het veilingplatform. Je had zo vanuit je raam kunnen bieden.'

'Echt waar?' Cornelius trok een nadenkend gezicht. Toen klom hij van zijn stoel af.

'Waar ga jij naartoe?' vroeg Sebastiaan.

'Ik had zo gedacht dat ik me eens aan een partijtje armworstelen moest wagen,' zei Cornelius met een knipoog. 'Blijf jij hier maar zitten en geniet van je biertje.'

'Eh... oké.' Sebastiaan pakte zijn kruik weer op en bracht hem voorzichtig naar zijn lippen, maar deze keer hield hij met zijn vrije hand de bar stevig vast. Als de schok kwam, zou die niet minder heftig zijn, maar nu was hij erop voorbereid.

'Hij meent het niet, hè?' vroeg Brasgordel. 'Klein kereltje dat ie is. Die grote bullebak vermoordt hem nog.'

'O, dan ken jij Corlenius... Corbelius...' begon hij. 'Dan ken je hem nog niet,' maakte hij zich er snel van af. Hij keek naar de tafel en zag dat het ventje tegenover de grote man op de bank was geklauterd. Hij bood hem zijn arm, waarbij hij zijn elleboog op een omgekeerde bierkruik liet rusten om hem even lang te maken als de arm van zijn tegenstander. 'Nou moet je kijken,' zei Sebastiaan. 'Je gelooft je ogen niet.'

Maar het was eerder Sebastiaan die zijn ogen niet geloofde, want Cornelius bood alleen maar voor de vorm verzet, en al snel duwde de grote man de rug van zijn hand naar beneden, tot hij horizontaal stond. Sebastiaan fronste zijn voorhoofd en Brasgordel lachte.

'Als ik het niet dacht,' zei hij. 'Niet echt verrassend.'

Sebastiaan deed zijn mond open om zich te verontschuldigen toen hij Cornelius tegen de grote man hoorde praten.

'Hoor eens,' zei hij. 'Waarom doen we geen drie potjes? En dan maken we de inzet meteen wat interessanter. Je moet weten dat mijn vriend en ik geen onderdak hebben voor de nacht...'

Sebastiaan glimlachte. Nu had hij door wat het mannetje in zijn schild voerde. De oudste truc uit het boek: zorg dat je tegenstander denkt dat je geen schijn van kans maakt, dan wil hij wel om alles wedden.

'Nou,' vervolgde Cornelius. 'Als ik het goed heb begrepen, heb je een kamer hier in de herberg. Waarom zet je die niet in?'

'Wat?' zei de grote man smalend. 'Tegen een stel miezerige kroaters? Geen denken aan.'

'Dan weet ik het goed gemaakt. Buiten heb ik twee mooie hippo's staan, compleet met zadels, teugels en een hele berg voorraad; bovendien is er een flinke, sterke buffaloop bij. Als ik dat nou eens allemaal inzet tegen jouw kamer?'

De grote man keek om zich heen, alsof hij zijn geluk nauwelijks kon bevatten. 'Meen je dat?' Hij lachte. 'Da's dan afgesproken, onderdeurtje!'

Sebastiaan kromp ineen. Het was waarschijnlijk niet zo slim van de man om Cornelius te beledigen. Terwijl hij toekeek, stroopte het mannetje één mouw op en bestudeerde de grote man met een zelfverzekerde glimlach op zijn gezicht.

Sebastiaan leunde over de bar, hief zijn kruik en knipoogde naar Brasgordel. 'Proost,' zei hij. 'Op je gezondheid! Enne... nog één vraagje: hoe laat serveren jullie hier het ontbijt?'

26

Een bondgenote

Het ene moment huilde de prinses nóg tranen met tuiten, om het volgende moment verbaasd te stoppen toen er een hand over haar haren streek.

'Nou, nou, schat, rustig maar. Het komt echt wel goed.'

Prinses Karijn veegde de tranen uit haar ogen en keek omhoog, wat opgefleurd door de eerste vriendelijke woorden die ze in tijden had gehoord. Ze zag een mollige, sproetige jonge vrouw met blauwe ogen en rood haar, dat in twee knotjes was opgebonden. Ze droeg een vormeloze hobbezak en knielde naast de prinses neer, terwijl ze geruststellend naar haar glimlachte. Ze stonk behoorlijk, zoals overigens iedereen in de kooi. Prinses Karijn keek haar onderzoekend aan.

'Wat wil je?' vroeg ze wantrouwend.

'Ik wil niks,' zei de vrouw. 'Alleen een praatje maken, dat is alles.'

'Als je gekomen bent om me uit te lachen...'

'Nee, dat zou niet bij me opkomen, prinses. Er valt hier trouwens niet veel te lachen, in elk geval niet voor ons.'

Wat milder gestemd zei prinses Karijn: 'Waarschijnlijk denk je dat ik gek ben.'

'Ik denk helemaal niet dat je gek bent,' antwoordde de vrouw. 'Tenminste, niet gekker dan wij. Als jij beweert dat je een prinses bent, wie ben ik dan om te zeggen dat dat niet zo is? Ik draai al lang genoeg mee om te weten dat zo ongeveer alles mogelijk is op deze wereld. Neem nou mijn oude vader: vroeger op de boerderij, toen ik nog klein was, had hij een varken dat hij had leren zingen. Ik zweer het!'

Het was alsof er een last van prinses Karijns schouders was gegleden. Ze glimlachte naar de vrouw en knipperde haar laatste tranen weg. 'Hoe heet je eigenlijk?' vroeg ze.

'Ik heet Marg,' zei de jonge vrouw. 'Marg van de Heuvels, zo word ik genoemd. Ik ben herderin, in de heuvels van Torijn. Tenminste, dat was ik, tot Kasim en zijn slavendrijvers door ons dorp trokken.' Ze zuchtte. 'Ik heb een gezin achtergelaten, weet je. Een fijne, sterke man en twee prachtige kinderen. Die waren net naar zijn moeder in het dorp verderop toen de slavenhandelaren kwamen – goddank, anders zou hij nu waarschijnlijk dood zijn en stonden mijn kinderen morgen naast me te koop.'

Prinses Karijn slikte nerveus. 'Worden we morgen dan verkocht?'

'Jazeker, prinses. Het is een belangrijke dag, vanuit het hele land komen mensen op de markt af. Jij hoeft tenminste niet zo lang te wachten. Ik zit al dagen vast in dit stinkende hol.'

'Wat walgelijk!' zei prinses Karijn. 'Hoe kun je andere mensen nou als vee verkopen?'

Marg keek haar peinzend aan. 'Zijn er dan geen slaven in Keladon, prinses? Daar kwam je toch vandaan?'

Nu voelde prinses Karijn zich pas echt beroerd. Ja, natuurlijk waren er slaven in haar stad – duizenden: het grote paleis was gebouwd met hun zweet en tranen, maar op de een of andere manier had ze er nog nooit bij stilgestaan.

'Moet je horen, Marg. Als ik daar ooit terugkom en mijn rechtmatige plaats op de troon inneem, dan zorg ik dat de slavernij wordt afgeschaft. Dan moeten de rijke kooplieden de mensen die voor hen werken maar betalen. Niemand heeft het recht om iemand anders te bezitten.'

'Mooi gezegd, prinses. Maar daar schieten wij niet veel mee op.' Marg draaide zich een kwartslag om en ging naast de prinses op de met stro bedekte vloer zitten. 'Je bent toch getrouwd?'

'Nee. Hoewel ik binnenkort wel zou trouwen. Met prins Rolf van Bodengen. Heb je weleens van hem gehoord?'

Marg giechelde. 'Dat zou ik denken! Hij schijnt heel knap te zijn, hè?'

'Hm. Nou, niet zo knap als hij er op zijn schilderijen uitziet. Eerlijk gezegd bezorgt hij me bepaald geen hartkloppingen...'

Marg keek haar plagerig aan. 'Ach, maar er is vast iemand anders die dat wel doet, toch? Dat zie ik aan die schittering in je ogen.'

'Hm. Ja, er wás iemand. Eerlijk gezegd kende ik hem nog maar een paar dagen, maar hij had iets. Iets... heel bijzonders.'

'Je praat over hem alsof hij er niet meer is.'

Prinses Karijn knikte en probeerde haar gevoelens in toom te houden. 'Ik ben bang dat hij dood is, Marg. Gedood door de bijl van de beul. En... het komt allemaal door mij.' Ze kon elk moment weer in tranen uitbarsten, maar Marg pakte haar hand en kneep er even in.

'Vertel eens iets over hem,' zei ze.

'Hij... Hij was een elfenman... uit de stad Jerabim.'

'O ja, ze beweren inderdaad dat elfenmensen speciale krachten bezitten die gewone stervelingen niet hebben. Een soort zesde zintuig. Als ze naar iemand kijken, dan zouden ze meteen weten wat zijn ware karakter is.'

'Echt?' Toen ze dat hoorde, voelde prinses Karijn een steek van berouw door zich heen gaan. 'Dus geen wonder dat hij dwars door mijn oom en zijn leugenpraatjes heen keek.'

'Je oom? Is dat niet...?'

'Koning Septimus van Keladon,' zei prinses Karijn verbitterd. 'De oom die ik jarenlang vertrouwd heb. De man die gezorgd heeft dat ik als slavin ben weggevoerd zodat hij op mijn troon kon blijven zitten.'

'O, maar, prinses, dat is vreselijk!'

Door een mistige sluier van tranen keek de prinses Marg aan. 'Dus... Dus je gelooft me echt?'

'Ja, natuurlijk. Je hoeft mij niet te vertellen hoe een gek eruitziet – echt, ik ben er in mijn leven aardig wat tegengekomen. Maar jij bent niet gek, dat durf ik te wedden. Het punt is: wat schiet je ermee op dat iemand als ik je gelooft?' Ze gebaarde naar de sombere groep gevangenen, die ineengezakt in de kooi zaten. 'Dit stelletje hier gelooft ons toch niet, en volgens mij wil ook niemand van de bewakers je verhaal aanhoren.'

'Dan kan ik alleen nog hopen,' zei prinses Karijn zachtjes.

'Hopen, prinses?'

'Dat iemand weet waar ik ben.'

Max had het gevoel dat hij al een eeuwigheid voor de herberg stond te wachten. Hij had het een paar keer flink benauwd gekregen toen troepjes schavuiten een meer dan vluchtige belangstelling hadden getoond voor de inhoud van Sebastiaans zadeltassen. Hij had zich geroepen gevoeld om het woord tot

311

de betreffende lieden te richten, en telkens waren die zo geschrokken dat ze zonder al te veel problemen doorliepen; maar nu begon hij zich af te vragen of hij er niet beter aan deed de herberg binnen te gaan en zijn meester op te zoeken.

Alsof het zo was afgesproken kwamen Sebastiaan en Cornelius op dat moment naar buiten, rood aangelopen en kwalijke dampen uitademend, min of meer in Max' richting.

'Jullie hebben gedronken!' riep Max ontzet uit.

'Klopt,' beaamde Sebastiaan met een zelfingenomen gezicht. 'Maar da konnie anders.'

'Nou, mooie boel is dat! Die arme prinses Karijn wordt ergens in deze stad gevangen gehouden, en jullie tweeën drinken je in de plaatselijke herberg een stuk in de kraag. Fantastische reddingsoperatie zal dat worden!'

'Het ligt ietsje anders,' zei Cornelius. 'Trouwens, alleen Sebastiaan is dronken. Ik heb alleen maar gedaan alsof ik bier dronk.'

Stomverbaasd keek Sebastiaan hem aan. 'Heb je... gedaan assof?'

'Natuurlijk. Je dacht toch niet dat ik zo dom was om dat bocht te drinken?'

Sebastiaan fronste zijn voorhoofd. 'Eh... nou ja, hoe dan ook, komt wel goed allemaal, want Corlenibus heb een potje arremgeworsteld en dat heb ie gewonnen. Ennou hoeven we jou en de hippopo's niet weg te doen.'

'Wat sta je toch te wauwelen?' zei Max. 'En de prinses dan?'

'We gaan een akzieplan bedenken,' antwoordde Sebastiaan. Al wankelend was hij bij zijn rijdier aangekomen, en met enige moeite gespte hij de zadeltassen los. 'We gaan nu naar ozze kamer en dan zien we wel wa we gaan doen.'

'Naar jullie kamer?' Nu werd Max pas echt boos. 'Jullie laten me hier niet weer achter, hè?'

'Sst,' zei Cornelius, en hij legde een vinger tegen zijn lippen. 'Dat moet wel. We kunnen toch geen buffaloop meenemen naar een kamer in een herberg?'

'O, dat is mooi. Dus ik mag hier de hele nacht blijven staan terwijl jullie in een luxe bedje slapen?'

'We gaan echt niet slapen,' verzekerde Cornelius hem terwijl hij zijn eigen zadeltassen losmaakte. 'We gaan plannen smeden. En, Max, er is een heel belangrijke rol voor jou weggelegd. Je moet waakzaam blijven, want de veiling begint morgen in alle vroegte.'

'En je moet goed op de hippopo's papassen,' benadrukte Sebastiaan, 'want anders kunnen we er niet vanderdoor.' Hij zwaaide de zadeltassen over zijn schouder en slingerde op onzekere benen terug naar de deur. 'Slekker slapen, ouwe makker,' riep hij nog.

'Ja,' zei Cornelius, en hij wilde Sebastiaan volgen. Maar toen bleef hij staan, draaide zich om en keek Max aan. 'Weet je,' zei hij, 'ik heb jou ook als inzet gebruikt bij dat wedstrijdje arm-worstelen. En heel even... echt heel even maar... heb ik serieus overwogen om me te laten verslaan.' Hij glimlachte en schudde zijn hoofd. 'Maar het gezonde verstand kreeg de overhand. Welterusten, Max!' En weg was hij, Sebastiaan achterna.

Wat ongelovig stond Max hen na te kijken. De deur sloeg met een klap achter hen dicht. Hij keek Fantoom aan en schudde zijn kop.

'Dat is nou weer zo typisch,' zei hij klagerig. 'Weg zijn ze, hun lekker warme herberg in. Waarschijnlijk krijgen ze een eerste-klas avondmaal voorgeschoteld, met een glas uitstekende wijn. Ondertussen hebben wij al de hele dag niks te eten gehad, niet eens een handje droogvoer. Op zulke momenten weet je weer waar je staat in het grote geheel. Als je twee benen hebt, kun je je lol niet op. Als je vier poten hebt, valt er weinig te lachen. Je zou er depressief van worden.'

Hij keek naar Fantoom, die alleen snoof en stampte met één voet.

Max zuchtte. 'Soms is hét een twijfelachtig genoegen om een ontwikkeld dier te zijn,' zei hij. 'Echt waar.'

Zodra ze veilig op hun kamer waren, deed Cornelius het raam open, en samen met Sebastiaan keek hij uit over het verlaten, door de maan beschenen plein. En ja hoor, rechts van hen stonden Max en de twee hippo's, vastgebonden aan een paal, en recht onder het raam strekte zich het brede houten veilingplatform uit.

'Ik denk dat de gevangenen daar morgen naartoe worden gebracht,' merkte Cornelius peinzend op.

'Waar zijn ze nu dan?' wilde Sebastiaan weten.

'Als ik moest raden, zou ik zeggen: ergens daar beneden.' Cornelius bewoog zijn wijsvinger naar links, naar de achterkant van de verhoging, waar een vergrendelde ijzeren deur naar een ondergrondse ruimte leek te voeren. 'Daar zijn waarschijnlijk de cellen waarin ze worden vastgehouden. Zoals je ziet is er nergens een raam te bekennen.'

'As we die nou 'ns aanvielen?' redeneerde Sebastiaan. 'As we tot morgen wachten, lopen d'r hoopjes mensen rond.'

Cornelius schudde zijn hoofd. 'Er is maar één ingang,' constateerde hij. 'En niemand doet de deur open voor iemand die ze niet kennen. Trouwens, op dit moment ben je absoluut niet in staat om wat dan ook te ondernemen.' Hij fronste zijn voorhoofd. 'Ik vrees dat het morgen wordt. Zoals je al zei, zijn er dan heel veel mensen op de been, dus we moeten het hebben van het verrassingselement.'

Hij trok de verschillende onderdelen van zijn minikruisboog uit de vakjes in zijn riem en schoof ze snel in elkaar. Hij haalde een korte houten pijl met een zware, driepuntige metalen kop tevoorschijn. En ten slotte nam hij een tros lang, fijn zijdedraad uit zijn zadeltas. Het ene uiteinde bevestigde hij aan de pijl van de kruisboog en die schoof hij in de boog. Toen liep hij naar het raam en tuurde nadenkend over het plein.

'Wat ben je aan het doen?' vroeg Sebastiaan.

'Sst! Zo kan ik niet richten. Hier, pak dit eens.' Cornelius gaf het losse uiteinde van de draad aan Sebastiaan. Hij keek snel om zich heen om er zeker van te zijn dat het plein nog steeds verlaten was, bracht toen de kruisboog naar zijn ene oog en richtte rustig en zorgvuldig. Sebastiaan, die over de schouder van het mannetje meegluurde, zag dat hij richtte op een wat lager gebouw helemaal aan de andere kant van het plein, waarvan het dak getooid was met een soort kantelen. Ten slotte haalde Cornelius de trekker over. De pijl schoot het raam uit en nam de draad met zich mee. Hij beschreef een strakke, sierlijke boog en landde precies in een opening tussen de kantelen. 'Perfect,' zei Cornelius. 'Trek de draad nu maar aan... voorzichtig.'

Sebastiaan gehoorzaamde en na enkele tellen bleven de punten van de pijlkop haken achter het metselwerk aan de rand van het dak. Cornelius liep naar hem toe en gaf een harde ruk aan de draad om te controleren of de pijl inderdaad stevig vastzat. Hij trok de draad strak en gaf Sebastiaan opdracht om op een stoel te klimmen en hem vast te binden aan een van de houten balken die over het lage plafond liepen.

'Ziezo!' zei hij ten slotte, en hij plukte aan de draad alsof het een snaar was van een heel zuiver instrument. 'Klaar!' Hij nam Sebastiaan mee terug naar het raam en liet hem zien dat er nu een veilige lijn in een flauwe bocht zo'n negen meter boven het midden van de verhoging hing.

'Waar is dat voor?' vroeg Sebastiaan, die er niets van begreep.

'Waar dat voor is? Nou, dat is de snelst denkbare route naar het platform. Als het zover is sla je er simpelweg een kort stuk touw omheen, dan spring je uit het raam en vlieg je het plein over. Als je halverwege bent, laat je los en kom je midden op het platform terecht!'

Sebastiaan keek Cornelius achterdochtig aan. 'Het valt me op dat je de hele tijd "jij" zegt. Hopelijk d-dacht je toch niet dat ik met dat ding naar beneden ga?'

'Waarom niet? Er kan je niks gebeuren.'

'Cornelius, ik ben nooit soldedaat geweest zoals jij.'

'O, je doet het anders lang niet slecht. Trouwens, er zit niks anders op dan dat jij het doet. Ik heb het dan te druk met de afleidingsmanoeuvre.' Hij wees naar een paar kleine openingen onder het houten platform. 'Ik ben de enige die klein genoeg is om daaronder te kruipen,' zei hij.

'Ja, maar die draad kan me gewicht vas nie houwen.'

'Onzin. Hij is gemaakt van het web van een Golmiraanse tunnelspin. Dat is een van de sterkste materialen die de mens kent.

317

Wees maar niet bang, je hangt er maar een paar tellen aan. Laat me nu maar eens zien hoe die donderstaven werken...'

Even later had Cornelius de machtige vuurwerkattributen op het bed uitgestald en was hij bezig kortere lontjes voor ze te maken. Hij probeerde in te schatten hoeveel tijd hij nodig zou hebben om ze aan te steken en onder het platform uit te kruipen vóór ze afgingen. Het viel Sebastiaan op dat hij heel vrolijk keek terwijl hij bezig was, als een jongetje dat zich verheugt op zijn lievelingsspelletje. Het scheen geen moment bij hem op te komen dat hij gewond kon raken, of zelfs het leven zou kunnen verliezen.

Met een zucht draaide Sebastiaan zich om, keek weer neer op het lege plein en richtte zijn blik toen op het rechthoekje licht dat uit de vergrendelde gevangenisdeur scheen. Kon hij prinses Karijn maar waarschuwen voor de volgende dag. Inmiddels had ze vast de hoop opgegeven, dacht hij. Kon hij maar met haar praten, haar zachte glanzende haren strelen...

Opeens werd hij bevangen door paniek, want voor het eerst besefte hij hoe diep zijn gevoelens voor haar gingen. Het was krankzinnig, hield hij zichzelf voor. Hij was een gewone man en zij was voorbestemd om koningin te worden. Bovendien had ze hem verteld dat de plicht haar gebood om met prins Rolf van Bodengen te trouwen. Maar ondanks dat alles had hij voor háár de reis naar deze supergevaarlijke stad ondernomen;

en de volgende ochtend zou hij voor háár zijn leven op het spel zetten.

Voorlopig zat er niets anders op dan toe te zien hoe Cornelius voorbereidingen trof voor wat een weergaloos feest beloofde te worden.

27

De grote veiling

Prinses Karijn werd wakker toen er een hand op haar schouder werd gelegd die haar zachtjes heen en weer schudde, waardoor haar droom werd afgebroken.

'Sebastiaan,' fluisterde ze. 'Nog niet. Nog een paar minuten...'

Opeens was ze klaarwakker, en ze besefte dat ze op een hoopje stro lag, koud en onder het vuil. Ze keek op. Het gezicht dat naar haar glimlachte was niet van Sebastiaan, maar van Marg.

'Dus zo heet ie, hè?' vroeg Marg vriendelijk. 'Sebastiaan.'

'Ik heb gedroomd,' zei prinses Karijn. Ze ging rechtop zitten en keek de kooi rond, waar een nogal opgewonden sfeer heerste. 'Wat is er aan de hand?' vroeg ze.

'Het is ochtend. Nog even en dan wordt het eten gebracht.'

'Eten.' Prinses Karijn bedacht dat ze niet meer had gegeten sinds ze Keladon had verlaten. 'Goddank,' zei ze. 'Ik ben uitgehongerd! Wat wordt er opgediend? Ik zou wel een paar eitjes lusten...'

'Verwacht er maar niet te veel van, prinses,' waarschuwde Marg. 'Je krijgt hooguit wat restjes oud brood.'

'O.' Ze probeerde niet te laten merken hoe teleurgesteld ze was. 'Nou ja, ik... ik vind brood heel lekker.'

'Je krijgt het alleen als je erom vecht,' waarschuwde Marg haar.

'Moet ik erom vechten?' De prinses was verbijsterd. 'Ik ga heus niet om voedsel vechten. Dat zou wel heel vernederend zijn.'

'Tja, prinses, zo gaat dat hier. De restjes worden naar binnen gegooid en iedereen vecht om een stukje. Vergeet niet dat dit het laatste is wat we krijgen voor we verkocht worden en door onze nieuwe meesters worden meegenomen.'

Prinses Karijn knikte beduusd. Het was alsof ze uit een droom was ontwaakt en in een nachtmerrie was beland. Op de een of andere manier had de slaap haar doen vergeten wat haar te wachten stond.

Het ijzeren hek ging knarsend open en even werd het schemerdonker door fel zonlicht verbroken. Een grote, onbehouwen soldaat liep met twee ijzeren emmers naar binnen. 'Goeiemorgen, varkentjes!' sneerde hij. 'Tijd voor jullie ontbijtje!'

Eerst liep hij op de mannenkooi af; hij hield een van de emmers omhoog en begon de etensresten tussen de tralies door naar binnen te gooien. Onmiddellijk ontstond er een gedrang vanjewelste toen iedereen, jong en oud, zich op het stro wierp in een poging een stukje eten weg te grissen. Er werden klappen uitgedeeld en sommige oudere mannen werden schaamteloos opzijgeduwd terwijl hun jongere, sterkere celgenoten het leeuwendeel inpikten van het armzalige beetje dat er was. Telkens als iemand iets te pakken had, trok hij zich terug in een hoek van de kooi, waar hij ineengedoken als een beest het brood in zijn mond propte.

Nu pakte de grijnzende soldaat de andere emmer en liep naar de vrouwenkooi. 'Hallo, dames!' gniffelde hij. 'Jullie hebben me zeker gemist, hè?'

'Ga klaarstaan,' drong Marg aan.

De soldaat bleef een hele tijd met de geheven emmer staan, want hij wist maar al te goed hoe verlokkend die was in de ogen van de hongerige vrouwen in de kooi. Ten slotte wierp hij de resten tussen de tralies door naar binnen en keek toe, met een tevreden glimlach op zijn gezicht. Prinses Karijn wilde naar voren lopen, maar werd onmiddellijk hardhandig opzijgeduwd in de golf van gevangenen die achter haar naar voren drongen. De hoop met restjes verdween al snel onder een kluit vrouwen, die elkaar allemaal wegduwden en wegmepten in hun haast om een klein beetje voedsel te bemachtigen. Ze trokken aan haren, krabden in gezichten en sloegen woedend om zich heen. De prinses dacht aan de overdadige feestbanketten die ze in Keladon had bijgewoond, aan de borden vol kostelijk voedsel, die ze nauwelijks had aangeraakt en opzij had geschoven, en haar ogen vulden zich met tranen van schaamte. Vol walging draaide ze zich om en liet zich in haar hoek op de grond zakken.

Even later kwam Marg terug, met twee korsten brood in haar handen geklemd. Ze hurkte naast de prinses neer en gaf er eentje aan haar.

'Nee.' Prinses Karijn schudde haar hoofd. 'Eet jij ze maar op, Marg. Ik heb het niet verdiend.'

'Tuurlijk wel.' Marg duwde de homp brood in haar handen. 'Je moet eten, prinses, je moet je krachten sparen. Je weet nooit wanneer je weer in de gelegenheid bent. Toe dan!' Ze bleef aandringen, tot prinses Karijn zich uiteindelijk gewonnen gaf. Ze bracht het brood naar haar mond en nam een hap. Het was oud en muf, maar het was het enige voedsel dat ze in tijden had geproefd en ze at er gretig van, verslond het tot op het laatste kruimeltje en probeerde de smaak zo lang mogelijk vast te houden. En terwijl ze at, nam ze zich voor om nooit meer aan armoe voorbij te lopen, zo lang ze leefde.

Ze had net de laatste mondvol brood naar binnen gewerkt toen de buitendeur weer openzwaaide en een bekende figuur arrogant het vertrek kwam binnenstappen, waarbij zijn zware laarzen stofwolken opwierpen die leken te dansen in de banen zonlicht. Het was Kasim, met een zoetsappige grijns op zijn lippen en zo te zien zeer met zichzelf ingenomen. Met één hand in de zij en terwijl hij in de andere een zweep van gevlochten leer hield, stelde hij zich op in het midden van de ruimte. Hij keek om zich heen, naar de mensen in de kooien.

'Slaven,' zei hij, 'het langverwachte moment is bijna aangebroken. Het is tijd om te kijken wat jullie ellendige leventjes waard zijn.' Hij richtte zijn aandacht op prinses Karijn, en er blonk een kil, spottend lichtje in zijn ogen. 'Sommigen van jullie zullen een goede prijs opleveren,' zei hij. 'Anderen zijn hooguit een paar miezerige munten waard. Maar voor mij is het allemaal dikke winst.' Hij lachte spottend. 'Neem ze mee,' gebood hij, waarop hij rechtsomkeert maakte en terugliep naar de openstaande deur.

Prinses Karijn keek Marg aan en de vrouw schonk haar een geruststellende glimlach.

'Kom mee, prinses,' zei ze, en ze pakte haar bij de hand. 'Waar we ook terechtkomen, alles is beter dan dit smerige hol.'

Prinses Karijn knikte. Ze was blij dat ze een bondgenote had, ook al was het maar voor even. Marg en zij volgden de overige gevangenen naar buiten, de kooi uit.

Aan het trompetgeschal kon Sebastiaan horen dat er iets belangrijks stond te gebeuren. Vanuit het open raam van zijn ka-

324

mer keek hij neer op de enorme mensenmenigte die zich rond het platform had verzameld. Ergens daar beneden was Cornelius, wist hij, maar hij had hem al een hele tijd niet meer gezien en had geen idee hoe hij het maakte. Wel zag hij Max en de twee hippo's, die midden in het gewoel stonden, niet ver van de rand van het platform, en hij ging ervan uit dat Cornelius ergens bij hen in de buurt moest zijn. Hopelijk zat hij nu onder het platform en was hij bezig de staven springstof te plaatsen. Sebastiaan hoopte dat het mannetje de lontjes lang genoeg had gemaakt, anders bestond de kans dat de zaak de lucht in ging terwijl Cornelius er nog steeds naast zat, en zelfs hij zou dat amper overleven...

Nu zag Sebastiaan een grote, kale man het trapje aan de achterkant van het podium bestijgen. Hij stapte het houten platform op en zwaaide naar bekenden onder het publiek. Hij werd gevolgd door een lange rij haveloze vrouwen, die werden voortgedreven door enkele met speren gewapende soldaten in uniform. Sebastiaan zocht wanhopig naar prinses Karijn, maar het duurde akelig lang voor hij haar zag. Hij kwam net tot de conclusie dat ze niet bij de groep was, toen hij haar er plotseling uit pikte. Ze zag er broos en bang uit en hield de hand vast van een andere vrouw, die tegen haar leek te praten.

Sebastiaan nam het korte stuk touw van het bed – het touw waarmee hij op het platform zou neerdalen. Hij sloeg het om de lange draad die via het raam naar buiten liep, maar voorlopig deed hij niets. Cornelius had hem opgedragen om te wachten tot prinses Karijn op het veilingblok stapte, een klein podium dat een centimeter of tien boven het hoofdplatform uitstak. Terwijl de verschillende bieders de kwaliteiten bespraken van de vrouwen die te koop stonden, werd het publiek onrustig, en uiteindelijk moest Kasim zijn armen heffen om de menigte tot bedaren te brengen.

'Gegroet, bewoners van Bandistan,' brulde hij. 'Welkom op onze maandelijkse slavenmarkt!' Het volk joelde goedkeurend, en Kasim keek even om naar de armzalige troep vrouwen, die nu achter hem stond opgesteld. Weer wendde hij zich tot het publiek en opnieuw hief hij zijn armen om het tot stilte te manen. 'Jullie weten wie ik ben,' riep hij. 'Eerlijke Kasim. Mijn slaven komen vanuit de hele ons bekende wereld, en ieder gaat vergezeld van mijn persoonlijke garantiebewijs. Als een slaaf die hier gekocht is niet minimaal één jaar meegaat, vervang ik hem gratis door een vergelijkbaar model!' Zijn aanbod werd begroet met een brul van bijval. 'Als een slaaf niet naar tevredenheid presteert, kom ik persoonlijk even langs voor een kleine onderhoudsbeurt aan huis!' Hij liet zijn zweep knallen, knipoogde naar het publiek en werd beloond met een daverend gelach. 'Ik heb slaven in alle soorten en maten,' verzekerde hij hun. 'Groot, klein, kort, lang, dik, dun, jong en oud – maakt niet uit wat je zoekt, hier vind je het wel! En de aanbieding van de week mag je zeker niet missen. Wie twee slaven koopt, krijgt de derde voor de helft van de prijs!' Nog meer kreten van bijval. Kasim was duidelijk populair hier in Bandistan.

Sebastiaan keek weer naar prinses Karijn, die hulpeloos op het platform stond, en het liefst was hij meteen naar beneden geroetsjt om Kasim te laten voelen dat niet iedereen het leuk vond wat hij deed, maar hij wist dat hij het juiste moment moest afwachten, anders hadden ze geen schijn van kans om het er levend af te brengen. Hij vroeg zich af hoe het Cornelius verging daar onder het platform...

Diep in het doolhof van balken waarop het platform rustte, was Cornelius aan het werk: hij bond zijn laatste pak donderstaven vast een van de hoofdschragen. Hij had alle korte lontjes aan elkaar bevestigd zodat ze tegelijkertijd aangestoken konden worden, en volgens zijn berekening had hij dan nog ongeveer tien tellen om een veilig heenkomen te zoeken voor de zaak de lucht in ging. Hij keek even omhoog, waar hij door een kiertje tussen de planken af en toe een glimp opving van wat er op het platform gebeurde.

Het moment waarop prinses Karijn het veilingblok op stapte zou hij niet kunnen zien, maar hij had tegen Max gezegd dat hij hard moest gaan loeien als het zover was, en dat zou voor hem het signaal zijn om de lontjes te ontsteken. Wat er gebeurde als de zaak eenmaal ontplofte, was volkomen onduidelijk, en Cornelius moest toegeven dat hij niet goed wist hoe het dan verder ging. Met een beetje geluk was iedereen tijdelijk verdoofd zodat ze uit het gedrang konden ontsnappen – maar Cornelius had niet kunnen vermoeden dat het plein zo barstensvol mensen zou komen te staan.

Hij bond het laatste lontje vast en zocht in zijn zak naar zijn tondeldoos en het kaarsje dat hij uit zijn kamer in de herberg had meegenomen. Ineengedoken verzamelde hij wat stro en sloeg de vuursteen tegen het doosje. Hij moest die handeling een paar keer herhalen tot hij een vonk had geproduceerd die groot genoeg was om het spul te laten smeulen. Door voorzichtig op de strootjes te blazen kreeg hij een vlammetje en daarmee ontstak hij de pit van het kaarsje. Zo bleef hij gehurkt zitten, klaar om de lontjes aan te steken zodra hij Max het sein hoorde geven. Boven hem klonk de diepe stem van Kasim, die zich op luide toon tot zijn publiek wendde.

Vanaf zijn plek vooraan bij het podium kon Max de gebeurtenissen prima volgen. Gewichtig spreidde Kasim zijn handen.

'Dus, vrienden,' bulderde hij, 'we zijn er klaar voor. De veiling kan van start gaan. Breng de eerste maar naar voren!'

Een soldaat liep de rij gevangenen langs en kwam terug met

een magere vrouw met warrige haren, die hij bij de arm mee-voerde. Hij duwde haar naar Kasim toe, die haar met een zwiep van zijn zweep duidelijk maakte dat ze op het verhoogde hou-ten voetstuk moest stappen zodat het publiek haar beter kon zien. De vrouw, die doodsbang was, deed wat haar was opge-dragen. Daar stond ze en ze keek gespannen om zich heen.

'Nou, wat een schoonheid, hè?' brulde Kasim spottend, en de menigte barstte in lachen uit. 'Oké, ze heeft misschien niet veel vlees op de botten, maar ik wil wedden dat het een harde wer-ker is. Die is goed voor vloeren boenen en latrines uitschrobben, en ik weet zeker dat ze ook kan koken en naaien. Wie biedt de eerste kroater?'

Ergens in de menigte ging een hand omhoog en de veiling was begonnen.

Max zag dat de vrouw tranen van vernedering in haar ogen kreeg. Het moest vreselijk zijn, dacht hij, om zo behandeld te worden. Niet dat zijn soort aan dat soort zaken niet gewend was. De meeste buffalopen werden op een gegeven moment verhandeld en het waren altijd mensen die op hen boden. Maar om op je eigen soort te bieden, zoals hier gebeurde! Wat een schande. Zo diep zou geen buffaloop zinken.

'Ging dat grote harige beest maar eens opzij,' zei een stem rechts van hem, en Max draaide verbaasd zijn kop om. Iets ver-derop hielden vier slaven met grote moeite een luxe draagstoel omhoog, zodat degenen die erop zaten goed zicht hadden op het veilingplatform. Het waren een gezette koopman en zijn al even zwaarlijvige vrouw, die lui achteroverleunden op rijk versierde fluwelen en brokaten kussens. Vol belangstelling keken ze naar het podium, maar de vrouw hield een zijden zakdoek voor haar neus, alsof ze een vieze lucht rook. Ze richtte een dikke, met edelstenen bedekte vinger op Max. 'Kun je hem niet wegjagen, Archibald?' vroeg ze aan haar man. 'Je weet toch wat een gevoelige neus ik heb?'

'Volgens mij kan hij nog geen poot verzetten,' antwoordde de koopman. 'We zitten hier allemaal ingeklemd. Trouwens, ik snap niet wie er zo stom is om zo'n ding daar achter te laten.' Hij hief zijn hand om een bod uit te brengen. 'Drie kroater!' riep hij.

'Je brengt toch geen bod uit op dat zure ouwe wijf daar?' vroeg de vrouw verontwaardigd. 'Wat moet je met haar?'

'De vrouw die voor de beerputten zorgt, wordt zo langzamerhand te oud voor het werk,' zei Archibald. 'Ze kan amper meer op haar benen staan. Ik tel graag een paar kroater neer voor iemand met wat meer energie.'

Vanaf het platform liet Kasim zijn blik over het publiek gaan. 'Hier wordt drie kroater geboden. Hoor ik daar "vier"?' Hij keek om zich heen, zoekend naar een teken. 'Wie biedt er meer? Drie kroater dan.... eenmaal... andermaal...'

'Vier kroater,' riep Max zo luid mogelijk, terwijl hij zijn kop laag bij de grond hield.

'Vier kroater wordt daar geboden!' Kasim zwaaide met zijn hand in Max' richting. 'Wie biedt er vijf?'

Het bleef heel lang stil, en toen riep Archibald: 'Vijf kroater.'

Boven haar zijden zakdoek keek zijn vrouw hem afkeurend aan. 'Niet hoger bieden,' gebood ze. 'Dat is ze niet waard.'

Archibald glimlachte. 'Wees maar niet bang, niemand biedt meer dan...'

'Zes kroater!' riep Max.

'Zes kroater wordt geboden,' zei Kasim. 'Wie biedt er zeven?'

De dikke koopman keek de menigte rond in een vergeefse poging om te ontdekken wie tegen hem opbood. 'Wie was dat?' vroeg hij aan zijn vrouw. 'Zo te horen een heel beschaafd iemand. Ik wil wedden dat het dat omhooggevallen oliehandelaartje is, Antonius. Hij probeert altijd van me te winnen.'

'Laat nou maar,' raadde ze hem aan. 'Daar verlies je toch niks mee? Je kunt altijd nog een bod uitbrengen op een ander. Een jonger, sterker iemand...'

Maar de koopman luisterde niet naar het advies van zijn vrouw. 'Zeven kroater!' brulde hij uitdagend. Hij was het duidelijk gewend om zijn zin te krijgen. 'Daar wil ik Antonius weleens overheen zien gaan,' zei hij tegen zijn vrouw, en hij glimlachte zelfingenomen.

'Twintig kroater!' zei Max. Er ontstond tumult onder het publiek. Kasim kon zijn geluk niet op.

'Hoorde ik daar "twintig kroater"?' riep hij. 'Dat is fantastisch.' Hij liet zijn blik nu onderzoekend over het publiek gaan om te zien wie de bieder kon zijn. 'Het is nog maar de eerste verkoop van de dag, en nu al tasten de mensen diep in hun beurs. Goed, biedt iemand meer dan twintig?'

Verbluft en met open mond keek de koopman om zich heen. Ondertussen zat zijn vrouw naar Max te wijzen. 'Het was dat beest!' riep ze uit. 'Ik zag zijn bek bewegen!'

'Wat?!' Haar man staarde haar verbaasd aan. 'Doe niet zo belachelijk, schat. Het was Antonius. Ik herken die slijmerige stem uit duizenden. Nou, die moet niet denken dat hij me te slim af is!'

De koopman was kennelijk van plan opnieuw een bod uit te brengen, maar zijn vrouw greep hem bij zijn armen en hield hem stevig vast, tot Kasim een eind aan het bieden had gemaakt.

'Eenmaal... andermaal... verkocht voor twintig kroater!' Kasim trok de vrouw van het podium en duwde haar niet al te zachtzinnig naar het omheinde terrein waar de winnende bieders hun slaven konden afhalen. Toen gebaarde hij naar zijn soldaten ten teken dat ze een nieuwe slavin moesten halen.

Tevreden wierp Max een schuinse blik op de draagstoel, waarop de rood aangelopen koopman en zijn vrouw luidkeels zaten te ruziën.

'En ik zeg dat het de buffaloop was! Ik zag zijn bek bewegen.'

'Hoe stom denk je dat ik ben, mens? Antonius probeert me al een loer te draaien sinds we naast hem een winkel hebben geopend.'

'Het was Antonius niet! Weet je dan niet dat je die beesten kunt leren praten?'

'O, ja hoor – alsof zo'n groot harig schepsel als dat daar slim genoeg zou zijn om te bieden tijdens een slavenveiling! En nou je mond houden, want ik zie iets heel interessants.'

'Ik weet niet of ik dat wel goedvind. Ze is veel te mooi naar mijn zin.'

Max draaide zijn kop weer naar het platform en zette grote ogen op van verbazing. Hij was ervan uitgegaan dat hij eindeloos zou moeten wachten tot de prinses aan de beurt was, maar nee, daar was ze al: voortgedreven met de punt van een speer, terwijl een tweede soldaat de mollige vrouw tegenhield naast wie ze gestaan had. Nu klom ze aarzelend het kleine podium op. Max keek even omhoog naar het raam en zag daar Sebastiaan zitten, ineengedoken en klaar voor de sprong. Maar eerst moest hij het sein geven. Even kon hij zich tot zijn ontzetting niet meer herinneren wat het was. Net toen hij in paniek raakte, wist hij het weer: het was geen woord of iets ingewikkelds.

Het was dat vernederende geluid. Nou ja, dacht hij, deze keer was het tenminste voor een goed doel.

Hij tilde zijn kop op, zoog alle kracht die hij bezat naar zijn longen en stootte een luid en brullend 'Moeoeoeoeoeoeoeoe!' uit.

28

De redding

Onder het houten platform klonk opeens een daverende knal en er ging een schok door Cornelius heen, alsof hij uit een droom werd wakker geschud. Hij stak zijn hand uit naar de kaars, maar stootte er onhandig tegenaan met zijn vingertopje zodat hij omviel en onmiddellijk uitging.

'O nee!' stamelde Cornelius. Hij tastte in zijn zakken op zoek naar zijn tondeldoos en besefte dat hij het hele proces rond het aansteken van de kaars opnieuw zou moeten afwerken – terwijl Sebastiaan ongetwijfeld al naar buiten was gesprongen zodra hij het teken van Max had gehoord. Hij pakte de tondeldoos vast, haalde de vuursteen eruit en begon als een bezetene vonken te slaan...

Sebastiaan greep beide uiteinden van het korte stuk touw stevig vast, haalde diep adem en sprong uit het raam.

Eerst viel hij alleen maar, en hij had het afschuwelijke ge-voel dat hij zou blijven vallen tot hij beneden op de straatkeien smakte; maar toen bereikte hij het punt waarop de draad die hem droeg hem met een ruk naar boven trok, en nu raasde hij op het podium af: eerst langzaam, maar toen met steeds grotere vaart. Beneden hem zag hij het uitgestrekte houten platform en ook prinses Karijn, die bezorgd naar de opeengepakte menigte tuurde; en terwijl hij op haar neerkeek en het touw soepel over het lange stuk zijdedraad voelde glijden, was hij zich ervan be-wust dat hij opeens wel erg veel snelheid kreeg. Met een ruk richtte hij zijn blik op het uiteinde van de draad en toen zag hij dat de pijl waarmee die vastzat een grote brok uit het metsel-werk van het dak aan de overkant trok.

Tot zijn grote ontzetting verslapte de lijn voor hem opeens en hij vloog schuin naar beneden door de lucht, voortgestuwd door zijn eigen gewicht. Hij opende zijn mond al om te schreeu-wen, maar nu kwam het volle podium op hem af suizen en in plaats van te schreeuwen had hij al zijn concentratie nodig om heelhuids neer te komen.

Telkens opnieuw sloeg Cornelius met de vuursteen, en telkens vielen de grote vonken op het hoopje stro, sisten en doofden uit. Hij bleef maar slaan, tot zijn handen glibberig waren van het zweet, maar net toen hij er de brui aan wilde geven, bleef er een vonk branden; hij gloeide rood op en werd een oranje vlamme-tje. Cornelius greep de kaars, hield de pit uiterst voorzichtig boven de vlam en slaagde er ten slotte in hem aan te steken.

'Ja! verzuchtte hij, en bijna had hij de kaars weer uitgeblazen.

Cornelius hield zijn vlakke hand voor de vlam om die te be-schermen tegen elk adempufje dat zijn mond verliet. Nu bracht hij de kaars over naar de wirwar van elkaar kruisende lontjes, die in het midden van de hoofdbalk bij elkaar kwamen, en met-een vlamde er een fel, sissend vuur op, pal voor zijn gezicht. Even bleef hij gehurkt zitten en keek naar de lontjes, die snel korter werden; toen bedacht hij dat hij niet veel tijd meer had, en hij draaide zich om en kroop als een razende op handen en knieën weg, terug naar de opening aan de voorkant van het platform. En op dat moment bleef zijn maliënhemd achter een spijker haken, zodat hij vastzat terwijl de lontjes snel afbrand-den, in de richting van de explosieve lading...

Max keek omhoog en tot zijn afgrijzen zag hij het slungelige lijf van Sebastiaan door de lucht vliegen. Hij wist vrijwel zeker dat deze laatste ontwikkeling niet de bedoeling was, en zoals Se-bastiaan met maaiende armen en benen naar beneden kwam, was het moeilijk te zeggen welk deel van het podium hij zou ra-ken en of dat met zijn hoofd of met zijn voeten zou zijn. Er was echter geen tijd om daar lang bij stil te staan: Max moest nu zijn deel van het plan uitvoeren. Hij knikte naar de twee hippo's, die iets verderop stonden, dichter bij het podium.

'Oké,' zei hij. 'Ik tel tot drie. Een... twee... dríé!'

Max en de hippo's draaiden zich snel om, zodat ze met hun koppen van het platform af stonden. Max' voornaamste taak bestond uit het vrijmaken van een pad waarlangs Sebastiaan, Cornelius en de prinses konden vluchten zodra ze op de hippo's zaten. Tot zijn niet-geringe tevredenheid zag hij dat de dikke koopman en zijn vrouw zich vlak voor hem bevonden. Hij zag de geschrokken blik in hun ogen en kon het niet laten om het woord tot hen te richten.

'Prachtige dag voor een veiling, vindt u ook niet?' zei hij opgewekt.

Sebastiaan bereidde zich al voor op de klap waarmee zijn magere lijf het houten platform zou raken, toen zijn val op het allerlaatste moment werd gebroken door iets zachters: Kasim. In een flits zag Sebastiaan het geschrokken gezicht van de slavenmeester voor hij tegen hem aan smakte. Hij voelde hem grommen van verbazing toen alle lucht in één keer uit zijn longen werd geslagen. Samen vielen ze op de grond. Kasims schouders raakten het houten podium een paar seconden voor Sebastiaan boven op hem neerdonderde. Kasims ogen puilden uit van pijn en hij deed zijn mond open om het uit te schreeuwen, maar hij had geen adem genoeg. Sebastiaan rolde op zijn rug en staarde in de ogen van een verblufte prinses Karijn.

'Ben jij het?' stamelde ze. 'Waar kom jij vandaan?'

Sebastiaan gebaarde vaag in de richting van het bovenste raam van de herberg aan de overkant, maar ook hij had niet genoeg lucht om antwoord te kunnen geven.

Hij krabbelde overeind en trok zijn zwaard, zich ervan bewust dat de soldaten hem allemaal verbijsterd aanstaarden, nog steeds te overrompeld om in actie te komen. Hij besefte ook dat die situatie niet lang zou duren. Hij liep naar prinses Karijn toe, sloeg een arm om haar middel en trok haar mee naar de rand van het platform, terwijl hij zich afvroeg wat er van die explosie terecht was gekomen. Stel dat het vuurwerk niet was ontbrand? Naast hem hoorde hij gekreun en toen hij keek, zag hij dat Kasim met veel moeite overeind krabbelde. Zijn gezicht stond woedend en hij hield zijn zweep nog steeds in zijn kolossale hand.

'En nu?' vroeg prinses Karijn.

Dat was een heel goede vraag.

Cornelius probeerde uit alle macht zijn maliënhemd van de spijker los te maken, maar er was een metalen ringetje achter de kop blijven haken en het weigerde mee te geven. Hij wierp een wanhopige blik op de donderstaven en zag dat de lontjes met

een noodvaart afbrandden en inmiddels op hooguit een vinger-
nagel afstand van de explosieven verwijderd waren.

'Bij Schimloks baard!' grauwde hij. Hij verzamelde al zijn
krachten, gaf een harde ruk en werd beloond met een scheurend geluid. Opeens was hij los, waarop hij als een razende naar
de opening aan de rand van het podium kroop...

'Ik weet niet hoe je hier verzeild bent geraakt, elfenman,' snauwde Kasim, terwijl hij met geheven zweep op Sebastiaan afkwam.
'Maar als ik klaar met je ben, dan zal het je berouwen dat je niet
in Keladon bent gebleven om met de bijl van de beul kennis te
maken.'

Achter hem drongen de soldaten ook al op, eveneens met getrokken zwaard en geheven speer. Sebastiaan duwde prinses
Karijn achter zich en hief uitdagend zijn eigen zwaard, terwijl
Kasim steeds dichterbij kwam. Opeens schoot hem iets te binnen wat Cornelius ooit had gezegd en hij probeerde zijn voorbeeld te volgen.

'Kom op als je denkt dat je sterk genoeg bent,' sprak hij zo
kalm mogelijk. 'Dan sla ik die lelijke dikke kop van je romp.'

Met een akelige grijns ontblootte Kasim de gouden tanden
die tussen zijn eigen exemplaren stonden. 'Flink hoor,' merkte
hij op. 'Maar ook heel dom.' Hij maakte een bijna nonchalante
polsbeweging en er suisde iets door de lucht wat zich rond Se-

bastiaans zwaard wikkelde en het in één keer uit zijn hand trok. Het zwaard schoot kletterend over het houten platform, nagestaard door een verbijsterde Sebastiaan. 'En, ben je nog steeds zo zeker van je zaak?' vroeg Kasim. Weer bewoog hij zijn pols en deze keer striemde de zweep over Sebastiaans wang, met een bijtende zwiep die hem bijna onderuithaalde. 'Mooi,' zei Kasim vleierig, 'ga je nu rustig mee of moet ik...?'

De rest van zijn zin ging verloren in een daverende knal vol rook en vuur, die dwars door het midden van het platform barstte, zodat de houtsplinters alle kanten op vlogen. Een stel soldaten die vlak bij de explosie stonden, schoot met het hoofd naar voren door de lucht, zwaaiend met armen en benen, als dol geworden marionetten. Een van hen knalde tegen Kasim op, zodat hij voor de tweede keer onderuitging, maar inmiddels had Sebastiaan prinses Karijn vastgegrepen en sprong samen met haar van de rand van het platform, de chaos van de panische mensenmenigte in. Toen zijn voeten met een plof de grond raakten, zag hij onder aan het podium een nietig figuurtje neerhurken en naar hem wenken. Cornelius wees naar de twee hippo's, die op een paar passen afstand geduldig op hun berijders stonden te wachten. Zijn gezicht was zwart beroet en hij grinnikte mallotig.

'Wat een knal!' brulde hij. 'Heb je het gezien? Fantastisch, hè?'

Terwijl Sebastiaan naar zijn hippo liep en in het zadel klom, wolkte de rook in grote golven over hen heen. Hij reikte naar beneden en trok prinses Karijn achter zich. Zelfs in het vuur en de opwinding van de gebeurtenissen om hem heen, merkte hij hoe heerlijk hij het vond om haar armen rond zijn middel te voelen. Hij keek even naar Cornelius en zag dat die zojuist met een sprong in Fantooms zadel was beland. Maar vóór hen strekte zich een schijnbaar ondoordringbare massa schreeuwende, duwende mensen uit. Hoe moesten ze ooit wegkomen?

'Max!' riep Cornelius. 'Nu komt het op jou aan!'

Max liet zijn kop zakken en stampte een paar keer op de grond, terwijl hij alle kracht die hij in zich had in zijn machtige schouders verzamelde. Hij keek even op en zag dat de dikke koopman en zijn vrouw, die nog steeds op hun draagstoel zaten, hem lijkbleek en doodsbang aanstaarden.

'Dus ik stink, hè?' zei Max zachtjes.

Weer liet hij zijn kop zakken en nu viel hij aan. Hij voelde de klap waarmee de houten stoel zijn hoorns raakte, en hij wierp zijn kop opzij. Het ding tolde weg en de gillende koopman en zijn vrouw werden over de hoofden van de menigte geslingerd. Max aarzelde geen moment. Hij daverde door, dreef alles en iedereen voor zich uit: een ordeloze bende rennende, schreeuwende mensen, brullende beesten en ratelende voertuigen – het maakte hem niks uit. Al rennend sloot hij geconcentreerd zijn ogen en bundelde elk greintje kracht dat hij tot zijn beschikking had, en het enige wat hij nog voelde waren wat klappen tegen zijn kop, dingen die braken of opzijvielen of over zijn machtige schouders wegvlogen, en hij zei tegen zichzelf dat hij nu niet meer te stoppen was, dat hij zich door niets of niemand meer liet tegenhouden.

Prinses Karijn sloeg haar armen stevig om Sebastiaan heen. Ze kon nauwelijks geloven dat hij nog leefde, dat hij helemaal hiernaartoe was gekomen en zo veel op het spel had gezet om haar te helpen. Ze keek opzij en zag Cornelius naast haar voortracen, diep ineengedoken in het zadel van een piepkleine hippo. Tot haar verbazing zag ze vlak achter hem een tweede vertrouwde gestalte op een hippo. Het was Marg, die haar rijdier voortdreef alsof de duivel haar op de hielen zat, en prinses Karijn werd door vreugde bevangen bij de gedachte dat haar nieuwe vriendin nu ook kon ontsnappen en terugkeren naar haar man en kinderen. Hun blikken kruisten elkaar en Marg riep iets, maar de prinses verstond haar niet boven het lawaai van al die schreeuwende mensen uit.

Ze deed haar mond open om iets terug te roepen, maar de woorden bleven in haar keel steken toen het hoofd van een vierde hippo in haar gezichtsveld opdook en ze zag dat de ruiter niemand minder was dan Kasim. Voorovergebogen in het zadel spoorde hij zijn hippo tot steeds grotere snelheid aan en haalde de prinses in, met één enorme getatoeëerde arm uitgestrekt om

343

haar te grijpen. Ze waren nog niet van hem af en hij was er duidelijk op uit om haar ontsnapping te voorkomen.

'Sebastiaan!' gilde ze, maar als hij haar al hoorde, dan was hij te geconcentreerd op de weg die vóór hem lag om het te merken, en nu voelde ze de vingers van de slavenmeester al langs haar arm strijken en naar houvast zoeken, met de bedoeling om haar van de hippo te trekken. Hij rook de overwinning en zijn mond vertrok al tot een tevreden grijns...

Prinses Karijn keerde zich weer naar Sebastiaan toe om nog één keer in zijn oor te roepen...

En op dat moment kwam er een gigantische fruitkar door de lucht op hen afvliegen, nadat Max hem met zijn hoorns had opgeworpen en woest naar achteren had geslingerd. Sebastiaan zag het en dook ineen, terwijl hij de prinses met één arm achter zich naar beneden drukte. Marg zag het ook en dook eveneens weg; en Cornelius bevond zich toch al zo dicht bij de grond dat hij zich niet hoefde te bukken; maar Kasim zag het ding pas toen het met zijn volle gewicht tegen hem aan smakte en hij met een kreet van pijn en doodsangst achterover van zijn hippo tuimelde. Weg was hij, opgelost in de menigte, die in rap tempo dunner werd en waarvan de voortdenderende Max nu bijna de rand had bereikt.

En opeens waren ze vrij, maakten ze zich los uit het mensengewoel en raceten ze de hoofdstraat over die naar de toegangspoort voerde en vandaar naar de vlakten in de verte.

29

Pluk de dag

Rond het middaguur bereikten ze een vallei tussen lage heuvels, waar een riviertje doorheen kronkelde, en eindelijk durfden ze een korte pauze te houden. Cornelius bleef nog een tijdje op de heuveltop staan om de vlakte achter hem met zijn telescoop te verkennen, want hij wilde er zeker van zijn dat ze door niemand werden gevolgd. Toen pas gaf hij de anderen toestemming om in de vallei af te dalen.

'Eindelijk!' kreunde Max. 'Ik had geen stap meer kunnen zetten zonder iets te drinken.' Meteen waadde hij het ondiepe water in en begon luid slurpend zijn dorst te lessen. Sebastiaan zag dat zijn machtige hoorns onder de butsen en splinters zaten van de woeste klappen die ze in Bandistan hadden opgelopen. Hij hielp prinses Karijn van zijn rijdier af en ze rende onmiddellijk naar Marg. Midden in het riviertje omhelsden de twee vrouwen elkaar.

'Marg, wat ben ik blij dat je ontsnapt bent,' zei de prinses. 'Het ging allemaal zo vlug daarnet dat ik niet eens tijd had om je te zoeken.'

Marg glimlachte. 'Toen jullie over de rand van dat platform wegglipten, was ik drie stappen achter jullie. Een eindje verderop kwam ik een edelman op een hippo tegen. Ik wist hem over te halen er afstand van te doen.' Wat beteuterd keek ze naar haar knokkels, die behoorlijk geschaafd waren. 'Het duurde even voor hij het met me eens was,' voegde ze eraan toe.

Prinses Karijn lachte verrukt. 'En, wat ga je nu doen?' vroeg ze.

'Ik? O, ik ga terug naar de heuvels van Torijn. Een paar dagen flink doorrijden en ik ben weer bij mijn gezin. En dan maar hopen dat het goed met hen gaat en dat ze me niet vergeten zijn na al die weken.'

'Daar zou ik maar niet bang voor zijn,' verzekerde de prinses haar.

'Maar wat nog belangrijker is: wat ga jij nu doen, prinses?'

'Ja,' zei Cornelius, die net samen met Sebastiaan naar de rand van het water was gelopen. 'Een heel goeie vraag. Wat nu, Hoogheid?'

Prinses Karijn fronste haar wenkbrauwen en keek naar het heldere water dat rond haar voeten kringelde, alsof ze in de glinsterende ondiepte naar een antwoord zocht. 'Ik weet het echt niet,' bekende ze. 'Ik denk niet dat ik ooit nog kan terug-keren naar Keladon.'

'Waarom niet?' wilde Sebastiaan weten. 'Jij bent de rechtma-tige troonopvolger.'

Daar moest ze om lachen. 'Ja hoor! En denk je nou echt dat mijn lieve oom Septimus me ooit weer een voet in het paleis laat zetten? Hij zou me ter plekke laten executeren.' Ze haalde haar schouders op. 'Maar waar moet ik anders naartoe? Het is mijn thuis sinds mijn geboorte. Ik heb geen andere plek.'

Cornelius nam zijn helm af en ging in het zand op de rivier-oever zitten. Een paar tellen lang liet hij zijn hand in het water hangen, alsof hij diep in gedachten was verzonken. Toen schep-te hij wat water op en spetterde het over de open wond in zijn schouder. Hij klemde zijn kiezen op elkaar tegen de pijn en schudde zijn hoofd.

'Ik weet wel wat ík zou doen,' zei hij ten slotte.

Prinses Karijn keek op hem neer. 'Nou?' vroeg ze.

'Ik zou teruggaan en opeisen wat me toebehoort.'

'Makkelijker gezegd dan gedaan,' vond ze. 'Oom Septimus heeft een machtig leger tot zijn beschikking. Elk verzet van onze kant zal hij onmiddellijk in de kiem smoren.'

'Hij verwacht echt geen verzet. Voor zover hij weet ben je in Bandistan als slavin verkocht.'

'Toch zal hij binnen een dag van onze ontsnapping op de

hoogte zijn,' zei Sebastiaan. 'Op z'n laatst... morgenmiddag.'

'En daarom moeten we voor die tijd actie ondernemen. Morgenochtend in alle vroegte moet ons leger gereed zijn voor de aanval.'

'Leger?' Prinses Karijn staarde hem aan. 'Wat voor leger? Ik heb helemaal geen leger!'

'Prinses, iedere man, iedere vrouw en ieder kind in Keladon staat vierkant achter je,' zei Cornelius. 'Ik heb zelf gezien hoe ze je aanbidden. Als ze horen hoe je oom je verraden heeft, dan twijfel ik er niet aan of ze zijn stuk voor stuk bereid om voor je te vechten, zodat je je rechtmatige plek weer kunt innemen.'

'Dat is waar,' beaamde Sebastiaan. 'Ze weten allemaal dat jij hun echte koningin bent. En hoe machtig zijn leger ook is, tegen de hele stad kan het niet op. Trouwens, volgens mij zouden veel van die soldaten zich achter jou scharen als ze wisten wat er gebeurd was. Ze weten immers niet anders of ik heb je door middel van hekserij laten verdwijnen. Je hoeft alleen maar de stadspoort door te lopen en ze te vertellen wat je in werkelijkheid is overkomen.'

Prinses Karijn was er nog niet gerust op. 'Ik weet het niet,' zei ze. 'Stel dat onze poging mislukt?'

'Dat is nog altijd beter dan je in een donker hoekje terug te trekken terwijl een laffe leugenaar de baas speelt over jouw koninkrijk,' zei Cornelius. 'Maar, prinses, ik zeg alleen maar hoe ík erover denk. Je moet doen wat je zelf juist en rechtvaardig vindt.'

Er viel een lange stilte, waarin het gesijpel van het riviertje tot een bulderend geraas leek aan te zwellen. Toen nam Marg het woord.

'Hoogheid, als je wilt ga ik met je mee om aan je zijde te vechten.'

Prinses Karijn keek haar vriendin glimlachend aan en schudde haar hoofd.

'Nee, Marg. Met heel mijn hart dank ik je, maar jouw plek is bij je man en kinderen.'

'En jouw plek is bij je volk. Luister maar naar wat je vrienden tegen je zeggen; ik geloof dat ook zij hun hart laten spreken.'

'Ik twijfel er niet aan. Maar, Marg, vertrek nou maar. Ik hoop dat het lot je gunstig gezind is en dat je veilig terugkeert in de armen van je geliefden.'

Weer omhelsden de twee vrouwen elkaar, en toen stapte Marg op haar hippo af, greep de teugel en sprong met een behendige zwaai in het zadel. Toch aarzelde ze nog even en boog zich dicht naar de prinses toe.

'Ik vertrek, maar als je ooit hulp nodig hebt van Marg van de Heuvels, dan zoek je me maar op. Wat er ook gebeurt daar in Keladon, als je behoefte hebt aan een warme maaltijd en een dak boven je hoofd, kun je altijd bij mij terecht.' Ze wierp een steelse blik op Sebastiaan en glimlachte plagerig. 'Je had gelijk, hoor!' fluisterde ze. 'Wat een knappe vent!'

Even klemden de twee vrouwen elkaars hand vast; vervolgens drukte Marg haar hakken in de flanken van haar hippo, waarop het dier de rivier overstak en een zachtglooiende heuvelhelling beklom. Toen Marg de top had bereikt, hield ze haar hippo even in en zwaaide. Het volgende ogenblik racete ze de heuvel af naar de vallei aan de andere kant, en weg was ze.

Prinses Karijn keek nog een tijdje in de richting waarin ze verdwenen was. Verscheidene momenten verstreken en toen besefte ze dat drie paar ogen op haar gericht waren. Max was ook gestopt met drinken nu hij zijn ergste dorst had gelest, en hij was een eindje stroomafwaarts teruggekuierd om te zien wat er ging gebeuren.

Prinses Karijn liep naar hem toe en streek met haar hand over zijn gehavende hoorns. 'Ik heb je nog niet bedankt, Max,' fluisterde ze. 'Je hebt je zonder meer fantastisch gedragen daar in Bandistan.'

Dat liet Max even bezinken. 'Ik was echt ongelooflijk, hè?' zei hij.

'Die arme hoorns van je, ze zijn helemaal kapot. Kon ik ze maar beter maken.'

'Hm... je hebt zeker toevallig geen verse pommers bij je?'

'Max!' riep Sebastiaan uit.

350

'O, nou hoor, ik probeerde het alleen maar!'

Prinses Karijn wendde zich af. 'Ik... Ik moet even alleen zijn. Om na te denken.' Ze liep naar de rand van het water en volgde de oever van de rivier.

'Blijf niet te lang weg, Hoogheid,' riep Cornelius haar na. 'Vergeet niet dat we misschien gevolgd worden vanuit Bandistan.'

Maar ze antwoordde niet. Met een zucht plofte Sebastiaan naast zijn vriend op de oever neer. Hij was moe en het reizen zat, maar hij wist ook dat hun taak er nog niet op zat. Hij wurmde zijn laarzen uit en met een diepe zucht liet hij zijn voeten ter afkoeling in de rivier zakken.

'Ha,' zei hij. 'Dat is lekker.' Hij wierp een blik op Cornelius en de dikke korst van het opgedroogde bloed dat ter hoogte van zijn schouder door zijn maliënhemd was gedrongen. 'Laat mij die wond eens schoonmaken,' zei hij. 'Anders raakt hij misschien ontstoken.'

Cornelius wimpelde zijn aanbod af. 'Ik maak hem zelf wel schoon wanneer alles achter de rug is,' zei hij. Hij staarde over de oever, naar het eenzaam voortstappende figuurtje van prinses Karijn. 'Ze staat voor een moeilijke beslissing en ik benijd haar niet. Er is lef voor nodig om weer terug te keren na wat er allemaal gebeurd is.'

'Maar wat moet ze anders?' vroeg Max. 'Dat is het probleem

als je van koninklijken bloede bent: je bent er niet voor toegerust om iets anders met je leven te doen.' Met een schuine blik keek hij Sebastiaan aan. 'Misschien kan ze hofnar worden. Ze is vast niet slechter dan sommige mensen die ik weleens heb gehoord.'

'Uitkijken jij!' waarschuwde Sebastiaan, maar hij klonk niet echt boos. Hij vond namelijk dat Max zich in Bandistan als een held had gedragen. Zonder hem hadden ze nooit kunnen ontsnappen. Hij wilde net iets van die strekking zeggen toen Cornelius hem een stomp tegen zijn arm gaf.

'Hé, moet je kijken!' zei hij.

Sebastiaan keek om en zag prinses Karijn weer op hen afstappen, nu met een vastberaden blik in haar ogen.

'Jullie hebben gelijk,' zei ze, toen ze dichterbij kwam. 'Waarom zou ik dit over me heen moeten laten gaan? Hij zit fout, niet ik.'

'Dus op naar Keladon?' vroeg Cornelius.

'Op naar Keladon,' beaamde ze. 'Om de stad weer terug te nemen... of anders al vechtend ten onder te gaan!'

Die nacht sloegen ze hun kamp op in het zicht van de muren van Keladon, niet ver van de hoofdweg die naar de stadspoort leidde, zodat ze iedereen zouden kunnen zien die uit de richting van Bandistan naderde. Maar er naderde niemand.

'Waarschijnlijk hebben ze het te druk met het likken van hun wonden,' zei Sebastiaan tegen prinses Karijn. 'Zeg nou zelf: Kasim staat echt niet te popelen om Septimus te vertellen dat hij je heeft laten ontsnappen.'

De prinses en hij leunden met hun rug tegen een reusachtige boom en speurden de weg af op zoek naar een teken van leven.

'Waar is Cornelius gebleven?' vroeg ze zich af. 'Hij is al tijden weg.'

Een paar uur daarvoor had de kleine krijger koers gezet naar de hoofdpoort en kennelijk had het hem geen enkele moeite gekost om binnen te komen.

'Hij zei dat we een paar dingen nodig hadden,' zei Sebastiaan. 'Ik hoop dat er ook eten bij is, want ik ben helemaal uitgehongerd.'

Prinses Karijn schudde haar hoofd. 'Ik snap niet waarom we niet met z'n allen de stad zijn binnengegaan. Ik heb het gevoel dat we onze tijd hier zitten te verdoen.'

'We moeten het juiste moment afwachten,' vond Sebastiaan. 'Morgenochtend, wanneer de markt op z'n hoogtepunt is. Dan loopt de helft van de bevolking op straat en de rest is binnen gehoorsafstand.' Hij glimlachte naar haar. 'En maak je geen zorgen, ze luisteren heus wel naar wat je te vertellen hebt.'

Ze keek hem aandachtig aan. 'Ik heb je geloof ik nog niet eens bedankt.'

'Bedankt? Waarvoor?'

'Omdat je achter me aan bent gegaan. Omdat je je leven op het spel hebt gezet, daar in Bandistan.'

Max, die een eindje verderop aan het grazen was, liet een veelbetekenend kuchje horen.

'Ja, jou ook, Max. Jullie allemaal. Ik zal altijd bij jullie in het krijt staan.'

'O, doe niet zo dwaas,' wierp Sebastiaan tegen. 'Ik heb gewoon... We hebben gewoon...'

'Ik weet hoe simpel het voor je moet zijn geweest om ertussenuit te glippen en me aan mijn lot over te laten. Maar dat heb je niet gedaan. Waarom niet?'

'Omdat... tja, omdat ik...' Sebastiaan zat naar zijn voeten te staren, niet in staat om uit te spreken waar zijn hart vol van was. 'Wat ik wil zeggen, prinses, is dat ik... dat ik echt...'

'Dat hij van je houdt,' onderbrak Max hem. 'Dat is zo klaar als een klontje.'

Sebastiaan schonk de buffaloop een vernietigende blik. 'Als je het niet erg vindt, kan ik zelf het woord wel doen!'

'Nou, dan zou ik maar opschieten als ik jou was. Tegen de tijd dat jij zover bent, is zij zo langzamerhand een oude dame!'

'Is dat waar, Sebastiaan?' vroeg de prinses.

'Wat, dat jij een oude dame wordt?'

'Nee, domoor! Wat Max net zei.'

Hij keerde zich weer naar haar toe en keek haar aan. Haar

beeldschone gezichtje was maar enkele centimeters van hem verwijderd en zijn hart bonkte in zijn borst. 'O, tja, ik... ik geloof het wel...'

Haar ogen boorden zich in de zijne. Het voelde alsof elke spier in zijn lichaam in pudding was veranderd. Daar zat hij te zitten en hij keek haar aan.

'Volgens mij wil ze nu gekust worden,' zei Max zachtjes.

'Wil je je alsjeblieft met je eigen zaken bemoeien!'

'Ik zeg alleen maar...'

'Sst!'

Sebastiaan nam de prinses in zijn armen en trok haar dichter naar zich toe. De wereld leek stil te staan. Een eindeloos, onmogelijk mooi moment lang was er niets anders dan zij tweeen, die zich vol vuur aan elkaar vastklemden onder de glinsterende sterrenhemel. Toen boog hij zich naar voren om haar te kussen...

'Hm!'

'Niet nu, Max!'

'Ahúm!'

Het was Max niet. Het was Cornelius, die een eindje verderop stond met een paar pakjes onder zijn armen. Sebastiaan en de prinses maakten zich snel uit hun omhelzing los en keken nogal onbeholpen op.

'Hopelijk verstoor ik niets,' zei Cornelius.

'Het mag geen naam hebben,' zei Max.

'Mooi.' Cornelius kwam wat dichterbij. Hij ging in kleermakerszit naast hen zitten, legde een van de in papier gewikkelde pakjes aan de kant en begon het andere open te maken. 'Het is me gelukt om een paar kroater bij elkaar te schrapen en eten te kopen,' zei hij. 'Veel is het niet. Wat brood en kaas, een kalebas met plaatselijke wijn...' Hij vouwde het papier open en stalde het voedsel voor hen uit.

'Cornelius, je bent geweldig!' zei Sebastiaan. Hij brak een homp van het brood, pakte een plak kaas en gaf het eten aan prinses Karijn. Toen ze het van hem aannam, raakte haar hand de zijne en ze wisselden een glimlach. Een tijdlang zaten ze alle drie zwijgend te eten. Glazen waren er niet, en daarom liet Cornelius de kalebas rondgaan, waaruit ze om beurten een slok namen. De drank smaakte wrang, maar ze werden er wel warm van.

'Hoe is het in de stad?' vroeg de prinses, terwijl ze de kalebas teruggaf aan Cornelius.

'Rijp voor de revolutie,' liet hij haar weten. 'Waar je ook gaat, overal praten de mensen over jou, en ze vragen zich af of ze je ooit weer terug zullen zien. Sommigen hebben zich laten wijsmaken dat een boze tovenaar je heeft laten verdwijnen...' Hij knikte naar Sebastiaan. 'Maar veel anderen zijn helemaal niet onder de indruk van het verhaal. Ik heb aardig wat mensen gehoord die hun vermoedens over koning Septimus niet onder stoelen of banken staken. Neem maar van mij aan dat er niet veel voor nodig is om die lui aan onze kant te krijgen, en waar zij gaan, volgen de anderen.'

'Had ik er maar net zoveel vertrouwen in als jij.'

'Je redt het wel.' Cornelius zette zijn eten aan de kant en stak zijn hand uit naar het andere pakje. Hij reikte het haar aan. 'Dit is voor jou,' zei hij. 'Ik denk dat het morgen wel van pas zal komen. Ik had geen geld bij me en daarom moest ik een koopman zien te vinden die me op mijn woord wilde geloven toen ik zei dat ik hem later zou betalen. Gelukkig heb ik als lid van de Rode Mantel een prima krediet.'

Prinses Karijn aarzelde even en scheurde toen het papier open. Er kwam een prachtige jurk tevoorschijn in een helderrode tint. 'Cornelius,' zei ze. 'Wat mooi!'

Hij haalde zijn schouders op. 'Als we morgen die poort door rijden, moet je er van top tot teen als een prinses uitzien. We krijgen maar één kans. Laten we ons beste beentje voorzetten.'

Ze boog zich voorover en kuste hem op zijn wang. 'Jullie zijn allebei fantastisch geweest...'

'Hm!'

'Sorry, Max. Jullie zijn allemáál fantastisch geweest. Ik zal het nooit vergeten. Als dit alles voorbij is – en als het goed voor ons afloopt –, dan zal ik jullie belonen.'

'Laten we ons daar nu maar niet druk om maken,' zei Sebastiaan. 'Eerst komt de nacht nog. We moeten proberen wat te rusten.'

Dat was gemakkelijker gezegd dan gedaan. Het drietal zat onder de sterren te praten en plannen te smeden tot in het oosten het eerste ochtendlicht de hemel kleurde.

30

Het volk aan de macht

Ze wachtten tot de zon al een heel eind boven de horizon stond en ze er zeker van waren dat de markt op zijn drukst zou zijn. Toen kondigde Cornelius aan dat het tijd was om voorbereidingen te treffen.

De prinses glipte weg achter een paar struiken om haar nieuwe jurk aan te trekken. Bij een kleine waterpoel boende ze het vuil en het roet van haar gezicht, waarvoor ze een reep stof gebruikte die ze uit haar oude jurk had gescheurd. Terwijl ze daarmee bezig was, bedacht ze dat ze in een paar dagen ontzettend was veranderd. Het verwende meisje van vroeger zou zich veel te goed hebben gevoeld voor zo'n nederig werkje. Toen ze tevoorschijn kwam, leek ze weer op de prinses van eerst. Langzaam liep ze terug naar de anderen, die zich automatisch op één knie lieten zakken.

'Dat hoeft toch niet,' zei ze.

'Prinses, dat moet wel,' antwoordde Sebastiaan. 'Jij bent de rechtmatige koningin van Keladon. Natuurlijk buigen we voor je.' Hij kwam weer overeind en ging wat dichter bij haar staan. 'Wat gisteravond betreft...' zei hij.

'Laten we het daar nu niet over hebben,' drong ze aan. 'Misschien is dit de laatste dag dat we samen zijn...'

Ze keken elkaar even aan, en opnieuw vroeg Sebastiaan zich af of ze verwachtte dat hij haar zou kussen. In plaats daarvan nam hij haar handen in de zijne en kneep er zachtjes in. Er viel een lange stilte.

'Nou, het is in elk geval een prachtige dag,' merkte Max iets te luid op.

Sebastiaan en de prinses weken uiteen.

'Het is tijd,' zei Cornelius.

Ze stegen op, maar het duurde nog even voor de jurk van prinses Karijn zo om haar heen was gedrapeerd dat het gewenste effect was bereikt. Volgens Cornelius was dat een belangrijk detail. In een vlot galopje legden ze de korte afstand naar de stadspoort af. Toen ze dichterbij kwamen, klonk vanaf de borstwering de gebruikelijke vraag: 'Wie is daar? Vriend of vijand?'

Even bleef het stil.

Toen zei prinses Karijn met heldere, zelfverzekerde stem: 'Soldaten van Keladon, ik ben het, prinses Karijn!'

Weer viel er een stilte. Een paar mannen verschenen op de

borstwering en keken stomverbaasd naar beneden. Vervolgens hoorden ze de beestenmeester, die aan de andere kant van de muur een bevel riep. 'Sluit de deuren!' brulde hij. Secondelang zat het drietal in opperste verbijstering te wachten. Toen gingen de deuren langzaam en krakend open. Sebastiaan wierp een vragende blik op zijn metgezellen.

'Ik leg het later wel uit,' zei Max.

Ze reden het binnenplein op. Een groepje verblufte soldaten had zich bij de ingang opgesteld. Cornelius herkende de officier met het blozende gezicht, die hij een paar avonden eerder had gesproken. De man staarde prinses Karijn even aan en liet zich daarna op zijn knie zakken.

'Hoogheid,' zei hij. 'Ik... Ik ben zo blij om u weer te zien. Ik had gehoord dat u verdwenen was, dat u naar een of ander verschrikkelijk oord was gestuurd door... door...' Hij herkende Sebastiaan en wees beschuldigend naar hem. 'Door hem!' snauwde hij. 'Bewakers, grijp die man en sla hem in de boeien!'

'Néé!' Zodra ze prinses Karijns stem hoorden, bleven ze als aan de grond genageld staan. 'Luister naar me, iedereen. Deze man, Sebastiaan Duister... en ook deze man, kapitein Cornelius Drummel, zijn goede, toegewijde vrienden van me.'

'Hm!'

'En dit trouwe dier hier – ook hij is mijn vriend. Als iemand van u hun ook maar een strobreed in de weg legt, zult u zich bij mij moeten verantwoorden. Is dat duidelijk?'

De officier met het blozende gezicht boog zijn hoofd. 'Zoals u beveelt, Hoogheid. Staat u mij toe om een soldaat naar het paleis te sturen, dan zal hij uw oom van uw veilige terugkeer op de hoogte brengen.'

Prinses Karijn schudde haar hoofd. 'U mag niemand sturen,' zei ze. 'Ik wil hem liever... verrassen.' Ze keek om zich heen naar de geüniformeerde mannen die voor haar neerknielden. 'Zeg tegen uw mannen dat ze hun hippo's bestijgen. Laat een paar soldaten achter om de poort te bewaken. Vervolgens begeleidt u me naar het marktplein, waar ik het volk van Keladon zal toespreken. Als u een trompetblazer heeft, laat die dan met ons meekomen.'

De blozende officier keek bedenkelijk. 'Hoogheid, ik weet eigenlijk niet of...'

'Weigert u mijn bevel op te volgen?' snauwde prinses Karijn.

De officier boog gehoorzaam en riep naar zijn mannen: 'Opzadelen! We gaan met de prinses mee.'

Cornelius wees naar een grote houten hooiwagen die naast het poorthuis stond. 'Wilt u onze buffaloop voor die wagen spannen, alstublieft?' verzocht hij. 'Dan kan de prinses vanaf de achterkant het volk toespreken.'

'Een hooiwagen?' De officier keek ontsteld, maar met een gebaar droeg de prinses hem op om aan het verzoek te voldoen en hij rende weg om het uit te voeren.

'Wat ben je met die wagen van plan?' vroeg Sebastiaan zachtjes.

'Het is een geschikte triomfwagen voor een koningin die ten strijde trekt,' antwoordde Cornelius. 'En met Max ervoor hebben we vrij baan, dat is zeker.'

Max kreunde. 'O nee, hè, niet weer,' wierp hij tegen. 'Jullie gebruiken mij altijd als een soort stormram.'

'Beste kerel,' zei Cornelius. 'Geen revolutie zonder offers. We moeten allemaal bereid zijn om de prijs te betalen.'

'Ja ja,' zei Max op sombere toon. 'Alleen heb ik soms het gevoel dat er misbruik van me gemaakt wordt!'

Binnen enkele minuten was alles geregeld. De drie vrienden stegen af, Cornelius nam plaats op de bok van de wagen en pakte de leidsels, en Sebastiaan en de prinses klommen achterin. De troep bereden soldaten stelde zich als een beschermend schild aan weerszijden op. Cornelius gaf een tikje met de leidsels en Max zette zich in beweging, de hoofdstraat op. Het was niet ver naar het plein waar de markt werd gehouden. Zoals ze al hadden gehoopt wemelde het er van de mensen. Zodra die de prinses zagen in haar schitterende rode jurk, lieten ze alles in de steek waarmee ze bezig waren en dromden opgetogen rond de wagen, hun hoofden eerbiedig gebogen.

'Trompetter, blaas de fanfare,' zei prinses Karijn. 'Ik wil dat iedereen me hoort.'

De trompetter bracht zijn bronzen instrument naar zijn mond en gaf er een paar luide stoten op. Gespannen speurde Sebastiaan de straat af, maar hij zei tegen zichzelf dat ze nog te ver van het paleis waren om daar gehoord te kunnen worden. Toen het trompetgeschal klonk, verschenen er nog meer mensen. Ze stroomden winkels, cafeetjes en huizen uit en probeerden allemaal zo dicht mogelijk bij de wagen te komen, tot die van alle kanten omringd was door een opgewonden mensenmenigte.

Langzaam kwam prinses Karijn overeind. 'Nou, daar gaat ie!' fluisterde ze. Ze liep naar het midden van de wagen, zette haar handen in de zij en hief haar hoofd. Zonder enige haast keek ze om zich heen, nam de massa verbaasde gezichten in zich op en wachtte nog even om de spanning verder op te voeren. Ze haalde diep adem en probeerde de zenuwen te bedwingen die een knoop vormden in haar maag. Toen nam ze het woord, zo luid en helder als ze kon.

'Volk van Keladon. Uw prinses is teruggekeerd!'

Haar woorden werden met een gebrul van bijval begroet, en ze hief haar handen om de mensen weer tot stilte te manen.

'Velen van u hebben gehoord dat deze man, de hofnar Sebastiaan Duister, verantwoordelijk was voor mijn verdwijning. Ik kan u zeggen dat dat niet het geval is! Zonder de hulp van de heer Duister en zijn vriend, kapitein Drummel – en laten we de machtige buffaloop niet vergeten die deze wagen trekt – zou ik nu niet in vrijheid voor u staan.' Ze zweeg even en keek met een grimmig gezicht naar de zee van verbijsterde gezichten die haar omringde. 'Ik ben niet met behulp van bovennatuurlijke krachten naar een geheimzinnige wereld overgebracht. Dat was een leugen, verzonnen door de mensen die me hebben laten ontvoeren.'

Overal hielden de mensen ontzet hun adem in. De prinses wachtte even, want ze wilde er zeker van zijn dat iedereen haar goed had verstaan.

'Ja, ontvoerd – en niet met behulp van hekserij of tovenarij, maar door echte mensen, die nog steeds in het paleis verblijven, verderop in de straat. Bovendien' – ze zweeg even om haar woorden goed tot haar gehoor te laten doordringen – 'werd ik op mijn verjaardag ontvoerd!'

Weer hapten de mensen naar adem – en het gemor zwol langzaam aan.

'Deze lieden hebben mijn ondergang beraamd. Gluiperige lafaards die ze zijn, hebben ze gezorgd dat ik verkocht werd op de slavenmarkt van Bandistan!'

Nu steeg er weer gebrul op uit de menigte. De Dievenstad was alom gehaat en alleen al de gedachte dat hun prinses in de buurt van dat oord was geweest, was weerzinwekkend.

365

'Ja, het is waar!' benadrukte ze. 'Als een stuk vee stond ik op het verkoopplatform, voor het allerlaagste uitschot van Bandistan; en alleen dankzij de moed van deze twee mannen – en hun buffaloop – is voorkomen dat ik aan de hoogste bieder werd verkocht.'

Nu gaven de mensen luidkeels uiting aan hun woede en verontwaardiging. Vuisten werden geheven in de richting van het paleis, ook al was het vanaf het plein niet te zien.

'En nu, volk van Keladon, ben ik bij het ergste gedeelte van mijn verhaal aangekomen. Bereidt u zich voor op de verschrikkelijke ontknoping van deze trieste geschiedenis. De man die me verraden heeft – de man die zo'n ellendig lot voor mij bedacht – is mijn bloedeigen oom, koning Septimus!'

Een paar tellen lang was het muisstil. De ontzetting was van de gezichten af te lezen. Maar toen steeg er opnieuw een gebrul op, zo luid dat Sebastiaan zijn handen tegen zijn oren drukte. De prinses wachtte tot het lawaai wat bedaard was voor ze het woord weer nam.

'Ja, jullie koning – jullie tíjdelijke koning – besloot dat hij het koninkrijk niet aan me wilde overdragen. Hij besloot alles op alles te zetten, ook al was het nog zo verachtelijk, om zijn positie veilig te stellen. En als verklaring voor wat er gebeurd was, had hij een kille, harteloze leugen verzonnen, zodat niemand ooit achter zijn daden zou komen. Maar ik ben ontsnapt en kan zijn ware aard nu onthullen. Hij is een leugenaar, een dief en erger nog... een moordenaar!'

Nu klonken er kreten van ongeloof.

'Ja, ik zweer het op mijn eigen leven!' riep de prinses uit. 'Ik ben iets verschrikkelijks te weten gekomen over mijn oom Septimus, een man die ik als geen ander vertrouwde. Hij heeft namelijk de dood van mijn ouders op zijn geweten – uw vroegere koning en koningin. Hij... Hij en Magda, die boosaardige handlangster van hem, hebben ervoor gezorgd dat ze vergiftigd werden!'

Het tumult dat onder de mensen uitbrak, was overweldigend – en het duurde niet lang of Sebastiaan ving het geluid op van een spreekkoor dat uit hun midden opsteeg. Eerst waren het een paar stemmen, maar geleidelijk aan werd het steeds luider, begon het zich te verspreiden en werd het door steeds meer mensen opgepikt.

'Weg met de koning, weg met de koning, wég met de koning!'

'En daarom, volk van Keladon, vraag ik u om hulp,' riep prinses Karijn, die met moeite boven het lawaai uit kwam. 'Ik vraag u om alle wapens op te pakken die u kunt vinden en samen met mij op te trekken naar het paleis, want ik ben van plan de troon op te eisen die me rechtmatig toebehoort!'

Deze verklaring werd met gejuich ontvangen. Aan de rand

van de menigte ontstond een handgemeen toen uit de richting van het paleis verscheidene bereden soldaten naderden. Sebastiaan zag dat de groep werd aangevoerd door kapitein Zeelt. Met een staalharde blik keek hij om zich heen, naar de enorme mensenmenigte.

'Wat is hier aan de hand?' wilde hij weten. 'Wie heeft hier toestemming voor gegeven? Keer onmiddellijk naar uw huizen terug!' Zijn oog viel op de prinses, die op de wagen stond, en zijn mond viel open. Zo bleef hij enkele tellen verbluft zitten, niet in staat om een woord uit te brengen. Toen merkte hij de bereden soldaten op die haar bewaakten. 'Wat... Wat voeren jullie hier uit, mannen?' riep hij. Hij wees naar Cornelius en Sebastiaan. 'Arresteer hen en breng hen naar het paleis!' Maar de soldaten staarden hem alleen maar aan, zwijgend en vol verwijt, en het begon tot Zeelt door te dringen dat zijn machtspositie plotseling in rook was opgegaan. Door panische angst bevangen deed hij een onhandige poging om zijn hippo te keren en de plek te ontvluchten.

'Houd hem tegen!' riep prinses Karijn. 'Laat hem niet ontsnappen!'

Onmiddellijk strekte een zee van handen zich naar hem en zijn soldaten uit.

'Raak me niet aan!' bulderde kapitein Zeelt. 'Hoe durven jullie? Hoe...?'

Maar hij werd met zijn hoofd naar voren uit het zadel getrokken en schoppend en tegenstribbelend meegesleurd, de mensenmenigte in. Vuisten regenden op hem neer toen hij in hun midden terechtkwam, en hij stond niet meer op.

'Pak hun wapens!' brulde Cornelius. 'Pak hun hippo's. En zoek zo veel mogelijk andere wapens. Volk van Keladon, jullie zijn bedrogen, jullie zijn uitgezogen door een man die nog niet eens de laarzen van de rechtmatige koningin mag likken. Maar het uur van de wraak is nabij. Op naar het paleis!'

Hij liet de leidsels klakken en Max, die zich weer langzaam in beweging zette, baande zich met moeite een weg door de drommen mensen. Ze gingen opzij om hen door te laten en het duurde niet lang of de wagen had de rand van de menigte bereikt. De bereden soldaten stelden zich aan weerszijden op, en achter hen drong hun leger naar voren. Toen Sebastiaan om zich heen keek, zag hij dat de marktkooplui allerlei spullen uitdeelden die ook maar enigszins op wapens leken, en dat anderen hun huizen in en uit renden en van alles meebrachten wat weleens van nut zou kunnen zijn. Hij zag hooivorken, kruisbogen, oude roestende zwaarden, en speren die waarschijnlijk al jaren geen actie meer hadden gezien.

'Nou, we hebben een mooi allegaartje op de been gebracht,' merkte hij zachtjes op.

'We hebben waarheid en gerechtigheid aan onze kant,' zei

Cornelius. 'En bovendien mijn oude favoriet: het verrassingselement!'

'Denk je dat we het daarmee redden?'

Cornelius grijnsde. 'Vraag dat zo meteen nog maar eens,' zei
hij.

Iemand boog zich naar Sebastiaan toe en overhandigde hem
een stel zwaarden. Een ervan gaf hij aan prinses Karijn, en toen
ze het aannam, kruisten hun blikken elkaar.

'Hoe heb ik het gedaan?' vroeg ze.

'Je was op-en-top de koningin van dit land,' antwoordde hij.
'Deze mensen gaan voor je door het vuur.'

'Ik hoop alleen dat ik ze niet naar hun ondergang leid,' zei ze.
Toen liep ze naar de voorkant van de wagen en om haar even-
wicht te bewaren klemde ze zich vast aan de houten zitting.
Haar zwaard stak ze omhoog, zodat iedereen het kon zien.

'Volk van Keladon!' riep ze. 'Op naar de overwinning!'

Cornelius liet de leidsels knallen en Max denderde ervandoor. De soldaten spoorden hun hippo's aan en het woedende
volk volgde; zwaaiend met hun wapens of hun vuisten stormden ze de brede straat op die heuvelopwaarts voerde, naar het
paleis.

31

Weg met de koning

Koning Septimus had het nogal getroffen met zichzelf, vond hij.

Ondanks een nacht waarin hij zich had bezat en volgevreten, was hij vroeg opgestaan, had een stevig ontbijt gebruikt met al zijn favoriete hapjes, had lekker liggen weken in een warm bad vol olie en parfum, en met behulp van Maltus had hij net zijn mooiste gewaad aangetrokken. Het gaf hem een zeer voldaan gevoel dat hij nu de onomstreden koning van Keladon was en niemand hem de troon meer kon betwisten. Hij vroeg zich af waar prinses Karijn zich op dat moment bevond, en om zichzelf te vermaken stelde hij zich voor dat ze in lompen gehuld op handen en knieën de vloer van een latrine aan het schrobben was.

Lui uitgestrekt op een met zijde beklede bank in de koninklijke ontvangstkamer probeerde hij te bedenken wat hij de rest van de dag zou gaan doen.

'Ik zou later op de dag eens een bezoekje aan de koninklijke schatkamer kunnen brengen,' zei hij tegen Maltus. 'Het is alweer een hele tijd geleden dat ik in mijn geldkisten heb gekeken en mijn kapitaal heb geteld.'

'Vier dagen, Sire,' zei Maltus, zonder een zweempje spot.

'Hm. Zo lang alweer? Nou...'

'Als u daar toch naartoe gaat, Sire, zou u dan misschien zo vriendelijk willen zijn om zich over het probleempje van mijn salaris te buigen?'

'Wat is daar dan mee?' gromde koning Septimus.

'Nou, Sire, de laatste keer dat we erover gesproken hebben, zei u dat u heel misschien overwoog om me inderdaad een salaris uit te betalen.'

Septimus trok een zuur gezicht. 'Je wilt me toch niet vertellen, Maltus, dat je naast de glorieuze eer om mij te mogen bedienen er ook nog eens voor betááld wenst te worden?'

'Ja, Sire! Eh... ik bedoel, nee, Sire, natuurlijk niet. Ik wilde alleen maar...'

'Gooi mijn po eens leeg. En doe eerst de luiken open, zodat er wat frisse lucht binnenkomt.'

'Ja, Sire!' De lijfknecht snelde het vertrek door om het bevel van zijn meester op te volgen. Hij ontgrendelde de luiken en trok ze naar achteren om de prachtige zomerochtend binnen te laten. Het raam bood rechtstreeks uitzicht op de hoofdstraat, die heuvelafwaarts naar het marktplein liep, en toen Maltus naar buiten keek zag hij iets onverwachts. Rond de bocht in de weg naderde een mensenmenigte. En niet zo'n kleintje ook. Hij verwachtte dat de massa geleidelijk in omvang zou afnemen, maar dat gebeurde niet. Er waren kennelijk erg veel mensen op de been. Wel duizenden, en te oordelen naar de manier waarop ze met hun vuisten zwaaiden – en met een zo te zien geduchte verzameling wapens – kwamen ze niet om de mooie omgeving te bewonderen.

Maltus deed zijn mond al open om iets te zeggen, maar toen bedacht hij zich. Het zou weleens in zijn eigen belang kunnen zijn om te maken dat hij wegkwam, en een bevel van de koning waardoor hij nog langer zou moeten blijven kwam hem nu heel slecht uit. Daarom keerde hij zich vlug van het raam af, greep de po van de koning en rende zo snel naar de deur dat de inhoud van de pot over de rand klotste.

'Maltus, stommeling die je bent, kijk toch uit!'

'Neem me niet kwalijk, Sire.' Maltus vertraagde zijn pas niet, maar stevende door.

'Waarom heb je zo'n haast, man?'

'Een, eh... dringende verplichting, Sire!' En weg was Maltus, de deur door en naar de trap. Plotseling hoorde Septimus gekletter toen de po in allerijl aan de kant werd gesmeten.

'Wat is...? Maltus? Maltus!'

Geen antwoord. De koning kwam overeind en liep de kamer een tijdje op en neer. Hij had het gevoel dat er iets niet helemaal klopte. In de verte hoorde hij geschreeuw en hij ging naar het open raam. In opperste ontzetting staarde hij naar buiten, naar de enorme troep mensen die op het paleis afstormde. Zelfs op die afstand herkende hij het figuurtje in de felrode jurk, dat rechtop in de wagen stond die de menigte aanvoerde. Verbijsterd opende hij zijn mond en hij weigerde te geloven dat dit echt gebeurde. Toen drong de werkelijkheid met een klap tot hem door en hij draaide zich om en rende de kamer uit.

De twee lijfwachten die bij de deur stonden, sprongen op slag in de houding.

'Sla alarm!' riep koning Septimus. 'Gewapend gepeupel nadert het paleis. Stuur de Rode Mantel naar boven om me te verdedigen – en jullie: ga erop af en doe er iets aan. Barricadeer de deuren. Verdedig ze met jullie armzalige levens!'

'Ja, Sire.' De twee mannen draaiden zich om en terwijl ze alarm sloegen, snelden ze de trap af.

Koning Septimus wilde zich net in zijn privéverblijf terugtrekken toen hij een broze gestalte zag naderen uit een van de gangen links van hem. Het was Magda, die een grote tas over haar schouder droeg en steunde op een stevige wandelstok.

'Magda,' zei de koning, 'gaan we soms ergens naartoe?'

Ze was niet blij om hem te zien, dat was duidelijk. 'Majesteit!'

374

riep ze uit. 'Wat een aangename verrassing. Ik was net, eh... van plan om een bezoekje te brengen.. aan mijn... moeder.'

'Je moeder?' Koning Septimus lachte minzaam. 'Ik had geen idee dat je moeder nog leefde. Nou, die moet dan... eens kijken: een jaar of honderdtwintig, honderddertig zijn?'

Magda glimlachte haar bruine tandstompjes bloot. 'Ze is inderdaad aardig op leeftijd, Sire, en haar gezondheid is niet best. Ik ga haar kruiden en drankjes brengen, zodat ze wat aansterkt. Over een dag of twee ben ik terug.'

'Hm. Toevallig is het je niet ter ore gekomen dat een woedende menigte naar het paleis optrekt? Een menigte die wordt aangevoerd door prinses Karijn? Je probeert er toch niet tussenuit te knijpen?'

Magda trok een stomverbaasd gezicht. 'Een menigte, Majesteit? Ik had echt geen idee!'

'O, nou ja. Oké. Je was dus niet op de hoogte. Dan moet je maar snel naar je moeder gaan, vind je ook niet?'

'Dank u, Sire.' Zo vlug als haar oude benen haar konden dragen, strompelde Magda op de trap af.

'Hoe dacht je daar eigenlijk te komen?' vroeg koning Septimus, die naar haar toe liep en een hand op haar schouder legde.

Ze slikte nerveus. 'Ik, eh... dacht dat ik maar een rijtuig moest nemen,' zei ze zachtjes.

'O, nee toch? Een vrouw met jouw magische gaven? Volgens

mij ben je er veel sneller als je een wat... bovennatuurlijker manier van reizen zou kiezen.'

'Wat bedoelt u, Sire?' vroeg ze.

'Ik bedoel, verdomme, dat je maar moet gaan vliegen!' brulde hij, en met beide handen greep hij de achterkant van haar jurk en smeet haar de trap af. Vol belangstelling keek hij toe terwijl haar breekbare lichaam over de marmeren treden naar beneden donderde en tuimelde, en niet zonder enige tevredenheid stelde hij vast dat ze erin slaagde elke trede die ze tegenkwam te raken.

Haar levenloze lichaam kwam neer voor de voeten van een groep gewapende mannen in donkerrode mantels. De lijfwacht van de koning. Geschokt keken ze neer op de oude vrouw, die in een slordige hoop op de vloer lag.

'Wat staan jullie daar nou te gapen als een stel idioten!' grauwde de koning. 'Kom op met je luie reet en stel je boven aan de trap in verdedigingslinie op. Als wie dan ook probeert boven te komen, hak je hem in stukken.'

De mannen renden de trap op en voerden zijn bevel uit. Per slot van rekening hadden ze gezworen dat ze de koning met hun leven zouden verdedigen, ook al had hij de merkwaardige gewoonte om oude dametjes van de trap te gooien, hun dood tegemoet. Boven aangekomen draaiden ze zich om en trokken hun zwaarden.

'Ik zal jullie maar meteen vertellen,' zei de koning, 'dat deze opstand wordt geleid door prinses Karijn. Het is heel goed mogelijk dat zij vooropgaat als jullie aangevallen worden. Zet elke gedachte aan haar koninklijke afkomst opzij. Ze moet behandeld worden als ieder ander die het gezag van jullie koning bedreigt. Dat is mijn bevel. En nu aan de slag, schorem dat jullie zijn. Ik ben in mijn privévertrekken.'

Hij liep weer naar binnen en snelde naar het raam. Het gepeupel was nu heel dichtbij – akelig dichtbij. Hij zag wie er op de wagen stonden: prinses Karijn, die met geheven zwaard uitzinnig stond te schreeuwen; de kleine Golmiraan, die de leidsels vastklemde en dat stinkbeest van een buffaloop tot grotere spoed maande; en, gehurkt naast prinses Karijn, die bemoeizuchtige halfbloed van een hofnar.

Koning Septimus mompelde iets zeer onbehoorlijks. Laat ze maar komen, dacht hij bij zichzelf. Hij zou vechten tot zijn laatste snik.

Beneden op de hotsende, schuddende wagen zag Sebastiaan de paleispoort met een vaart op zich afkomen; toen ze het gebouw heel dicht genaderd waren, zwaaiden de deuren open en stroomden er rijen geüniformeerde soldaten naar buiten, met het schild in de hand en zwaaiend met zwaarden en speren. Het leken er heel veel, en ze stelden zich in dichte gelederen op om een verdedigingslinie dwars over het binnenplein te vormen. Hun aaneengesloten schilden hadden ze naar voren gestoken en zo ontstond er een ondoordringbare muur van brons.

De laatste man die naar buiten kwam, moest zich bukken om
zijn hoofd niet te stoten. Het was Klart, de prijsvechter van de
koning, gehuld in zware wapenrusting en met een knuppel ter
grootte van een kleine boom in zijn handen geklemd. Nadat hij
naar buiten was gestapt en zijn plek had ingenomen, sloegen de
deuren met een klap achter hem dicht, en Sebastiaan wist dat de
achterblijvers binnen een barricade opwierpen om de aanval af
te weren.

De wagen naderde de paar traptreden die naar het paleisplein voerden. Sebastiaan was ervan uitgegaan dat ze daar zouden stoppen en uit de wagen zouden klimmen. Maar Cornelius
had andere plannen. Hij gaf een tik met de leidsels tegen Max'
achterste en spoorde hem tot nog grotere snelheid aan. Ondertussen wierp hij een blik over zijn schouder.

'Hou je vast!' brulde hij, waarop Sebastiaan en de prinses de
zijkanten van de wagen stevig vastgrepen.

Max denderde de traptreden op. Met een vreselijke klap kwamen de zware wagenwielen in aanraking met het massieve
marmer, en even was Sebastiaan bang dat de oude kar stuk zou
slaan. Maar toen kregen de wielen weer grip en de wagen kletterde naar boven, vervaarlijk schuddend en schokkend.

In een oogwenk bevonden ze zich weer op vlak terrein en nu staken ze het uitgestrekte plein over naar waar de soldaten hen opwachtten. Sebastiaan keek achterom en zag dat de woedende menigte in dichte drommen achter hen aan de traptreden op zwermde. Toen hij zich weer omdraaide, ramde Max net met zijn kop dwars door de muur van schilden heen en de soldaten vlogen als kegels alle kanten op. De wereld werd één groot, krankzinnig gewoel van schreeuwende, gillende mensen. Soldaten klommen op de wagen en Sebastiaan haalde naar hen uit met zijn zwaard, sloeg ze weer naar beneden, maar zodra er één soldaat neerstortte kwam er een andere voor in de plaats. Ze leken van alle kanten te komen en hij moest vechten voor zijn leven.

Een tijdlang ving hij alleen maar af en toe een glimp op van wat er om hem heen gebeurde. Hij zag prinses Karijn, die om zich heen zwiepte als een beroepszwaardvechter, luid roepend naar haar volgelingen dat ze vol moesten houden. Hij zag Cornelius, die op de houten bok van de wagen stond en met een waanzinnige grijns soldaten neermaaide alsof hij een boer was die zijn zeis door de tarwe haalde. Toen zag Sebastiaan Klart: met zijn machtige knuppel deelde hij een regen aan klappen uit, maar hij was niet in staat de onstuitbare horde mensen tegen te houden die zich als een leger mieren op hem wierp. Ze klemden zijn armen en benen vast, lieten hem struikelen en stortten zich

379

toen op hem, waarna ze hem sloegen en staken met alles wat voorhanden was. Van het ene op het andere moment verdween hij onder een berg worstelende mensen.

Opeens kwamen er geen soldaten meer op de wagen af. Toen Sebastiaan om zich heen keek, zag hij dat de eenheid bij de deur verslagen was. Er stond niemand meer overeind. Cornelius sprong van de bok en begon Max uit te spannen. Zodra hij vrij was, liep de buffaloop weg, op zoek naar nieuwe slachtoffers die hij kon aanvallen, maar voorlopig was de voorraad op. Cornelius klom weer op de wagen en schreeuwde een bevel naar de mensen om hem heen.

'De wagen!' brulde hij. 'Die gaan we als stormram gebruiken!'

'Het is weer eens wat anders dan mijn persoontje,' mompelde Max.

Onmiddellijk volgde de menigte zijn bevel op en rende naar voren. Mensen drongen om de wagen heen en gretige handen grepen het zware houten onderstel.

'Nu met z'n allen!' riep Cornelius. 'Eén, twee, drie... duwen!'

De wagen werd met een noodvaart over het plein in de richting van de paleisdeuren geduwd, en iedereen stoof aan de kant om hem ruim baan te geven. De voorkant van de wagen ramde het hout en de deuren bogen naar binnen, maar sprongen ook weer terug. Door de klap werden Sebastiaan en de prinses omvergeworpen. Ze bleven even liggen en keken elkaar aan.

'Zullen we maar van dit ding afspringen?' stelde Sebastiaan voor.

Ze schudde haar hoofd. 'De mensen moeten me kunnen zien,' zei ze.

'Nog een keer!' riep Cornelius. De wagen werd naar achteren gereden, tot helemaal aan de rand van het plein. 'Eén, twee, drie... duwen maar!'

Deze keer was de klap nog zwaarder en onder luid gesplinter brak de deur.

'Nog een keer! We zijn er bijna doorheen!' brulde Cornelius. De wagen ratelde weer terug.

Sebastiaan gaf prinses Karijn een kneepje in haar hand. 'De laatste keer!' verzekerde hij haar.

Ze wachtten en het bleef heel lang stil.

'Eén, twee, drie... dúwen!'

Iedereen die de wagen duwde, gooide elk grammetje kracht in de strijd, en nu leek hij te vliegen, alsof hij werd voortgestuwd door de hand van een onzichtbare reus. De klap waarmee hij tegen het hout aan sloeg, dreunde na in elke tand in Sebastiaans mond, maar wat het ook was dat de deuren op hun plaats had gehouden, het brak als een twijgje onder het geweld. De deuren barstten open en de wagen ratelde de paleishal in, waar hij tegen de rijen soldaten aan ramde die binnen waren gebleven.

Prinses Karijn sprong weer overeind en zwaaide met haar zwaard. 'Voorwaarts!' riep ze. 'De overwinning is nabij!' Een grote, joelende golf mensen spoelde de verbrijzelde poort door, dreef de resterende soldaten voor zich uit en joeg ze diep het paleis in. De prinses sprong van de wagen en ging met hen mee, volledig in beslag genomen door het hier en nu. Sebastiaan klauterde ook naar beneden en was van plan achter haar aan te gaan, maar op dat moment voelde hij een harde ruk aan zijn wambuis en toen hij naar beneden keek, zag hij Cornelius. Hij wees naar de voet van de grote trap, waar het lijk van Magda de heks lag.

'Naar boven!' zei Cornelius. 'Naar de koninklijke vertrekken. Daar houdt hij zich vast schuil.'

Sebastiaan wierp nog een laatste, bezorgde blik op de prinses en toen knikte hij. Hij volgde Cornelius de trap op, hoewel hij besefte dat het grootste deel van hun leger nog beneden was en de laatste soldaten najoeg door het doolhof van gangen op de begane grond. De twee mannen snelden de enorme trap op, maar toen ze boven waren aangekomen, bleven ze aarzelend staan.

Dwars over het trapportaal stond een rij mannen opgesteld, gekleed in opvallend tenue. Het was de lijfwacht van de koning, de Rode Mantel.

32

De eindstrijd

Cornelius bleef op enige afstand van de rij lijfwachten staan. Voor hij het woord nam, keek hij ieder van hen aandachtig aan. 'Mannen van de Rode Mantel,' zei hij. 'Ik wil mijn zwaard niet tegen jullie opnemen. Ik ben nog maar een paar dagen lid van jullie eenheid, maar ik beschouw jullie als mijn wapenbroeders.'

Een grote man met een baard, die de natuurlijke leider van de groep leek te zijn, antwoordde. 'En als lid, kapitein Drummel, hebt u net als wij gezworen om het leven van de koning te beschermen. Waarom valt u dit paleis dan aan?'

Cornelius fronste zijn voorhoofd. 'Om een aantal zeer goede redenen. Toen ik die eed aflegde, dacht ik dat ik plechtig beloofde om een eerlijk man te verdedigen – niet een tiran die zijn eigen nichtje de slavernij in zou zenden om te voorkomen dat ze koningin werd.'

Sebastiaan had verwacht dat de mannen verbluft naar adem zouden happen, maar er kwam geen enkele reactie. Een akelig voorgevoel bekroop hem.

'Van wie heb je dat gehoord?' snauwde de man met de baard.

'Van niemand. Ik heb het met eigen ogen gezien. Mijn vriend Sebastiaan en ik hebben de prinses pas gisteren gered uit de slavenmarkt van Bandistan. En dat is niet het enige verraad waaraan die zogenaamde koning zich schuldig heeft gemaakt. Hij heeft ook de moord op de vorige koning en koningin op zijn geweten. Bovendien heeft hij me in een hinderlaag laten lopen tijdens mijn eerste opdracht, toen hij twintig Bandistanen op me afstuurde om me het zwijgen op te leggen. Ik kan u verzekeren dat de man die zich in die vertrekken schuilhoudt het niet waard is om verdedigd te worden.'

De man met de baard glimlachte sarcastisch. 'En als ik je nou eens vertelde, kapitein Drummel, dat we allemaal van die hinderlaag op de hoogte waren – en ook van de plannen die de koning met de prinses had? Als ik je nou eens vertelde dat we er stuk voor stuk goed voor betaald hebben gekregen om de andere kant op te kijken? Wat heb je daarop te zeggen?'

Cornelius sperde zijn ogen wijd open toen de waarheid tot hem doordrong. Zijn hele gezicht drukte walging uit. 'Dat de Rode Mantel een schijnvertoning is,' sneerde hij. 'En dat ik er niet langer lid van wens te zijn.'

'En als we je nou eens eenzelfde regeling voorstelden?' vroeg een tweede man. 'Je zou rijker zijn dan in je stoutste dromen.'

'Maar ik zou mijn eer verliezen,' zei Cornelius. 'En mijn leven zou even waardeloos zijn als dat van jullie.'

De man met de baard lachte. 'O, kom op, kapitein Drummel, je denkt toch niet dat je het tegen óns kunt opnemen? We zijn de beste soldaten van het land. We zullen jullie als kaf neerslaan.'

Cornelius maakte een diepe buiging. 'Heren, ga uw gang.'

Sebastiaan stapte naar voren om zich naast Cornelius op te stellen, maar de kleine krijger gebaarde dat hij achteruit moest gaan.

'Nu wordt het menens, jonge vriend,' zei hij. 'Het is niet beledigend bedoeld, maar je mag me niet voor de voeten lopen.'

'Cornelius...'

'Nee. Naar achteren, zeg ik!'

Sebastiaan haalde zijn schouders op en trok zich aarzelend een paar passen terug. In de stilte die volgde, namen de mannen elkaar op. Toen stapte de man met de baard naar voren, zijn zwaard geheven. Kalm wachtte Cornelius hem op. De man viel aan, en weer gaf Cornelius dat lome, bijna onmerkbare tikje met zijn pols. Zijn tegenstander zette nog een paar stappen. Zijn ogen staarden strak naar voren en op zijn borst verspreidde zich een helderrode bloedvlek. Toen struikelde hij en tuimelde de trap af.

De overige leden van de lijfwacht keken elkaar vol ongeloof aan. Vervolgens stormden ze als één man op Cornelius af. Even verdween hij uit het zicht, bedolven onder een kluwen worstelende lichamen; maar toen maakte hij zich los uit het gewoel, vloog met een koprol naar boven en kwam sierlijk neer op de stenen balustrade naast zijn tegenstanders. Met zijn zwaard deelde hij een paar fatale stoten uit en weer vielen twee mannen dood op de trap neer.

'En nu, heren,' zei hij, 'is het volgens mij tijd dat u kennismaakt met de Golmiraanse doodssalto.'

Hij wierp zijn hoofd in zijn nek en stootte een keiharde brul uit. Toen schoot hij de lucht in en tolde rond tot zijn lichaam een wazige vlek was, waarna hij met een salto over de trap naar de balustrade aan de overkant vloog. Onderweg liet hij zijn zwaard een dodelijke boog beschrijven en doorkliefde de helmen van nog drie vijanden, die ter plekke neerstortten. Sebastiaan moest zich helemaal tegen de kant aan drukken toen de lichamen langs de steile trap naar beneden gleden en zich bij die van hun kameraden voegden.

Uitgetold landde Cornelius met een daverende lach op de balustrade aan de overkant.

Langzamerhand begon de boodschap tot de overgebleven vijf lijfwachten door te dringen. Ze weken wankelend terug en renden langs Cornelius de trap af, met achterlating van hun wapens. Sebastiaan zag hen over de lijken van hun gevallen kameraden klauteren en door het gat in de verbrijzelde deur naar buiten verdwijnen. Hij hoorde hun voeten over het binnenplein roffelen. Toen keerde hij zich om naar zijn vriend.

'Cornelius, je was...'

Ontzet brak hij zijn zin af toen hij zag hoe de kleine krijger ineenstortte, van de balustrade viel en op de trap terechtkwam. Sebastiaan haastte zich naar hem toe, knielde naast zijn lichaam neer, dat languit op de grond lag, en draaide hem op zijn rug. Ter hoogte van zijn maag zag hij vers, helderrood bloed door het kapotte maliënhemd sijpelen.

'Iemand... heeft me... toch nog geraakt, de geluksvogel!' zei Cornelius met opeengeklemde kaken. 'Bij de baard van Schimlok!' Hij probeerde overeind te krabbelen, maar viel kreunend terug. De doodssalto had hem volledig uitgeput.

'Ik ga hulp halen,' zei Sebastiaan.

'Nee...' Cornelius gebaarde naar de deur die naar de koninklijke vertrekken voerde. 'Verspil geen tijd. Pak... Septimus. Nu... hangt het van jou af.' Er voer een lichte huivering door hem heen en zijn lichaam verslapte.

'Cornelius!' Sebastiaan legde zijn oor tegen de mond van de kleine krijger. Hij hoorde hem ademen, maar heel langzaam en oppervlakkig. Nu mocht hij niet langer aarzelen. Hij kwam overeind en met zijn zwaard in de aanslag stak hij de gang over naar de deur van het koninklijk vertrek. Even bleef hij staan om moed te verzamelen. Toen hief hij zijn voet op, schopte de deur open en rende naar binnen. Op het eerste gezicht was de kamer leeg. Maar het volgende moment hoorde hij een bons, waarop hij zich omdraaide en zag dat koning Septimus achter de deur had staan wachten. Hij had er zojuist een enorme ijzeren grendel voor geschoven, waardoor hij nu op slot zat. In zijn andere hand hield de koning een indrukwekkend kromzwaard.

'Mooi,' zei hij. 'Eindelijk zijn we onder ons. De vrolijke hofnar en ik.' Hij hief zijn zwaard, zwiepte ermee door de lucht en voerde een aantal schijnsteken en -stoten uit. 'Weet je nog een paar leuke moppen?'

Sebastiaan schudde zijn hoofd. 'Het is er niet echt de tijd of de plek voor,' merkte hij op.

'En, kun je een beetje met dat zwaard omgaan? Stelt het wat voor?'

Sebastiaan haalde zijn schouders op. 'Het kon slechter,' zei hij.

'Blij het te horen,' sneerde koning Septimus. 'Want ik ben namelijk kampioen. Drie keer heb ik het Keladoniaanse schermtoernooi gewonnen. Niet om op te scheppen, maar ik word als onverslaanbaar beschouwd. En met het grootste genoegen maak ik straks een eind aan dat bemoeizuchtige leventje van je.' Met geheven zwaard deed hij een stap naar voren. 'Soms zijn het de eenvoudige dingen waar je het meeste plezier aan beleeft, vind je ook niet?'

Tijd om te antwoorden had Sebastiaan niet. Genadeloos en in volle vaart kwam de koning op hem afstormen en sloeg met het zware wapen naar zijn hoofd. Net op tijd stak Sebastiaan zijn eigen zwaard omhoog en toen de wapens elkaar raakten vlogen de vonken in het rond en gingen er schokgolven door zijn arm. Koning Septimus gromde, trok het zwaard terug en haalde uit naar Sebastiaans benen. Die sprong op en voelde het vlijmscherpe wapen op enkele centimeters van zijn voeten de lucht doorklieven. Op hetzelfde moment stootte hij met zijn linkervuist toe en raakte de koning recht in het gezicht.

Vloekend wankelde koning Septimus achteruit en hij bracht een hand naar zijn mond om het bloed van zijn lippen te vegen. 'Jij speelt vals!' zei hij. 'Daar zul je voor boeten.'

'Je had gelijk,' merkte Sebastiaan op. 'Het zijn inderdaad de kleine dingen die het doen.'

Koning Septimus grijnslachte, maar zijn gezicht was vertrokken van woede. 'Grappig, hoor,' zei hij. 'Wedden dat het lachen je straks vergaat?'

Weer viel hij Sebastiaan aan en zijn stoot was zo krachtig dat Sebastiaan, toen hij hem afweerde, naar achteren wankelde, struikelde en languit over een lage houten tafel viel. Hij kwam aan de andere kant op de vloer terecht, zich ervan bewust dat de koning de aanval onverminderd voortzette en met het zwaard naar hem uithaalde. Wanhopig greep Sebastiaan een poot van de tafel vast en trok die naar zich toe om hem als schild te gebruiken. Op enkele centimeters van zijn hoofd hakte het zwaard van de koning er een stuk uit. Sebastiaan plantte zijn voeten tegen de achterkant van de tafel en met een harde schop liet hij hem door de lucht vliegen, recht op zijn tegenstander af.

Behendig deed Septimus een stap opzij, maar Sebastiaan had nu de tijd om overeind te krabbelen. De twee mannen draaiden om elkaar heen, zoekend naar een opening.

'Tot nu toe heb je geluk gehad,' zei Septimus op kalme toon. 'Maar je kunt me niet eeuwig ontwijken. Per slot van rekening ben ik koning en jij bent maar een halfbloed.'

'Ik weet wel wat ik liever ben,' verzekerde Sebastiaan hem. 'En trouwens, je bent niet langer koning. Er kwam een eind aan je bewind zodra het volk van Keladon zich tegen je keerde. Of je me doodt of niet, het is afgelopen met je.'

'Mooie overwinning zal dat voor je worden,' hoonde koning Septimus. 'Probeer dat zielige nummer van je maar eens op te voeren zonder hoofd op je romp.'

Listig had hij Sebastiaan in een hoek gedreven, tegen een zware houten deur. Sebastiaan wilde net zijwaarts wegschuifelen toen Septimus op hem afsprong en een felle wervelwind van zwaardstoten op hem losliet, de ene nog krachtiger dan de andere. Met moeite slaagde Sebastiaan erin ze af te weren, maar bij de laatste stoot viel hij en de deur achter hem vloog onverwacht open. Hij bevond zich in een smalle gang, van waaruit een stenen wenteltrap naar boven voerde. Dat was vast de beroemde toren van koning Septimus, concludeerde hij, maar op dat moment viel zijn vijand hem opnieuw aan en hij moest zich terugtrekken. Hij strompelde achterwaarts de trap op, ondertussen de eindeloze reeks zwaardstoten afwerend die op hem neerregenden.

In het schemerige licht leek er een krankzinnig vuur in Septimus' ogen te gloeien. Lachend viel hij Sebastiaan aan en dreef hem naar boven, steeds hoger en hoger. Sebastiaans armen deden pijn en het zweet gutste uit elke porie van zijn lichaam, maar op de gladde stenen treden vond hij nergens een plek van waaraf hij zich kon verdedigen; en toen, met een buitengewoon gemene zwiep, werd het zwaard uit zijn hand geslagen. Het vloog weg en hij kon er niet meer bij.

Septimus grijnsde en zijn ogen stonden boosaardig. 'O, lieve help,' zei hij. 'Dat ziet er niet zo best uit, hè? Ik zou maar om genade smeken, elfenman!' Hij drong naar voren en nu zat er voor Sebastiaan maar één ding op: hard wegrennen.

'Ja, ren jij maar weg!' riep Septimus, zich verkneukelend, en op zijn dooie gemak beklom hij de trap. 'Maar je kunt je nergens verstoppen, hofnar. Helemaal nergens.'

Na een paar wentelingen van de trap kwam Sebastiaan bij een geverfd houten schild, dat aan de muur hing. Hij stak zijn hand ernaar uit en probeerde het naar beneden te trekken, maar het zat onwrikbaar vast en Septimus kwam nu wel akelig dichtbij. Met bijna bovenmenselijke inspanning slaagde hij er uiteindelijk in het schild toch van de muur te trekken, waarbij brokken steen meekwamen. Hij schoof het schild aan zijn rechterarm en ineengedoken drukte hij zich tegen de binnenmuur aan. Toen Septimus de bocht om kwam en op Sebastiaan afstapte, sprong hij overeind en ramde het schild tegen Septimus' borst. De koning werd naar achteren geslagen, een paar treden af, maar hij bleef overeind. Nadat hij zich had hersteld, stormde hij weer op Sebastiaan af, waarbij hij zo woest met het zwaard zwaaide dat de stukken hout uit het schild vlogen. Sebastiaan wankelde onder de klappen en opnieuw liep hij achterwaarts de trap op. Toen hij een schietgat passeerde, zag hij dat ze al een heel eind van de grond verwijderd waren.

'Kom op, hofnar, dit gaat me de keel uit hangen,' klaagde Septimus. 'Laat me nou eens goed op dat hoofd van je mikken, dan kunnen we er een punt achter zetten.'

'Als je... Als je mij nou eens... eerst laat mikken,' hijgde Sebastiaan. Hij stortte bijna in van uitputting, het zweet stroomde langs zijn gezicht en hij was bang dat hij het niet veel langer zou volhouden.

'Nee,' grauwde Septimus. 'Ik vroeg het het eerst!'

Hij bracht zijn arm omhoog en sloeg met zo'n kracht naar beneden dat het schild in tweeën spleet en Sebastiaan het vlijmscherpe zwaard diep in zijn schouder voelde snijden. Opgezweept door de pijn haalde hij met zijn vuist uit naar het gezicht van zijn tegenstander, maar Septimus dook weg en deelde op zijn beurt een stoot uit die Sebastiaan vol op de neus trof. Hij wankelde naar achteren en zijn schouders sloegen tegen hout. Achter hem gaf iets mee, hij viel een tweede deur door en bevond zich opeens in het felle zonlicht. Een zwerm vogels, opgeschrikt door zijn komst, fladderde met veel kabaal de helderblauwe lucht in. Even bleef hij zo liggen en terwijl het hem duizelde staarde hij naar de vogels, die al cirkelend wegvlogen. Hij besefte dat hij de top van de toren had bereikt. Septimus had gelijk gehad: nergens kon hij zich verstoppen.

Met inspanning van al zijn krachten kwam Sebastiaan overeind en strompelde naar de borstwering, een paar meter verderop. Hij keek eroverheen en zag beneden zich een grote mensenmenigte samendrommen. Vanaf zijn uitkijkpost leek het net een insectenleger. Er steeg een enorm gebrul op toen ze hem in het oog kregen; hij zag een figuurtje in een rode jurk de paleisdeuren uit rennen en met het hoofd in de nek naar hem kijken. Hij wilde haar naam roepen, maar een hand greep zijn gewonde schouder en draaide hem om, waarop hij het uitschreeuwde van de pijn.

Septimus sloeg hem keihard met zijn vuist in het gezicht. Hij tuimelde bijna over de borstwering, maar de koning pakte hem bij zijn haren, draaide hem weer rond en hield de kling van zijn zwaard bij zijn keel. Hij voelde de vlijmscherpe rand langs zijn vlees schampen.

'Niet zo'n haast, elfenman!' gromde Septimus in zijn oor. 'Kijk eens naar beneden. Daar is ze, die beminde prinses van je. Ik wil dat ze ziet wat er met je gebeurt. Ik wil dat zij het laatste is wat je ziet wanneer je sterft. En... nog een afscheidswoord?'

Het duizelde Sebastiaan, maar dwars door de rode nevel die aan de randen van zijn bewustzijn kwam opzetten, bedacht hij op het laatst nog een wanhopig plan, en hij wist dat hij het moest proberen.

'Nog één ding...' zei hij schor. 'Iets wat ik altijd heb willen weten...'

'Nou?' fluisterde Septimus.

'Is dat... Is dat een pruik?'

Met een schok week Septimus terug, alsof iemand hem met een mes had gestoken. 'Waar heb je het over?' siste hij.

'Je haar... het ziet er veel te mooi uit om echt te kunnen zijn.'

'Natuurlijk is het echt!' schreeuwde Septimus. 'Iedereen weet dat het echt is!'

'Oké... als jij het zegt.' En met die woorden stak Sebastiaan vliegensvlug zijn hand uit, greep een handvol haar en trok er hard aan. Gedurende één vreselijk moment bleef het haar zitten, alsof het stevig zat vastgeplakt – maar toen klonk er een scheurend geluid en liet het in z'n geheel los. De koning bleek zo kaal te zijn als een gekookt eitje. Van beneden steeg gelach op.

'Geef terug!' brulde Septimus, die zijn zwaardarm hief en met zijn vrije hand naar de pruik graaide. 'Geef terug, zeg ik!'

Sebastiaan liep achterwaarts langs de borstwering en hield de pruik als een lokaas voor zich uit. 'Wil je hem hebben?' vroeg hij. 'Wil je hem echt hebben?' Hij boog zich gevaarlijk ver over de borstwering, met de pruik aan het uiteinde van zijn gestrekte arm. 'We gooien hem naar het volk, wat vind je ervan?' vroeg hij. 'Dan kunnen ze hem allemaal zien!'

'Nee! Nee, geef hem aan mij!' Septimus leunde nu ook over de balustrade en probeerde de pruik te pakken. Zijn vingers waren er nog maar enkele centimeters van verwijderd toen...

'Oeps!' zei Sebastiaan, en hij liet het ding vallen.

'Néééé!' Met een laatste wanhopige graai wilde Septimus de pruik pakken, en op dat moment dook Sebastiaan ineen, greep de benen van de koning en hees hem omhoog, over de rand. Een paar tellen lang bleef Septimus wiebelend op de borstwering liggen, woest zwaaiend met zijn armen op zoek naar houvast.

In zijn doodsangst slaakte hij nog één naargeestige gil. Toen gleed hij naar voren en viel de leegte in.

Sebastiaan keek toe terwijl de koning kronkelend en draaiend naar beneden tuimelde en als een waanzinnige met zijn benen pompte, zodat het leek alsof hij probeerde te rennen. Beneden hem stoven de mensen alle kanten uit om te voorkomen dat ze geplet werden.

De pruik, die door de wind werd opgepikt, viel minder snel dan de voormalige koning, en seconden voor hij de grond raakte leek hij hem te hebben ingehaald.

Op het laatste moment wendde Sebastiaan zijn blik af, en toen hij weer durfde te kijken, dromden de mensen om het te pletter gevallen lichaam heen en kon hij het niet meer zien.

Uitgeput wankelde Sebastiaan de open deur weer door en begon de trap af te dalen, struikelend en glijdend over de gladde treden, waarbij hij zich met zijn niet-gewonde arm overeind moest houden. Het leek een eeuwigheid te duren voor hij de koninklijke vertrekken had bereikt. Hij hoorde vuisten op de deur beuken, maar door bloedverlies was hij zo verzwakt dat hij de zware grendel pas na veel moeite open kreeg.

De deur zwaaide terug en op de gang stond een grote groep schreeuwende mensen. In de menigte ving hij een glimp op van een beeldschoon gezicht. Hij zei haar naam en stak zijn hand naar haar uit, maar op dat moment verloor hij het bewustzijn.

Hij viel voorover in haar armen en voelde niet eens hoe hij door vele handen voorzichtig werd opgetild en de trap af gedragen, veilig naar beneden.

33

Koningin

Ongeduldig stond Sebastiaan te wachten bij de deur naar de vertrekken van de koningin. De laatste Slag om Keladon was drie manen geleden, en het paleis begon er weer een beetje normaal uit te zien. De verbrijzelde poortdeuren waren gerepareerd en Sebastiaans arm was zo goed als hersteld. Ook Cornelius begon aardig op te knappen en was bijna weer de oude. Die ochtend nog had Sebastiaan hem opgezocht in het ziekenhuis. Hij bruiste van energie en popelde om weer iets te ondernemen. Hij had trouwens tegen Sebastiaan gezegd dat hij hem iets wilde vertellen, maar dat het moest wachten tot ze elkaar onder vier ogen konden spreken.

Tijdens de voorafgaande weken had Sebastiaan amper de gelegenheid gehad om met koningin Karijn te praten. Eerst had hij in het ziekenhuis gelegen, bewusteloos en koortsig. Haar triomfantelijke kroning had hij gemist. Wel had ze hem later een paar keer opgezocht en hem uitgebreid bedankt voor zijn hulp. Maar het tweetal wist dat hun gesprek kon worden afgeluisterd door de patiënten in de omringende bedden, en ze hadden niet de kans gehad om over hun gevoelens te praten.

Nu had ze hem ten slotte op een privéaudiëntie ontboden. Hij was wat zenuwachtig en misselijk, een onmiskenbaar teken dat hij verliefd was. Maar eigenlijk wist hij niet wat hij tegen haar moest zeggen. Dat was al moeilijk genoeg geweest toen ze nog gewoon prinses was. Maar nu ze koningin was? Wat zei je tegen een koningin?

De deur naar de koninklijke vertrekken ging open en Maltus verscheen, met een zelfingenomen blik in zijn ogen. Sebastiaan had er het zijne van gedacht toen hij hoorde dat de magere lijfknecht een aanstelling had gekregen als lid van de koninklijke staf. Hij herinnerde zich maar al te goed dat Maltus had geweigerd hem te helpen toen hij in de cel zat, en hij wist dat hij geen vinger had uitgestoken in de strijd om het recht van de prinses op de troon. Maar hij was niet kapot te krijgen, het soort man dat van het ene op het andere moment overloopt naar de tegenpartij. Volgens de geruchten was hij er behoorlijk op vooruitgegaan. Tegenwoordig ontving hij zelfs een salaris.

Hij glimlachte naar Sebastiaan. 'Ah, meneer Duister. U maakt het goed, hoop ik.'

'Prima hoor,' zei Sebastiaan. 'En dat heb ik niet aan jou te danken.'

'Toe nou, we gaan niet wrokken, hè? Ik kwam alleen maar voor mijn eigen belang op.'

'Zoals je nog steeds doet.'

Maltus schonk hem een zuinig glimlachje en boog beleefd. 'Hare Majesteit kan u ontvangen,' zei hij, waarop hij Sebastiaan binnenliet en de deur achter hem sloot.

Ze stond voor de marmeren haard, gekleed in een van de prachtige brokaten gewaden die ze tegenwoordig droeg. Haar gezicht was wit gepoederd en haar lange haren waren opgestoken in een ingewikkelde knot. Sebastiaan vond haar er veel ouder uitzien dan tijdens hun laatste ontmoeting. Ze glimlachte naar hem, maar het was een beleefde, terughoudende glimlach.

'Sebastiaan,' zei ze. 'Je bent vrijwel hersteld.'

Hij knielde neer en boog voor haar. 'Helemaal nu ik jou weer zie,' zei hij.

'Ach, nog altijd dezelfde charmeur. En hoe gaat het met Cornelius?'

'Bijna beter. Hij kan elk moment uit het ziekenhuis ontslagen worden.'

'Ik ben blij het te horen.' Met een gebaar liet ze hem op een stoel plaatsnemen. Zelf nam ze een andere stoel, op enige afstand van de zijne. Een tijdlang zaten ze elkaar zwijgend aan te kijken. Het voelde bepaald ongemakkelijk, alsof ze elkaar voor het eerst ontmoetten. Ten slotte nam de koningin het woord.

'Sebastiaan, het koninkrijk van Keladon wil je zijn dankbaarheid betonen voor de diensten die je ons hebt bewezen. Het is mijn bedoeling om aan jou en aan kapitein Drummel het ereburgerschap van de stad te verlenen en een jaarlijkse som van driehonderd kronen te schenken, die je naar eigen inzicht kunt besteden.'

Hij staarde haar aan. Ze klonk kil en afstandelijk, alsof ze het tegen een onbekende had.

'Het geld zal worden uitgekeerd op...'

'Waarom sla je zo'n toon tegen me aan?' onderbrak hij haar. 'We zijn toch vrienden? Na alles wat we samen hebben meegemaakt, zou ik denken dat we toch zeker wel als normale mensen met elkaar kunnen praten.'

'Volgens mij práát ik ook normaal. Goed, het geld zal worden...'

'Laat dat geld maar zitten! Geld interesseert me helemaal niet! Ik ben hier gekomen om je te vertellen wat ik voel.'

Ze schudde haar hoofd. 'Sebastiaan,' zei ze zachtjes. 'Ik weet dat je ooit bepaalde gevoelens voor me hebt gekoesterd...'

'Wat bedoel je met "ooit"? Er is niks veranderd... of wel soms?'

Een paar tellen lang keek ze strak naar haar voeten. 'Helaas, alles is veranderd. Ik ben nu koningin van Keladon en zo moet

ik me ook gedragen. Ik kan niet langer aan elke gril en bevlie-
ging toegeven.' Ze hief haar blik naar hem op. 'Sebastiaan, ik
zal het avontuur dat we samen hebben beleefd nooit vergeten.
Maar nu ligt mijn plicht bij mijn volk. Het lijkt een eeuwigheid
geleden, maar ik heb je verteld dat mijn eerste echte daad als
vorstin mijn huwelijk met prins Rolf van Bodengen zal zijn.'

'Ja, maar dat was voor... voor wij...' Impulsief stond Sebastiaan van zijn stoel op en liep naar haar toe. Hij knielde voor
haar neer en nam haar handen in de zijne. 'Je houdt helemaal
niet van hem,' zei hij. 'Dat wéét ik. Je doet het alleen maar uit
koninklijke plicht. Maar om míj geef je wel, daarvan ben ik
overtuigd.'

'Nee.' Ze schudde haar hoofd. 'Dat is niet waar. Je vergist je.'
Toch blonken er tranen in haar ogen toen ze die woorden uitsprak. 'Je moet goed begrijpen dat mijn leven niet langer van
mezelf is. Het behoort het volk van Keladon toe, het volk dat
heeft gevochten – en in sommige gevallen het leven heeft geofferd – om de troon voor mij te veroveren. Door een verbond
met Bodengen aan te gaan, komt er een einde aan eeuwen van
bloedvergieten tussen onze twee koninkrijken.'

'Maar jijzelf dan? Hoe zit het met jouw geluk? En het mijne?
Hebben we daar dan geen recht op?'

Ze deed haar uiterste best om haar waardigheid te behouden.
'Sebastiaan, je mag me alles vragen en als het binnen mijn ver-

mogen ligt, zal ik aan je verzoek voldoen. Maar dat niet. Dat kan ik je niet geven. Het spijt me.'

Hij liet haar handen los en kwam weer overeind. Verslagen en doodongelukkig liep hij naar de andere kant van de kamer en staarde somber in de lege haard. 'Verlang dan niet van mij dat ik hier blijf en toekijk terwijl jij je leven vergooit,' zei hij. 'Ik vertrek...'

'Nee, Sebastiaan, niet weggaan. Je kunt hier een mooi leven opbouwen. Je leert vast wel een aardig meisje kennen op wie je verliefd wordt...'

'Ik dacht dat dat al gebeurd was.' Hij keek haar woedend aan. 'Maar toen werd het opeens ingewikkeld.'

'Goed.' Ze dacht even na. 'Mijn aanbod om je een geldbedrag te geven blijft staan. Ik wil je belonen voor wat je gedaan hebt. Dat sta je me toch wel toe?'

Hij schudde zijn hoofd. 'Laat dat geld maar naar mijn moeder in Jerabim sturen. Ik heb het niet nodig.' Hij maakte een beleefde buiging, keerde zich om en liep naar de deur.

'Sebastiaan!' Even liet ze haar koninklijke waardigheid varen en nu klonk ze als het meisje dat hij zich herinnerde. 'Zeg alsjeblieft dat je geen hekel aan me hebt.'

Hij keek haar lang en doordringend aan, en een paar tellen lang vergat hij wie ze was. 'O, prinses,' zei hij, 'dat zou ik toch nooit kunnen?' Hij voelde dat ook zijn eigen ogen zich vulden met tranen en hij snelde naar de deur. Nog één keer keek hij om. Ze was op haar stoel gaan zitten, met gebogen hoofd en zachtjes schokkende schouders. Tranen trokken strepen in het witte poeder op haar gezicht.

Het liefst was hij naar haar teruggegaan, maar tegelijkertijd wist hij dat dat onmogelijk was. Ze had zich voor hem afgesloten en hij zou haar nooit meer echt kunnen naderen. Hij deed de deur dicht en haastte zich weg.

Hij ging naar de koninklijke stallen om Max op te zoeken: tot zijn verbazing ontdekte hij dat Cornelius zichzelf uit het ziekenhuis had ontslagen en nu op een hooibaal zat te kletsen met de buffaloop. Sebastiaan bleef buiten de stal staan en luisterde naar hun gesprek.

'Zag je die soldaten door de lucht vliegen toen ik tegen hun schilden aan ramde?' vroeg Max. 'Het was ongelooflijk. Eigenlijk zou ik Max de Machtige moeten heten.'

'Nou, dan had je mijn Golmiraanse doodssalto op de trap moeten zien. Niet om op te scheppen, maar het was een persoonlijk record. Ik ben er nog steeds niet achter hoe het een van hen gelukt is om me te verwonden.'

'Misschien heb je te weinig conditie.'

'Onzin! Ik ben op mijn top. Zodra die wond helemaal genezen is, kan ik de hele wereld weer aan.'

'Wat dacht je van nog meer avonturen?' vroeg Sebastiaan, en hij stapte de stal in.

Cornelius grijnsde. 'Waarom niet?' zei hij. 'Het wordt hier een beetje te rustig naar m'n zin.'

'O, ik weet het niet, hoor,' zei Max. 'Laten we niet overhaast te werk gaan. Het eten is voortreffelijk – hier weten ze tenminste hoe ze je moeten verzorgen.' Hij keek Sebastiaan vragend aan. 'Hoe was het bij de koningin?'

Sebastiaan ging op een baal zitten en probeerde zijn teleurstelling te verbergen. 'Niet echt fantastisch,' moest hij bekennen. 'Ze gaat met Rolf van Bodengen trouwen.'

'Juist ja,' zei Max. 'Nou, geen resultaat om trots op te zijn.' Hij dacht even na. 'Misschien houdt ze je wel aan als haar geheime liefje.'

Sebastiaan schonk hem een woedende blik. 'Ik vrees dat we geen van beiden gelukkig zouden zijn met zo'n regeling.' Hij keek naar Cornelius. 'Jij wist dat dit ging gebeuren, hè?'

De kleine krijger haalde zijn schouders op. 'Ik... ik vermoedde al zoiets. Sebastiaan, je moet wel begrijpen dat ze nu koningin is. Er komen allerlei dingen op haar af die ze moet doen. Ik weet zeker dat ze om je geeft, maar laten we eerlijk zijn, jij bent maar...'

'Een nar. En ook weer werkloos, naar het schijnt.'

'Het spijt me, vriend, maar alleen in sprookjes loopt alles goed af.'

'Hm. Nou ja, ik heb niet alléén slecht nieuws. Ze schenkt je driehonderd gouden kronen per jaar.'

Cornelius staarde hem aan. 'Je houdt me zeker voor de gek?'

'Nee, ik ben bloedserieus. We krijgen allebei hetzelfde. Behalve dan dat ik dat geld niet wil. Ik heb gevraagd of ze het naar mijn moeder wil laten sturen.'

'Een prachtig gebaar.' Cornelius dacht even na. 'Mijn ouders zijn al stinkend rijk, dus voor hen hoef ik iets dergelijks niet te regelen.'

'Heeft ze nog gezegd dat ze míj iets wilde geven?' vroeg Max hoopvol, maar de twee mannen negeerden hem.

'Dus,' zei Sebastiaan, 'het heeft niet veel zin om hier te blijven rondhangen. Ik voel er niks voor om haar met die slome apenkop te zien trouwen.'

'En ik al helemaal niet,' zei Cornelius. 'Dat brengt me trouwens op een nogal interessant nieuwtje.' Hij zweeg en keek om zich heen, alsof hij bang was afgeluisterd te worden. 'Je bent een stuk eerder dan ik uit het ziekenhuis ontslagen, maar kun je je die oude baas nog herinneren, die in het bed naast me lag?'

'Vaag. Hij was er slecht aan toe, hè?'

'Ja, hij was gewond geraakt tijdens dat laatste gevecht in het paleis. Nathaniël, zo heette hij. Het was duidelijk dat hij niet lang meer zou leven, dus ik heb regelmatig een praatje met hem gemaakt. In zijn jonge jaren was hij avonturier; het grootste deel van zijn leven heeft hij in de havenstad Ramalat doorgebracht, aan de oostkust. Hij was van plan geweest weer die kant op te gaan voor één laatste avontuur, maar hij besefte ook wel dat hij de stad niet meer terug zou zien.'

'Wat treurig,' zei Max. 'Ik vraag me trouwens af of ze al met het eten komen...'

'Sst!' zei Sebastiaan. 'Ga door, Cornelius.'

'Nou, in zijn laatste uren, toen hij wist dat het afgelopen was, gaf hij me iets.' Cornelius wierp weer een blik om zich heen, stak zijn hand in zijn tuniek en haalde er een opgevouwen stuk vergeeld perkament uit. Hij opende het en gaf het aan Sebastiaan. Het was duidelijk heel oud en de tijd had er zijn vlekken op achtergelaten. Het bleek een soort kaart te zijn.

'Wat is dat eigenlijk?' vroeg Sebastiaan. Hij draaide het alle kanten op om het licht er goed op te laten vallen. 'Die bruine inkt is zo verbleekt dat ik het nauwelijks kan lezen.'

'Het is geen inkt,' zei Cornelius. 'Het is met bloed geschreven. Het is een schatkaart. Er staat op waar de verdwenen schat van kapitein Callinestra ligt.'

'Kapitein wie?' vroeg Max.

'Callinestra!' zei Sebastiaan. 'Je wilt me toch niet vertellen dat je nog nooit van hem gehoord hebt? Toen ik klein was, vertelde mijn vader me altijd verhalen over hem. Hij was een legendarische piratenkoning die volgens de geruchten ongelooflijk veel schatten had verzameld, die hij op een geheime plek had verstopt. Maar... ik ben er altijd van uitgegaan dat het niet meer dan een verhaal was.'

'Volgens Nathaniël niet. Hij vertelde me dat hij als knaap scheepsjongen was op het schip van de kapitein, de *Sterre der Zee*. Kennelijk werd de kaart aan hem toevertrouwd toen het schip uiteindelijk geënterd werd door een bende rivaliserende piraten. Nathaniël ontsnapte, maar de kapitein en de rest van zijn bemanning kwamen om het leven.'

Max snoof achterdochtig. 'Als hij de kaart al die tijd in handen heeft gehad, waarom is hij dan zelf niet teruggegaan om de schat te zoeken?'

'Dat heeft hij gedaan. In de loop van zijn leven heeft hij drie keer een poging gewaagd, en elke expeditie werd door ongeluk achtervolgd. Tijdens zijn derde poging bracht hij het er maar net levend af. Hij was van plan het nog één keer te proberen, maar toen raakte hij gewond in de strijd om het paleis. Hij wist dat zijn laatste uur had geslagen en waarschijnlijk vond hij dat iemand anders een kans moest wagen.'

'Hm.' Max zwaaide minachtend met zijn kop. 'Waarschijnlijk was hij hartstikke knettergestoord. Hoogstwaarschijnlijk heeft hij die kaart zelf getekend. Persoonlijk zou ik geen enkel vertrouwen hebben in zo'n vodje.'

Sebastiaan keek Cornelius aan. 'Maar jíj geloofde zijn verhaal?' vroeg hij.

Het mannetje knikte. 'Tot op het laatste woord.'

'Nou, dan weet ik genoeg,' zei Sebastiaan. 'Zodra je helemaal beter bent, vertrekken we.'

'Wacht eens even!' sprak Max. 'Ik snap iets niet. Je hebt net een berg gouden kronen afgeslagen, dus kennelijk is géld niet zo interessant voor je. Waarom ga je dan achter een schat aan?'

'Om het avontuur,' zei Cornelius. 'De kick wanneer je iets vindt wat niemand anders ooit heeft gevonden.'

'Ja, maar laten we er niet overhaast aan beginnen. Ik bedoel, we hebben het hier goed, dat willen we toch niet zomaar aan de kant schuiven... of wel?'

Sebastiaan glimlachte. 'Maak je niet druk, ouwe jongen. Als je liever hier blijft, heb ik daar alle begrip voor.'

Max keek hem even aan en schudde toen zijn kop. 'Je weet best dat ik dat niet kan. Ik heb je moeder beloofd dat ik een oogje op je zou houden.'

'Daar komt ze toch nooit achter,' verzekerde Sebastiaan hem. 'Dan blijf je toch hier zitten? Je eet alles wat je te pakken kunt krijgen en wordt lekker vet.'

Max zuchtte. 'Het is een aantrekkelijk idee, zonder meer,' zei hij. 'Maar nee, laat ik maar met je meegaan. Heb ik goed begrepen dat we ook over water zullen moeten reizen? Buffalopen houden niet van water.'

'Waar houden buffalopen nou wel van?' mompelde Cornelius.

Sebastiaan gaf de kaart aan hem terug. 'Hier, hou die maar veilig bij je tot we vertrekken,' zei hij. 'Als ik je zo bekijk, ben je over een paar dagen weer helemaal de oude.' Hij wierp een blik op Max. 'En wat jou betreft, ik raad je aan om alles wat je hier krijgt tot de laatste kruimel op te eten. Als we eenmaal onderweg zijn, is het gedaan met de overvloed.'

'Nou, mooie boel,' zei Max vol walging. 'Net als je het ergens een beetje naar je zin krijgt, moet de jonge meester er weer zo nodig vandoor. Eerlijk, soms kan ik er wel op spugen, echt waar!'

Op dat moment ging de poort aan het begin van de stallen open en kwam de stalknecht binnen met emmers vol voer.

'O, jammie,' zei Max, die weer helemaal opfleurde. 'Schafttijd!'

Epiloog

Het was tijd om te vertrekken. Max had net zijn laatste rustige maaltje genuttigd in de koninklijke stallen en nu werd hij opnieuw voor Sebastiaans wagen gespannen. Cornelius had Fantoom opgezadeld en de zadeltassen gevuld met proviand voor de lange reis.

Er stond geen plechtig afscheid op het programma, geen fanfare, geen trompetgeschal, en dat kwam Sebastiaan heel goed uit. Hij was blij dat hij wegging, want later die dag, zo had hij vernomen, zou prins Rolf van Bodengen op bezoek komen; en Sebastiaan had het onverdraaglijk gevonden om erbij te zijn en het te moeten aanzien.

Hij wilde net op de bok van de wagen klimmen toen Cornelius een beschaafd kuchje liet horen. Sebastiaan draaide zich om en zag iemand naderen: het was een vrouw, gehuld in een mantel met kap.

Ze trok de kap van haar hoofd en meteen lieten Sebastiaan en Cornelius zich op hun knieën zakken.

'Jullie vertrekken toch niet zonder afscheid te nemen?' vroeg ze verwijtend.

Sebastiaan fronste zijn voorhoofd. 'Ik dacht dat we dat al gedaan hadden,' zei hij. 'En je moet niet in je eentje naar buiten gaan. Dat is gevaarlijk zonder geleide.'

'Ik vond dat deze gelegenheid het risico wel waard was,' sprak ze. 'Jullie weten dat jullie heel veel voor me betekenen.'

'Maar kennelijk niet genoeg,' mompelde Sebastiaan.

'Wees niet verbitterd,' zei ze. 'Dat past niet bij je.' Ze gebaarde dat hij overeind moest komen en toen liep ze op hem af, tot ze oog in oog stonden. 'Ik heb geregeld dat je moeder dat jaarlijkse bedrag in gouden kronen ontvangt. Een betrouwbare koerier is er al mee onderweg. Nu hoef je je om haar geen zorgen meer te maken. Ze heeft genoeg om de rest van haar leven in weelde door te brengen.' Haar hand verdween onder haar mantel en toen overhandigde ze Cornelius een zware stoffen zak. 'En hier is een volledig jaarsalaris, kapitein Drummel. Voor bewezen diensten.'

'Dank u, Majesteit,' zei Cornelius, en hij maakte een diepe buiging. 'Ik ben u zeer erkentelijk voor uw goedheid.'

Ze keek Sebastiaan aan. 'En aangezien je voor jezelf geen beloning wilde aannemen, heb ik iets anders voor je.' Van haar hals nam ze een hanger aan een leren riempje. Hij was prachtig:

goud bezet met edelstenen, in de vorm van een oog met een glanzende blauwe pupil. Ze stak haar arm omhoog en hing hem om Sebastiaans hals.

'Deze amulet,' zei ze, 'moet de drager tegen kwaad beschermen. Hij is al generaties lang in mijn familie. Eigenlijk mag hij alleen aan leden van de koninklijke familie worden gegeven, maar ik denk dat we daar in dit geval wel een uitzondering op kunnen maken.'

Sebastiaan pakte de amulet op en bekeek hem. 'Dat is heel aardig van je,' zei hij.

'Ik hoef zeker niet te vragen waar jullie naartoe gaan?'

Max deed zijn mond al open, maar klapte hem snel weer dicht toen Cornelius hem een por in zijn ribben gaf.

'Dat weten we zelf nog niet,' liet Sebastiaan haar weten. 'We gaan gewoon waar de wind ons naartoe voert.'

'Nou, dan hoop ik van harte dat hij jullie op een dag weer deze kant op brengt. Misschien dat jullie dan een tijdje willen blijven om ons over je nieuwste avonturen te vertellen.' Ze dacht even na en glimlachte toen. 'Weet je nog hoe we elkaar hebben leren kennen?' vroeg ze. 'Dat ik bijna je kop had ingeslagen met een pispot?'

Onwillekeurig moest Sebastiaan ook glimlachen. 'En ik noemde je een stomme meid,' zei hij. 'Dat zou ik nu niet meer moeten wagen.' Hij zweeg. 'Het is vreemd, maar het lijkt allemaal vreselijk lang geleden. En sindsdien zijn er nog maar een paar manen verstreken.'

Er viel een stilte en ze keken elkaar aan.

'Ik zal de tijd die we samen hebben doorgebracht nooit vergeten,' verzekerde ze hem. 'Wanneer ik oud en grijs ben, zal ik mijn kinderen vertellen over mijn avonturen met Sebastiaan, Cornelius en een buffaloop die Max heet.' Ze keek naar zijn metgezellen. 'Beloof me dat jullie goed op hem zullen passen. Er mag hem niets overkomen.'

'Dat komt in orde, Majesteit,' zei Cornelius. 'U kunt op ons rekenen.'

Ze knikte, en Sebastiaan zag dat er weer tranen in haar ogen stonden. Ze boog zich naar voren en kuste hem zachtjes op zijn wang.

'Dat het lot jullie maar goedgezind mag zijn,' zei ze. En toen draaide ze zich om en liep vlug de stallen uit, waarbij ze haar kap weer over haar hoofd trok. Sebastiaan staarde haar na, terwijl de vingers van zijn rechterhand met de amulet speelden. Het bleef heel lang stil.

'Goed!' zei Cornelius, iets harder dan nodig was. 'De tijd vliegt. We moeten nog een hele afstand afleggen voor het donker wordt.'

'Alleen al bij de gedachte doen mijn poten pijn,' mopperde Max. 'Kunnen we het echt niet een paar dagen uitstellen?'

'Nee,' zei Sebastiaan, die terugliep naar de wagen. 'We hebben het al lang genoeg uitgesteld. Kom op, dan gaan we.'

Cornelius sprong in het zadel; Sebastiaan klom op de bok en tikte met de leidsels tegen Max' flanken.

'Hé, rustig een beetje!' zei de buffaloop klaaglijk. 'We zijn die verduvelde stal nog niet uit en je wordt alweer hardhandig. Mijn huid is nog steeds verbazend gevoelig, hoor!' Maar hij begon gehoorzaam te lopen en zo reden ze de stal uit, langs de zijkant van het paleis en de weg op.

'We hebben er een mooie dag voor uitgekozen,' vond Cornelius, en hij keek omhoog naar de wijde blauwe hemel.

'Ja,' beaamde Sebastiaan. 'Het kon niet beter. Op het avontuur en op de weg die voor ons ligt!' Hij keek nog even om naar het paleis en meende een glimp op te vangen van een witgepoederd gezicht dat op hem neerzag vanuit een raam op een bovenverdieping; maar toen hij zich opnieuw omdraaide, was er niemand. Hij keerde zich naar de weg toe die voor hem lag en keek niet meer om.